Hubertus Tellenbach
(Hrsg.)

Das Vaterbild
im Abendland I

Rom, Frühes Christentum
Mittelalter, Neuzeit, Gegenwart

Mit Beiträgen von

Gotthardt Frühsorge, Friedrich Heyer
Hermann Lang, Alfred Schindler
Lothar Schuckert, Georg Schwägler
Rainer Specht, Klaus Stichweh
Hubertus Tellenbach, Antonie Wlosok

Verlag W. Kohlhammer
Stuttgart Berlin Köln Mainz

CIP-Kurztitelaufnahme der Deutschen Bibliothek

Das Vaterbild im Abendland
Hubertus Tellenbach (Hrsg.). – Stuttgart, Berlin, Köln, Mainz : Kohlhammer.
NE: Tellenbach, Hubertus [Hrsg.]
Bd. 1. Rom, frühes Christentum, Mittelalter, Neuzeit,
Gegenwart / mit Beitr. von Gotthardt Frühsorge . . . – 1. Aufl. – 1978.
   ISBN 3-17-004445-1
NE: Frühsorge, Gotthardt [Mitarb.]

Inhalt

Hubertus Tellenbach

Diachronische Stadien der Paternität

Nach dem Niederstieg zu den okzidentalen Ursprüngen des Vater-Seins an den ägyptischen, biblischen und hellenischen Quell-Horizonten* folgt nun eine Bewegung diachronischer Aufdrift. Durch die Jahrtausend-Schichten und deren Verwerfungen den Metamorphosen des Vaters nachgehend, langen wir am Ende in heutigen Tagen an. Da steht am Anfang Rom – fundamentum inconcussum – worin die Vielgestalten der Paternalität wurzeln, derer wir in der dichten Darstellung von *Antonie Wlosok* ansichtig werden. Von dort ihren Ausgang nehmend gleicht die – gleichsam gestrichelte – Linie eher einer Spur, der wir auf gewundenen Wegen folgen, um im nächsten, *dritten*, Band auf die Stufe der Neuzeit zurückzugehen und länger und eingehender uns in die Physiognomien des Vaters zu versenken, welche uns von Kennern der Literatur und Dichtung vor das Geflecht der großen europäischen Kultur-Kreise gestellt wurden.

Lange nach Sokrates' geglücktem Versuch, die perniziöse Vater-Imago der aufklärerischen Sophisten zu entmächtigen und Staat und Volk und Vater-Sein mit neuem Geist zu durchdringen und die Attische Gesellschaft vor der Zersetzung zu bewahren,[1] sieht man in Rom die Vielfalt der Hochgestalten der paternitas sich emporrecken: pater familias, pater patriae, die Senatoren (patres), die gebieterischen Patrone (domini), der priesterliche pater patratus, den pontifex maximus, die Weltherrschaft als patrocinium terrae, ja selbst den obersten Vater, Juppiter, dessen Namen Cicero als iuvans pater versteht.

So sieht man das Paternale sich in familiären, rechtlichen, staatlichen, kultischen Ausformungen entfalten. In einer Verschränkung, die in der Kaiserzeit keine Trennung von Rechts- und Kultakten erlaubte, entdeckt man es am Grunde aller Erscheinungsformen römischen Wesens. Wie muß das Faszinosum der Vater-Existenz die römische Lebenswelt *von Anbeginn* durchwohnt haben, wenn – womöglich schon vor dem 6. vorchristlichen Jahrhundert – die Ahnherrn sich in Aeneas den »mythischen Gründerheros und Stammvater« (*A. Wlosok*) wählten. Für unser »Suchen nach dem verlorenen Vater«[2] stehen wir hier vor einem Fund von entscheidender Bedeutung: *in Zukunft wird nur Vater sein, wer ineins damit auch Sohn sein kann.* Dies vor allem war Aeneas' Größe: daß er, als Sohn den Vater Anchises zugleich mit den Hausgöttern auf den Schultern aus dem brennenden Troia tragend, als

---

* »Das Vaterbild in Mythos und Geschichte«, Stuttgart–Berlin–Köln–Mainz 1976.

Vater den Sohn an der Hand führte: *daß er als Vater vor allem Sohn war*. Und wo ein Vater in dieser Weise Sohn sein kann, da bleibt er unverweslich. Der römische Instinkt für dieses Unverwesliche war unbeirrbar. So hoch hat Rom den pater Aeneas angesetzt, daß Vergil in ihm Stellvertreter und Abbild des himmlischen Vaters sah – wie später in den »Metamorphosen« Ovid in Augustus.

Was Wunder, daß Roms Vater-Wissen von dem an der Zeitenwende dichtenden Vergil her prägend auf die frühchristlich-lateinische Theologie einwirkte. Später, um die Wende zum 4. Jahrhundert n. Chr., war es vor allem *Laktanz*,[3] der die zartwüchsige christliche Wirklichkeit des göttlichen Vaters – wie sie *Alfred Schindler* bei dem apostolischen Vater *Ignazius von Antiochien* (um die Wende des 1. Jahrhunderts n. Chr.) sehen ließ – in der Flammenkraft römischer Paternität härtete. Mehr und mehr treten dignitas und auctoritas, gravitas und prudentia, pietas und cura sieghaft in dem christlichen Wesensbild des Vater-Gottes hervor. Später wird uns *Rainer Specht*[4] zeigen, wie die Saat von Laktanz' »Kreationismus« in dem Aquiner aufgeht: wie eines Jeden Seele vom göttlichen Vater abstammt, der Akt göttlicher Schöpfung sich in der Zeugung jedes einzelnen Menschen wiederholt, der irdische Vater nur Instrument der Ezeugung (»generandi minister« – Laktanz) ist.

So erscheint all dies – zumal auch der Vorrang der Vater-Sohn-Relation – wie ein römisches Prodromium auf den christlichen Äon hin: das Ineffabile eines vielfältigen providentiellen Füreinander und Zueinander.

Wo aber geschichtliche Begegnung dem Dasein zu höchster Steigerung seiner Möglichkeiten gereichen kann, da können auch Berührungen mit den Morbiditäten der décadence Gefährdung bringen. Wo dies am Werke ist – wie in den römisch-hellenistischen Berührungen –, da deckt die Komödie die Gefahr auf. Das leistete *Aristophanes* für Hellas, *Terenz* für Rom. Terenz nicht allein in der Abwehr von außen andrängenden Verfalls, vielmehr auch in der Wendung zum römischen Binnen, wo die von der Wurzel in der pietas abgelöste, in pure Härte entartende patria postestas durch humanitas bleibend sich erneuerte. *A. Wlosoks* Terenz-Analyse zeigt, wie die paternitas nicht durch den inneren Aufstand von Krisen ernstlich gefährdet, geschweige denn korrumpiert wird. Die Sinnstrahlung dieses Vater-Seins, Strahlung eines Juwels, das bis in unser Jahrhundert hinein durch zahlreiche Amalgamate durchschimmert und nie ganz erblindete, werden wir immer wieder erfahren. Wohl war das Antlitz des pater im Auf und Ab von zwei Jahrtausenden zuzeiten für den Betrachter so inkompatibel, daß es – den unerträglichen Ciceronischen ferrei patres gleich – für Hegels Blick einer Gorgonischen Maske glich. Davor hat in römischer Zeit die Einsenkung der patria potestas ins Medium der pietas den Vater bewahrt, hat auch die weltweit wirkende römische Rechtsschöpfung ihm die Gebote des Schutzes, der Fürsorge, der nachgerade liebevollen Erziehung auferlegt. War es *Plutarchs* Überlieferung des Cato maior, jener Gestalt glücklicher und geglückter Paternalität, die sich in *Stefan Georges* »römischem hauch« mit der Erinnerung römischen Erbes an Rhein und Mosel, in Recht und Staat, Würde und Strenge verband? Andere mögen größeres Gefallen finden an jenen Visionen, die der mit einem staunenswert in Römisches einfühlsamen Sensorium begabte mystisch-närrische *Alfred Schuler* aus der Versenkung in den Anblick römischer Münzen aufsteigen ließ.

Zu den Anfängen zurückgehend, sehen wir *Origenes* den Logos des christlichen und des griechischen Vaters zur Einheit vermählen: so sehr, daß, wie *A. Schindler* zeigt, dieses helladisch-christliche Dominium des neutestamentlichen Vater-Gottes der Leitstern seiner Theologie ist. Ungeheuer sind die Dimensionen – metaphysische und soteriologische, kosmische und christologische – die er in genialer Verschränkung im göttlichen Vater konvergieren läßt: kosmogonischer Vater, dem die Menschen Kinder sind, welche kraft der Ebendbildlichkeit durch Christus als das Urbild ständig mit dem Vater vermittelt werden. Es wird schlichterem Hinblicken gerade in solcher kosmogonischer Schau mit Staunen deutlich, wie hoch die christliche Sinn- und Seins-Stiftung den Menschen angesetzt hat; und wie tief der Fall sein muß, wo der Mensch von dieser seiner ebenbildlichen Bestimmung abgezogen wird. Solange diese Bestimmung währt, solange wird der Vater-Gott Wirklichkeit bleiben; solange nämlich wird der Mensch den zentralen Sinn seiner *Bildung* darin erkennen, sich auf sein Inbild als das Ebenbild des höchsten Vaters hinzubilden. So war denn auch dies Sich-Bilden bis ins Mittelalter hinein das oberste Gebot von *Bildung schlechthin.* Dorther entstammt dies ominöse jetzt völlig von seinem Ursprung abgezogene Wort *(Schaarschmidt),*[5] dessen Verlebendigung dem Dasein eine lebenslange oberste Aufgabe zuwies, die jedem durch Christus, den Imitatio fordernden Sohn, den Täter und Löser zu leisten aufgegeben war. In welche ungeheuren Dimensionen diese Sinnstiftung die Existenz des Menschen hob, und wie schlicht das Siegel dieses Ungeheuren war, ist Seelen, deren Spannung erlahmte, nicht mehr vernehmlich. In dieser Weltschau blieb auch der Menschen-Vater für immer Sohn, der – ständig auf dem Wege – den himmlischen nur im Tod erreichte. Doch haben schon Paulus und Origenes erkannt, daß die Bestimmung solcher Bildung als Hinbildung auf den Vater-Gott ein geistiges und geistliches Vatertum zeitigte, wie es sich im Bischof wie auch im Abt darstellen konnte. Es ist für unser Thema nicht ohne Bedeutung, daß es in den großen nachchristlichen Konzils-Kontroversen vor allem um Fragen der Vater-Sohn-Relation ging. *A. Schindler* hat sehr deutlich gemacht, daß diese Relation insbesondere durch die Trinitäts-Theologie des Augustinus die nachhaltigsten Akzente erfuhr: weil Lebens Leben Geist, und Geist Liebe ist – heilige und pagane. Das ist eine der herzbewegenden Konstellationen in Augustinus' vita: daß er, dessen Bezug zum leiblichen Vater nicht glückte, in den »Confessiones« mit bezwingender Inbrunst den deus und dominus appräsentierte und in der innigsten Vielgestalt des Anrufs jene dialogische Existenz lebte und leibte, deren Spannungen das Abendland erwärmten. So wurde denn in diesen Jahrhunderten des wachsenden Ranges der geistig-geistlichen Vaterschaft der »Vatertitel« ein erstrebenswerter Ehrentitel. *A. Schindlers* Explikation dieses uns so unbegreiflichen Drängens in die geistgebürtigen väterlichen Daseinsweisen kann man nur staunend vor soviel Vater-Geladenheit dieser Zeiten folgen. (»Der Vater war im Hause der Bischof« – *Schindler*.) War schon im Hause die Imitatio des Vaters und die von der Mutter gestiftete Atmosphäre das eigentlich Formende, so war dies überhöht vom koinobitischen – vor allem Benediktinischen – Mönchtum, in dem sich (im Bezug Abt-Mönch) jene Verwirklichung des Vater-Sohn-Bezuges fand, die in ihrem Mittestand zwischen der göttlichen und der paganen Relation von der christlichen Sinngestalt dieses Elementar-Kontextes Zeugnis ablegt. Diese Fäden wird *Lothar Schuckerts* Studie aufnehmen, die wechselnden Schicksale ihres Geflechts bis in unsere Zeit aufweisend.

Einen ganz anderen und vollends autochthonen Traditionsstrom einer Vaterwelt hat *Friedrich Heyer* aufgedeckt. Im orthodoxen *Äthiopien* gründet die außerordentliche Ehrfurcht vor dem Vater auf dem urtümlichen »Tabot«, den Sinaitischen Dekalog-Tafeln, die Menilek, der Begründer der äthiopischen Dynastie, von Jerusalem nach Aksum brachte. Christus selbst – so sagt die fromme Mythe – hat die Gebote der nova lex (Matthäus 25) auf die Rückseite des Tabots eingeritzt. Da ist nun das vierte Gebot ganz mittestänadig – und zu oberst steht die Forderung des der jüdischen Thora entsprechenden Orit, dem leiblichen Vater Respekt zu erweisen – aber auch den geistlichen Vätern, dem Beichtvater und dem Bischof. Während nun die Rituale der Vaterbeziehung von einem beglückenden Reichtum der Ausgestaltung zeugen, von dem sich der Leser gern einnehmen läßt, bleibt in dieser reichen Vaterwelt *die Beziehung zum Vater-Gott ganz unentfaltet*. Hier zeigt sich das Wesen geschichtlicher Begegnung in seinen versagenden Möglichkeiten; denn – so läßt uns *Heyer* wissen – die harte Konfrontation des äthiopischen Christentums mit dem streng monotheistischen Islam hat den Vater-Gott unablösbar in das Geflecht der Trinität eingebunden. Was wir (in einem späteren Bande) von *A. Schall* über den Vater in der moslimischen Sphäre hören, wird uns diese überraschende Entwicklung einsichtig machen.

Freilich zeigt die meisterlich erzählte Geschichte des heiligen Merauwi, wie der Sohn den leichten und sicheren Frieden beim leiblichen Vater verlassen und, das Brautgemach fliehend, ins Leben der Askese drängen kann, als Heiliger der Aussätzigen die Unrat-Welt in seraphisches

Licht tauchend. So kann hier die Geschichte eines Vater-Sohn-Kon-
fliktes aussehen – eines solchen freilich, der in seinem Wesen unlösbar
ist, weil, zu des Vaters und des Sohnes Leide, beider Beziehung von
einer Bestimmung überboten wird, die über die Welt hinaus verweist,
so daß »sowohl Sohn wie Vater die Beziehung zum anderen mit
Gott verrechnet« (*Heyer*). Doch ist die Stellung des leiblichen Vaters
im Hinblick auf die Familie von solch eigenwilliger Unverbindlichkeit,
daß spirituellen Vaterschaften (Paten, Erediten, Mamherane, Nefs
abat) die weitaus größere Bedeutung zukommt. Das hat sich am Ende
in einem eigenartigen Phänomen manifestiert: in einem »jugendlichen Ausreißertum als sakraler Institution«. Es zeigt sich hier zum
erstenmal ganz drastisch, was in der späteren abendländlichen Entwicklung immer deutlicher wird: je schwächer die Beziehung zum
Vater-im-Himmel sich entfaltet, desto mehr wird der geistige und der
geistliche Vater zur inneren Notwendigkeit. Was man bei *Heyer* über
die reichen Formen dieser Bezüge erfährt, ist bar jener Herzensarmut,
die heute dort wächst, wo diese ehrwürdige alte Väter-Kultur einer
unseligen Ausrottung anheim zu fallen droht – bewirkt durch einen
außerhalb des Landes edukativ vermittelten seelenlosen Rationalismus
europäischer Provenienz.
Während in Äthiopien ein ungebrochener Traditionsstrom bis in heutige Zeiten floß, hat die Dialektik des himmlischen und des irdischen
Vaters im okzidentalen Mittelalter eine Renaissance erfahren, deren
Spezifität sich im Denken des *Thomas von Aquino* verdichtete.
R. Specht hat dieses in einem Texte von lateinischer Durchsichtigkeit
verdeutlicht. Das Spezifische beruht in der strikten Konsequenz, mit
der sich das Analogie-Prinzip auch in der Ur-Relation der paternitas
durchhält: Vater und Lehrer, leiblicher wie geistiger Vater stehen in
klarer Entsprechung zum göttlichen Vater. Mit den von der lateinischen und von der griechischen Patristik eingebrachten Vater-Prädika-
ten, der potestas und des Kosmischen, der Kraft und der Herrlichkeit,
war das Wesen des dominus im Bewußtsein lebendig. Es scheint indessen eine weitreichende Konsequenz dieses geistigen Geschehens zu
sein, daß in dieser fundamentalen Analogie des Menschen zum Vater-
Gott – wenngleich der Ebenbildlichkeit so verwandt – *der Gedanke
über das Bild gesiegt hat*. Während das Ebenbild noch den Menschen
in der Ganzheit einer geschlossenen Komposition, eines beseelten und
begeisteten Leibes meint, findet die in Thomas' Anthropologie gründende unbedingte Suprematie des Geistigen (»supremus et perfectus
gradus vitae«) über alle Regionen des menschlichen Seienden in eine
unvergleichliche Nähe zum Vater-Gott. So überragend ist die Bedeutung des intellectus, die Thomas dem Seinsportrait des Menschen
einkerbt, daß es jetzt der oberste Vater selbst ist, der ins Furioso väterlicher Zeugung hineinwirkt: *denn er ist der Zeuger des Intellekt-
artigen im Kind*. Die Superfötation des Vatergottes: in wem brännte

nicht die Glut der Scham beim Gedanken an die Versehrung der Leibesfrucht. Und welcher Mediziner bliebe ungerührt, wenn er vernimmt, daß »ein leiblicher Prozeß als das Niedere nicht die Ursache einer geistigen Substanz als des Edleren sein« kann (*R. Specht*). »Perfectum prius imperfecto« – kann dieses klassische okzidentale Axiom durch jene Schalmeien übertönt werden, die das Untere nach Oben holen wollen?

Es meldet sich in Thomas' Analogie-Denken ein unwiderlegbarer wegweisendes Vater-Sein, Legitimation seiner geistig-zeugerischen Potenz. Darin ist auch das erzieherische Amt des Vaters ins rechte Licht gerückt. Was Platon im »Menon« exemplarisch gestaltete, nimmt Thomas aus der Mitte neuer Sinngebung wieder auf: der der Begeistung durch den Vater-Gott entstammende intellectus ist es, der das Kind ermächtigt, die Aneignung dessen zu leisten, was ihm, von außen herangetragen, zur Einsicht ansteht. Dieses Sich-Einfügen in des Ur-Vaters zeugerische und erweckende Macht ist es, die dem leiblichen Vater die *Freundschaft* des Kindes sichert. Denn es ist vielleicht der tiefste Grund jener Aristotelischen Gegenseitigkeit des Wohlwollens, die nicht Bedingung, vielmehr *Frucht* der Vaterschaft ist: daß solche Freundschaft möglich wird, *weil wie der leibliche Vater sein Vater-Sein, so auch das Kind sein Kind-Sein mehr und mehr im Medium des Vater-Gottes gewahrt, in welchem dieser ursprüngliche Kontext seine Stiftung erfährt*. Kaum je zuvor gereicht eine Vater-Konzeption dem Kinde zu so großer Ehre. Den hohen Rang, den das Kind in der Schau des Aquiners einnimmt, hat *R. Specht* kerntreffend verdeutlicht, wenn von der »Betonung der persönlichen Kompetenz des Kindes bei allen es betreffenden Entscheidungen und Tätigkeiten des *Vaters*« die Rede ist – und wenn dies seine tiefste Begründung erfährt in der Tatsache, daß auch Christus aus freien Stücken gelitten hat.

Wie sehr die Renaissance eine Zeit der Rezeption römischer Paternalität ist, wird man vor allem in *R. Sühnels* Shakespeare-Studien (in Band 3) sehen. Demgegenüber erfolgt die Besinnung auf den Vater und die »väterliche Gesellschaft« in Deutschland später. In der »Politik«-Schrift des Philosophen Christian Wolff konfluiert der Rückgriff auf die römische paternitas wie auf die Aristotelische Ökonomik mit jenen Kräften religiöser Erneuerung, die, von der Reformation entbunden, auch auf die in der Bibel und in den Kirchenvätern durchscheinende Sinnfülle des »Hauses« zurückgriff, und zum Inbegriff des »Haus-Vaters« führte. Das »Haus« wird zum castle der Abwehr aufklärerischer Abwertung des Religiösen und auch der Ort und Hort von Ehe und Familie als Formen religiösen Lebens. Vom Hause geht eine umfassende, vor allem das protestantische Europa dieser Zeit durchdringende Ethos einer priesterlichen Hausväterlichkeit aus, in der sich entscheidende antikische Bestimmungen des Vater-Seins wiederholen. Hausväterlichkeit ist die reformatorische Version des pater patriae und als solche Ursprung der Landesregierung, aber auch Imitatio des himmlischen Hausherrn, des Herrn der »großen Welt-Ökonomie«. Hier ist sie wieder Wirklichkeit: die Aufstufung vom pater familias über den pater patriae zum pater coeli. Indessen: nichts ist weniger bekannt als der (heute als Pantoffel-Biedermann mit Naserümpfen vorgestellte) Hausvater und die von ihm gezeitigte Literatur, die auf ihre Ergiebigkeit für die Geschichte der Vater-Metamorphosen untersucht zu haben das Verdienst von *Gotthardt Frühsorge* ist. Was dieser Erneuerung nur episodischen Charakter verstattet und die communio des himmlischen mit dem irdischen Hausherrn auflöst, ist der Einbruch ökonomischer Wertungen, die das Haus aus der Sphäre der ethischen und rechtlichen Normen verdrängen, den Hausvater und den herrschaftlichen Haus-Herrn in die Perspektive wirtschaftlicher Produktivität stellen und darin verkümmern lassen. Die Erschütterung des gesellschaftlichen Gefüges durch diese Auflösung der Hausvater-Ordnung, die erste historisch eindeutig faßbare Krise der »väterlichen Gesellschaft« im christlichen Abendland, fand einen Reflex im Werk Goethes (»Götz von Berlichingen«), der sich ansonsten wenig bewegen ließ vom Wesen und Wandel väterlicher Existenz. Indessen hat Goethes Sensorium für Vorgänge des geschichtlichen Wandels den Umschlag der Sittenlehre zur Produktionslehre als Gefährdung verspürt und vermerkt. Aus diesem Untergang des »Hauses« – »Einheit von Produktion, Konsumtion und Sozialisation« – ging der Antagonismus von moderner Kleinfamilie und landwirtschaftlichem bzw. industriellem Betrieb hervor. *Frühsorge* hat die Stadien dieser Depersonalisation des Vaters und die daraus resultierende familiensoziologische Umwandlung in ihren entscheidenden Facetten herausgearbeitet.

Lothar Schuckerts Studie, den Wandlungen im Verständnis des Lehrers als des geistigen Vaters nachgehend, führt noch einmal zurück an die Schwelle des Mittelalters. Die Benediktinischen Gründungen von Schulen und Universitäten führen zum erstenmal zu einer Übertragung erzieherischer Aufgaben des leiblichen Vaters an den Lehrer als geistigen Vater. Waren wir auf die Tatsache, daß in der monastischen Sphäre eine dezidierte Form der Vater-Sohn-Relation heraufkam, durch *A. Schindlers* Ausführungen zum frühesten christlichen Mönchtum vorbereitet (S. 76), so zeigte sich andererseits doch gerade an der vita des Augustinus, daß die dem leiblichen Vater zuerkannte Aufgabe, in den Rang des geistigen Vaters zu wachsen, oftmals nicht erfüllbar war. Nun sieht man dies Dilemma durch die Stiftung der Regel des Benedikt von Nursia entschärft, weil in dieser der Grund gelegt ist für eine neue im geistigen Raum des Christentums entbundene Konzeption des Lehrers als des geistigen Vaters. Der Abt, der Imitatio Christi verpflichtet, erzieht die jüngeren Mönche in der Anleitung zu eben solcher Imitatio. Man lernt von *L. Schuckert* die klare Abgrenzung: Im frühen Mittelalter ist »das Verhältnis Lehrer – Schüler nicht paternal im römischen Sinne und auch nicht das Verhältnis von Meister und Jünger«, welch letzteres durch einen qualitativen unaufhebbaren Abstand gekennzeichnet ist. Die Gestalt des Jüngers hat ein einzigartiges Charisma, wie es in der neueren Dichtung zum letzten Mal in *Stefan Georges* »Jünger«-Gedicht (im »Teppich des Lebens«) aufstrahlt.[6] Was indessen der Benediktinischen *Gründung Größe verleiht, ist dies: daß der Lehrer Schüler bleibt, daß der geistig-geistliche Vater Sohn bleibt.* Wo solche Ordnung die Grundrelationen bestimmt, da nimmt ihre tausendjährige Geltung nicht wunder. *L. Schuckert* zeigt, wie diese Konstellation sich mit einem Schlage ändert, wo in den Säkularisationen die geistlichen Ordensväter von Schulen und Universitäten verdrängt und die Lehrer Staatsbeamte wurden. Die nun folgenden Phasen des Wandels der Grundrelation Erzieher-Kind werden von *Schuckert* in ihrem Auf und Ab von geistiger und widergeistiger Bestimmung, in ihren Gipfeln der Eindeutigkeit und in ihren Niederungen der Verwaschenheit aufgezeigt. Und man sieht beklommen: wie die sog. pädagogische Provinz seit Rousseau bis zur Stunde Feld ständig wechselnden Experimentierens war – und bis heute ohne Gleichgewicht blieb, weil kein ausgewogener Geist die Waage hielt. Beklemmend die Sicht auf die zunehmende Entmächtigung des Vaters, der sich der Aufgabe des Erziehers immermehr entfremden läßt. In der sog. Reformpädagogik übernehmen »fast unbemerkt die Lehrer die Aufgabe der Väter« (*L. Schuckert* – S. 135). Zuzeiten spürt man ein perniziöses Fluidum von Sentimentalität sich ausbreiten, gegen das nur selten – z. B. durch Theodor Litt – ein festes Wort der Gegenwehr sich erhebt. Ja – es kommt der Augenblick – vor allem bei M. Montessori – wo das Kind, Inbegriff der »heilen Welt«, zum Vater deklariert wird. (Dieser Rollentausch wird im folgenden Band durch A. Assmann-Bornkamm thematisiert werden.) *Schuckerts* Studie endet beim Aufweis der Identität der Störung in der Relation zwischen Vätern – Söhnen und Lehrern – Schülern. Ersatz der personalen Bezüge durch sachorientierte Informationsvermittlung, Unglaubwürdigkeit der Väter wie der Lehrer! Am Schluß die Erinnerung des berühmten Platon-Zitats aus dem »Staat«; Erinnerung der bei den Griechen bestehenden Anfechtung des Vater-Seins und der von ihnen geleisteten Aufgabe der geistigen Erneuerung durch Platon; Erinnerung auch der praktisch-ethischen Erneuerung durch Aristoteles. Wie werden *wir* das hier besonders fühlbare Dilemma von Tradition und Fortschritt, der in so vielen Bezirken mehr ein Fort-von als ein Vorwärts-zu-etwas-hin war, lösen? Kann es heute noch gelingen, die Tradition mit der dem Fortschritt so sehr verschränkten neuen Aufklärung in ein produktives Verhältnis zu bringen – die Tradition, die immer mehr als zum Vergessen reife Vorstufe eines imaginär Zünftigen angesehen wird? Zur Vergegenwärtigung der Situation des Vaters in unserer Zeit sind *soziologische* Aspekte unerläßlich. Hier zeigt sich nun, daß die Soziologie dieses Thema noch kaum in den Blick bekommen, geschweige denn zur Operationalisierung von Untersuchungen dazu angesetzt hat. *Georg Schwägler* nennt die Gründe. Offenbar ist auch hier die Psychologie – als Sozialpsychologie – die Protagonistin; denn ihre Antworten auf die Frage nach dem Versagen des Vaters bestehen in einer Aufreihung soziologischer Daten (z. B. Trennung von Arbeitsplatz und Familie), die – wie z. B. die »sich schnell verändernden Geschlechtsrollen« – erst recht die Frage nach dem Abseits evozieren, in das der Vater geraten ist. Als Soziologe stellt Schwägler zu Recht fest, daß es einer bisher nicht entwickelten retrograden »historischen« Soziologie bedürfe, um Vater-Fragen an unsere Zeit zu richten. *Schwägler* macht wichtige Feststellungen über Vater-Positionen in den verschiedenen Entwicklungsstadien der modernen Kleinfamilie, die u. a. eine Funktion des *Alters* des Vaters sind. Wichtig sind solche Fragen, weil sie auf die Bedeutung verweisen, die der Vater für die Entwicklung des Klein-Kindes hat. Man wird in der Studie von *H. Lang* sehen, von welch weittragender Relevanz diese bisher stets vom Primat der Mutter-Kind-Dyade verdeckten ersten Stadien des Vater-Seins haben. *Schwäglers* Interesse gilt vor allem den »Sonderrollen« des Vaters, d. h. dem unehelichen, geschiedenen, verwitweten und dem Stief-Vater. Für diese Bemühungen wird ihm vor allem die Psychiatrie dankbar sein, für deren Klientel solche Vater-Existenzen besondere Relevanz haben. So wichtig aber auch die Kenntnis solcher Daten ist, so ragt doch nur *eine* aus dem sozialpsychologischen Vater-Relief heraus: das notwendig stärkere Engagegement des Vaters mit dem Klein-Kind, wenn die Mutter berufliche Aufgaben übernimmt und die Ehe den Charakter einer sog. Partnerschaft erhält. Ob diese neue Gewichtung, die dem Vater Valenzen nimmt, die potentiell seiner geistigen Entfaltung verfügbar sein sollten, welche andererseits die Mutter in ihrer höchsten schöpferischen Leistung schmälern, in der Stiftung des Atmosphärischen dem Vater wie dem Kind die Gestimmtheit des Daseins zu spenden – ob diese Gewichtung den Vater in eine echte Wandlung seiner Seinsweise von Väterlichkeit entfaltet: dafür spricht wenig.

Wenn *Schwägler* eingangs feststellte, die Einstellung zum Vater sei »sehr stark ideologisch und affektbesetzt«, so ist deren Herkunft aus der von *Klaus Stichweh* behandelten vater-kritischen Reflexion von Karl Marx unverkennbar. Marx' Abwertung der Paternalität entstammt *nicht* einer Störung der eigenen Vater-Beziehung, auch nicht einer Fragwürdigkeit des Familien-Vaters als solchen. Wohl aber geht in seinem Denken der altrömisch-christliche Kontext von Gott-Landes-Familien-Vater endgültig zu Bruch, weil ihm der Vater-Gott wie der Landes-Vater Repräsentanten eines anonymen suppressiven Systems sind. Es gibt freilich in Marx' Anblick der Existenz seines Vaters ein Merkmal, das von einer fundamentalen Störung der Sphäre des Religiösen zeugt. Vergegenwärtigt man die tiefe Kluft zwischen dem

Ethischen und dem Religiösen, die zu überspringen Kierkegaard für das eigentliche Wagnis christlicher Existenz hält, so ist festzuhalten, daß Marx' Vater *das Religiöse ganz eindeutig der Moral unterstellte.* Man kann schwer die Folgen absehen, die für das Bewußtsein von Marx aus der daraus resultierenden Depotenzierung des Vater-Gottes entstanden sein müssen. Mit seiner Suprematie war das entscheidendste geistige Hindernis beseitigt, das der Entwicklung einer herrschafts-freien Gesellschaft im Wege stand. Es ist ein ebenso kühner wie folge-richtiger Einfall Stichwehs, die für Marx alles entscheidende kritische Instanz der Vernunft im Vater-Gewande (und in der Vater-Rolle) auftreten zu lassen. In ihr sieht man die »Gottes-Idee« konsumiert, die sich in seinem Vater von Newton und Leibniz her gebildet hatte. Die Vernunft »entwirft und legitimiert ... die Leitbilder einer Epoche« (S. 173), die immer Ausdruck eines »Interesses« sind. In den Produktio-nen der Vernunft ist für Marx in der Tat väterliche Autorität wirk-sam, weil – wie *Stichweh* treffend vergleicht – die generationenüber-spannende wissenschaftliche Wahrheit der Tradition kommensurabel ist, welche die Autorität des Familienvaters begründet. In Marx' Thesis, daß sich die Universalität der Vernunft in der Befreiung des Proletariats von seinem universellen Leiden manifestiert, findet die Vernunft ihre Verwurzelung in jenem mediterranen Mythos von der erlösenden Macht jener Leiden, die »berufen sind, die ontologische Verfassung der Welt zu verändern«, worin *M. Eliade*[7] den Marxismus fundiert sieht. Aus solcher Konstellation kann für das Vatertum nur Untergang resultieren. Erst Engels spricht – nach Marx' Tode – deut-licher und unmißverständlich aus, daß mit der Aufhebung der Familie am Ende auch der leibliche Vater preisgegeben ist. Was ist es anderes als bitterste Konsequenz einer Reflexion, welche Dicta von Natur und Tradition einer Utopie opfert, daß seine mit ihm überidentifizierte Tochter Eleanor sich nach seinem Tode, in unglücklicher Ehe lebend, suicidierte. Wo es keine Väter, Mütter, Kinder mehr gibt, sondern nur noch Brüder und Schwestern, d. h. »Assoziationen freier Individuen« – da kann das Sohn-Sein kein bestimmender Zug väterlichen Lebens mehr sein. Das charakterisiert die Vaterlosigkeit der marxistischen Ge-sellschaft in nuce.

Um in *Hermann Langs* Studie hineinzufinden, ist nochmals eine von Schwäglers Eingangs-Thesen beizuziehen: daß nämlich »Väter als nicht so bedeutsam für die Sozialisation, besonders der Kleinkinder, ange-sehen wurden wie die Mütter«. Dieses, den Rückzug des Vaters aus seiner ihm von der Tradition zugewiesenen geistigen Daseinserschlie-ßung auf die Funktion des Erzeugers und Ernährers (im materiellen Sinne) mit dem Schein einer Motivation versehende Vorurteil, hat zu jenen folgenschweren Entwicklungen beigetragen, von denen in der Ein-leitung zu Band 1 die Rede war. *Lang* ist den Beobachtungen nach-gegangen, welche mit einer dem Zufall weit entrückten Häufigkeit im

Vorfeld Hebephrener (d. h. jugendlicher Schizophrener) Väter von »anonymer Bedeutungslosigkeit« konstatierten. Man sieht dies bei *Lang* durch einen (von möglichen vielen) exemplarischen Fall bestätigt. Das führt unmittelbar in die Nähe und in die Auseinandersetzung mit jener Theorie Freuds, in welcher dem Vater eine zentrale Stellung in den interfamiliären Relationen, vor allem in dem Bezug zum Sohn, zugewiesen wird. Das geschieht bekanntlich in Freuds Theorie des Ödipus-Komplexes, dessen Entwicklung Freud auf den Zeitraum zwischen dem 3. und dem 6. Lebensjahr ansetzte. Hier ist es nun eine *scheinbar* nur sehr geringfügige Abwandlung, die der »biologischen Trias« in die »strukturale Triade«, die den rechten Ort wahren Vater-Seins freilegt und erleuchtet, der dann auch von seinem defizienten Modus – d. h. von seiner pathogenen Verfehlung her – in seiner primordialen Relevanz ausgewiesen werden kann. Die hier vollzogene Revision bzw. Fortentwicklung der Ödipalität durch das Prinzip der »mittelbaren Präsenz« des Vaters durch die Mutter markiert *einen* jener Impulse, die mir zu den Anzeichen dafür zählen, daß »ein *neuer* Morgengang des Vaters in Sicht«[8] kommt.

Wenn diese das Wesen der Ehe als Liebe so eindeutig bekundende Sicht eine Anamnesis an abgelebte Zeiten weckt: könnte man ihr verweigern, höchst irdisch zu fragen: Spricht nicht der Zauber der Madonnen für den sublimen Willen des Vater-Gottes, seinen Geist zur Zeugung des Sohnes in den schönsten Schoß zu senden? Und sind es nicht diese zaubrischen Madonnen, in denen der göttliche Vater konzipiert wurde als der dominus, den die Liebe zum Vater machte?

Antonie Wlosok

Vater und Vatervorstellungen in der römischen Kultur

Im Leben und Denken der Römer spielt der Vater eine hervortretende Rolle.
Die Väter der Vergangenheit verkörpern als *maiores* die Tradition, im republikanischen Rom eine Instanz von höchster Autorität, Inbegriff dessen, was als Brauch und Sitte zu gelten hat. Als *maiores* sind diese Väter selbst in Familie und Staat Vorbild und Maßstab des Handelns und Verhaltens, dienen als Richtschnur für die Lebensführung des einzelnen wie für politische Entscheidungen der Gesamtheit. Sie sind stets präsent: in der Familie durch die Ahnenbilder im Atrium des Hauses mit ihren Aufschriften *(tituli)*, in denen Rang und Leistung festgehalten waren;[1] im Staat durch das allzeit wache Geschichtsgedächtnis, die *memoria rerum gestarum.*
Die Väter der Gegenwart wiederum sind verpflichtet und berufen, die überkommene Tradition, den *mos maiorum,*[2] in Familie und Staat zu hüten und weiterzugeben, und zwar auch ganz praktisch, nämlich dadurch, daß sie ihn selbst befolgen, also nachleben und dadurch zugleich den künftigen Generationen vorleben, für die sie ihrerseits exemplarisch werden.
Aus dieser Beladenheit mit ehrwürdiger und verbindlicher Tradition beziehen die römischen Väter ihre Autorität, ihre Würde und ihre Verantwortung, ihr Amt oder ihre *cura,* wie es der Römer nennt. *Auctoritas, gravitas, cura* oder *providentia,* das dürften auch die Hauptbegriffe sein, die ein Römer der Republik und der frühen Kaiserzeit mit der in Rom immer ehrwürdig gebliebenen Vorstellung des Vaters verbunden hat.[3]
Erst in der späten Neuzeit wurde infolge vielfachen Mißverständnisses das Bild des römischen Vaters verzerrt zu dem Schreckbild eines harten Gewaltherrn, dessen Kinder im Sklavenverhältnis stehen, wie es Hegel in den ›Grundlinien der Philosophie des Rechts‹ wiederholt bezeichnet hat.[4]
Die Vorstellung des Vaters begegnet in allen wichtigen Bereichen des römischen Lebens. Ursprung und Urbild der verschiedenen Erscheinungen des Vaters ist der Familien- oder Hausvater, der *pater familias,* ein im Römischen fest umrissener und auch rechtlich fixierter Begriff. Er hat die Ausprägungen der einzelnen Vatervorstellungen maßgeblich bestimmt.
Im folgenden soll in einem ersten Teil zunächst das Bild des römischen Familienvaters möglichst allseitig vorgeführt werden. Dabei ist es besonders wichtig, neben der Rechtsstellung und den Vollmachten des

pater familias auch seine Pflichten und Bindungen zu beachten. Im zweiten Abschnitt dieses Teils wird anhand der konträren Vaterfiguren in den ›Adelphen‹ des Terenz die Auseinandersetzung mit dem traditionellen Vaterbild im Zusammenhang der gleichzeitigen römischen Humanisierungsbewegung erörtert.

Im ersten Abschnitt des zweiten Teils wird dann ein Überblick über sonstige Vatergestalten in der römischen Welt gegeben, d. h. über Erscheinungen des ›Vaters‹ im nichtfamiliären Bereich, etwa im staatlichen oder im kultischen. Dabei wird das Ausmaß der Verbreitung der Vatervorstellung, die Fülle der Vatermanifestationen und das Gewicht, das die Vaterrolle bei den Römern hatte, deutlich werden. Die Vater-Sohn-Konstellation wird sich als eine wesentliche Struktur für das römische Selbstverständnis und seine Explikationen erweisen und die Paternalität als ein konstitutiver Zug für das Bild eines Römers in verantwortungsvoller Führungsposition. Im Anschluß daran wird die Rezeption und literarische Gestaltung der römischen Vatervorstellungen durch Vergil in der Aeneis dargestellt. Es wird sich zeigen, daß Vergil in einzigartiger Weise die Paternalität der Römer erfaßt und im Rahmen seines Epos zur Anschauung gebracht hat.

In einem dritten und letzten Teil wird kurz noch auf die Verwendung der römischen pater familias-Vorstellung durch die frühchristlichen lateinischen Theologen Tertullian und Laktanz eingegangen. Diese römischen Christen fanden in der Stellung des römischen Hausvaters eine Analogie zu ihrem Gott, mit deren Hilfe sie bestimmte Züge und Verhaltensweisen des biblischen Gottes als denknotwendig zu erweisen suchten.

I. Der römische Hausvater (pater familias)

A. Seine Stellung, Rechte und Pflichten: Cato

Das Auffälligste am römischen Vater ist seine monarchische Herrscherstellung in der Familie. Er besitzt eine lebenslängliche, unbeschränkte Vollgewalt über alle Personen, die im rechtlichen Sinne zum Familienverband gehören, d. h. seiner *patria potestas* unterstellt sind. Die klassische, aber schon für die Frühzeit zutreffende juristische Definition der römischen Familie lautet: »Familie nennen wir mehrere Personen, die der Gewalt eines einzigen entweder durch Natur (d. i. Abstammung) oder durch Rechtsakt (wie Ehe, Adoption, Erwerb bzw. Kauf) unterworfen sind.«[5] Danach gehören zu einer Familie – abgesehen vom Gesinde, den Sklaven – neben der Ehefrau (sofern eine Manus-Ehe vorliegt, derzufolge die Frau bei der Eheschließung aus der *potestas* ihres eigenen *pater familias* ausgeschieden ist und sich der Gewalt des Mannes unterworfen hat) zunächst die leiblichen und adoptierten Kinder. Infolge der Lebenslänglichkeit der *patria potestas* kommen aber auch Schwiegertöchter und Sohneskinder, d. h. die Enkel aus männlicher Linie hinzu und bei einem langlebigen *pater familias* wiederum die Frauen und Kinder der männlichen Enkel usf.

Dieses Verbleiben der erwachsenen Söhne und gegebenenfalls Enkel in der *patria potestas* ist im Umkreis Roms singulär und fällt besonders im Vergleich mit dem griechischen Rechtskreis und anderen Kulturen des Mittelmeerraumes auf gleicher Stufe auf. In den römischen Rechtstexten finden wir es auch als römische Eigenheit bezeichnet, z. B. in den Institutionen des Gaius. Dort heißt es bei der Aufzählung der gewaltunterworfenen Personen: »Desgleichen stehen in unserer Gewalt unsere Kinder ... Dieses Recht ist eine Eigenheit der römischen Bürger. Denn es gibt sonst wohl keine Menschen, die über ihre Söhne eine solche Gewalt haben, wie wir sie haben.«[6]

Das Normale ist, daß die Söhne mit Erreichung der bürgerrechtlichen Mündigkeit auch familienrechtlich mündig werden und aus der väterlichen Gewalt ausscheiden. Im griechischen Recht ist die väterliche Gewalt »eine auf die Minderjährigkeit der Kinder beschränkte Vormundschaft« genannt.[7] Die griechischen Söhne wurden mit Erreichung der Mündigkeit »als rechtlich selbständige Persönlichkeiten anerkannt und gründeten mit der Verehelichung rechtlich und wirtschaftlich selbständige Familien«.[8] Die römischen Männer dagegen blieben, solange ihr Vater lebte, privatrechtlich unselbständig, zählten zu den Personen *alieno iuri subiectae* und waren streng genommen weder rechts- noch vermögensfähig,[9] obwohl sie im Staat die höchsten Ämter bekleiden konnten.

Allerdings trat gegenüber dem Sohn im Amt die *patria potestas* in der Öffentlichkeit vorübergehend außer Kraft, derart, daß der Vater dem Sohn als Magistrat und Imperienträger des römischen Volkes – und damit als Repräsentanten der Hoheit (*maiestas*) des Staates – die übliche Reverenz zu erweisen und sich gegebenenfalls seinem Befehl unterzuordnen hatte. Diese Regelung, für die die römische Geschichtsschreibung bezeichnenderweise einen exemplarischen Fall aus der klassischen Zeit der Republik und aus erlauchter Familie bereithielt,[10] war jedoch auf den öffentlichen Bereich beschränkt.[11] Im Hause blieb der Vater unbestrittener Herr. Zuweilen schien sich sogar das ›private *imperium*‹ auch in der Öffentlichkeit als stärker erwiesen zu haben. Jedenfalls kennt die römische Überlieferung den Fall, daß ein Volkstribun während einer Amtshandlung, und zwar bei der Beantragung eines volksfreundlichen Gesetzes in der Volksversammlung, von seinem Vater, der das Gesetz mißbilligte, gebieterisch zum Schweigen gebracht wurde und gegen diesen Übergriff weder der Sohn noch das Volk aufbegehrten.[12]

Wir wenden uns jetzt der Stellung des *pater familias*, seinen Aufgaben und dem Inhalt der *patria potestas* im einzelnen zu.

Da ist zunächst zu vermerken, daß das Wort *pater* nicht die natürliche Vaterschaft bezeichnet, sondern eine Macht- und Rechtsstellung, so daß seine Bedeutung unserem Wort ›Herr‹ entspricht. *Pater familias* ist somit der Hausherr, der Familienvorstand. Das besagt auch die auf uns gekommene juristische Definition, die bei Ulpian auf die oben zitierte Definition der Familie folgt. Sie lautet: »*Pater familias* wird der genannt, der im Hause die Herrschaft (*dominium*) hat; und er wird auch zutreffend so genannt, wenn er keinen Sohn hat, denn wir bezeichnen nicht allein seinen Personenstand, sondern auch die Rechtsstellung.«[13]

Als der einzigen eigenrechtlichen oder gewaltfreien Person innerhalb des Familienverbandes oblag dem *pater familias* der gesamte Rechts- und Geschäftsverkehr mit der Außenwelt einschließlich der Götter. Er war letztlich König und Priester der Familie. Er trug die Verantwortung für den Vollzug und die Erhaltung des Hauskultes, von dem das Wohl der Familie abhing. Er hatte für alle Delikte zu haften, die von Angehörigen seines Hauses begangen wurden. Auf ihm lag auch die Verantwortung für Schutz und Unterhalt der Familie. Er war ihr Wirtschaftsführer, hatte als solcher das Vermögen zu verwalten, den Besitz, der in der Frühzeit aus einem Bauernhof bestand, zu bewirtschaften und hierbei die Arbeitsverteilung vorzunehmen. Von der Befolgung seiner Weisungen hing das Funktionieren des Wirtschaftsbetriebes und von diesem wiederum die Existenz der Familie ab. Von daher ist es nur konsequent, daß er bei seiner hohen Verantwortung und Aufgabenfülle auch die Befehls- und Zuchtgewalt über die Familienangehörigen hatte.

Das Besondere und für modernes Empfinden Unerhörte ist nun aber, daß seine Gewalt das Straf- und Tötungsrecht einschloß. Er besaß die Macht über Leben und Tod aller Hausangehörigen, die *vitae necisque potestas*.[14] Dadurch war er auch der Richter der Familie und nahm in dieser eine Stellung ein, die der eines absoluten Monarchen gleichkommt. Der *pater familias* hatte beispielsweise neben der Macht, freie Personen unter seiner Gewalt zu töten, auch das Recht, sie zu züchtigen, und zwar unter Verwendung jeder Strafart, die Hauskinder zu verkaufen, zu verheiraten und ihre Ehen zu scheiden.[15] Seine Machtfülle erscheint somit allumfassend und uneingeschränkt und ist oft mit dem *imperium* der römischen Magistrate verglichen worden.[16] Noch Seneca[17] sprach von der quasimagistratischen Stellung der Hausväter, die er allein wegen der Aufgabe der Erziehung der Jugend für geboten hielt.

Mit dem Richter- und Strafamt kommt zweifellos ein düsterer Zug in das Bild des römischen Vaters. Er wurde gewissermaßen konserviert durch die als *exempla* väterlicher Strenge aus der Frühzeit überlieferten Fälle der Sohnestötung.[18] Doch werden diese zumeist nicht richtig beleuchtet. Denn bei den klassischen Beispielen der Hinrichtung von Söhnen durch die eigenen Väter[19] handelt es sich nicht einfach um Anwendung der väterlichen Zuchtgewalt. Vielmehr agiert der Vater als Träger eines öffentlichen Amtes, gewöhnlich als oberster Imperienträger. Das Entscheidende und für römische Leser durchaus Bewegende war gerade der Konflikt zwischen Amtspflicht, zwischen Sorge für die *res publica* und Vaterliebe.

Zu historischen *exempla* im Sinne von Verhaltensmustern[20] sind diese altrömischen Väter nur aufgrund der Tatsache geworden, daß sie sich der harten Forderung des Amtes gebeugt haben oder, wie es der griechische Historiker Polybios aus seiner Perspektive als ausländischer Beobachter anerkennend formuliert, »die Wohlfahrt des Landes höher achteten als die Liebe zu denen, die ihnen am teuersten waren«.[21] Auch spätere römische Autoren wie Cicero und Livius, die in besonderem Maße dem neuen Ideal der Humanität und Urbanität anhingen, waren weit davon entfernt, das Verhalten dieser Väter zu verurteilen, obwohl sie ihr Vorgehen als archaische Härte empfanden.[22] Cicero hat es sogar im Rahmen seiner philosophischen Erörterungen über ›das höchste Gut und das höchste Übel‹ unternommen, die von den römischen Vätern praktizierte Haltung dem allgemeinen ethischen Postulat ›Gemeinnutz von Eigennutz‹ zu subsumieren und mit Hilfe stoischer Vorstellungen und Argumentationen als Naturgesetz auszuweisen.[23]

Zu unterscheiden von diesen Beispielen sind die Fälle disziplinarischer Kindestötung oder anderweitiger Bestrafung im Rahmen der väterlichen Hausgerichtsbarkeit,[24] in denen der Vater somit nur in seiner Rolle als Vater und kraft seiner *patria potestas* handelte. Überliefert sind derartige Vorfälle im allgemeinen nur, wenn sie in irgendeiner Hinsicht spektakulär waren. Diesem Umstand verdanken wir auch die Kenntnis zweier Begebenheiten aus spätrepublikanischer und augusteischer Zeit. Im Jahre 63 v. Chr. ließ ein Senator seinen Sohn töten, weil sich dieser auf den Weg zum Revolutionsheer des Catilina begeben hatte.[25] Das Vergehen des Sohnes war Hochverrat, das schwerste Verbrechen gegen den Staat. Die Maßnahme dieses Vaters stand aber offenbar vereinzelt da. Der andere bekannte Fall hat sich in augusteischer Zeit zugetragen. Aus nicht überliefertem Anlaß hatte ein römischer Ritter seinen Sohn mit Peitschenhieben getötet, war dafür seinerseits aber von der erbosten Volksmenge fast umgebracht und nur durch das Eingreifen des Kaisers gerettet worden.[26]

Die Vollgewalt des *pater familias*, insonderheit das Tötungsrecht blieb formell noch bis in die späte Kaiserzeit in Kraft. Unter Konstantin, dem ersten christlichen Kaiser, scheint es noch nicht abgeschafft gewesen zu sein.[27] Die Ausübung hatte aber immer mehr nachgelassen, und das Recht als solches hatte durch kaiserliche Konstitutionen zum Schutze der Gewaltunterworfenen auch verschiedene Einschränkungen und Abschwächungen erfahren. Faktisch war das Tötungsrecht wohl schon längst außer Anwendung, bevor es auch formell abgeschafft wurde. Das geschah im Jahre 374 unter Valentinian I. Jetzt wurde dem Hausvater »das Tötungsrecht als Ausübung der häuslichen Zuchtgewalt ausdrücklich ... genommen«,[28] auf Kindestötung die Todesstrafe gesetzt und die Bestrafung schwerer, von den Hausangehörigen begangener Verbrechen durch die staatliche Gerichtsbarkeit übernommen. Das bedeutet das Ende der Hausgerichtsbarkeit des *pater familias*.

Bisher wurde hauptsächlich die Herrschaft und die absolute Hausgewalt des *pater familias* dargelegt, die bei den Römern im Gegensatz zu anderen Völkern rechtlich fixiert ist. Wir haben jetzt von den Beschränkungen der *patria potestas* zu handeln und werden in diesem Zusammenhang auch mehr von Pflichten und ›Väterlichkeit‹ vernehmen, so daß sich das Bild des Gewaltherrn, das Hegel zu seinem abfälligen Urteil über die römische Familie veranlaßte, doch noch in das eines menschlichen Vaters wandeln wird.
Beschränkungen der väterlichen Allmacht hat es in Rom von jeher gegeben. Sie treten aber in der Rechtsordnung nicht in Erscheinung, da sie außerrechtlicher Natur sind und die römische Jurisprudenz auf strenge Scheidung der Bereiche des Rechtes und des Nichtrechtes bedacht war, derart, daß die außerrechtlichen Normen grundsätzlich von ihrer Betrachtung ausgeschlossen blieben und die gerade in Rom so zahlreichen und kräftigen außerrechtlichen Bindungen zwar als selbstverständlich vorausgesetzt, aber nicht erwähnt werden.[29]
Es handelt sich in der historischen Zeit der Republik vor allem um die von der Sitte geschaffenen Bindungen, um das, was nach Herkommen, überliefertem Brauch in der öffentlichen Meinung als zulässig, anständig und schicklich galt. In Rom war das unter dem Begriff *mos maiorum* zusammengefaßt. Die Macht der Sitte war hier besonders groß, ja die Sitte dürfte lange Zeit das Übergewicht über das Recht gehabt haben.
Wir begegnen hier dem auffälligen kulturanthropologischen Phänomen, daß sich gerade in der klassischen römischen Kultur, der Wiege der abendländischen, auf dem Vergeltungsprinzip aufbauenden Rechtskultur, die sich daher als eine Rechtskultur des Zornes charakterisieren läßt, in hohem Maße die Züge einer ›Schamkultur‹ finden. Ja, man könnte geradezu von einem Nebeneinander von ›Schamkultur‹ und ›Zornkultur‹ sprechen.[30] Dieses Nebeneinander äußert sich vor allem in dem Vorhandensein einer Sittengerichtsbarkeit, die seit dem 4. vorchristlichen Jahrhundert von eigens dafür bestellten Beamten höchsten Ranges, den *censores*, durchgeführt wurde. Den Censoren oblag die Aufsicht über das Verhalten der Bürger gerade in

Bereichen, die dem Recht entzogen waren. Dazu gehörte vor allem das Privat- und Familienleben. Ein griechischer Historiker der augusteischen Zeit, Dionys von Halikarnass, hat mit dem Ausdruck der Entrüstung und des Spottes über solche Einmischung in das Privatleben die Obliegenheiten der römischen Censoren aufgezählt.[31] Die Kontrolle der Ausübung der *patria potestas* gehörte eindeutig dazu.

Es versteht sich von selbst, daß die besondere Aufmerksamkeit des öffentlichen Auges, das man als Organ der Volksmoral aufzufassen hat, dem Tötungsrecht des *pater familias* galt. Die Anwendung dieses Rechtes zum Zwecke der Bestrafung (etwa im Unterschied zur Tötung Neugeborener im Falle einer Mißgeburt) war seit alter Zeit einer Einschränkung unterworfen, die zunächst ebenfalls nicht gesetzlich bestimmt, sondern in den Bereich der *mores* eingeordnet war. Die Einschränkung besteht in der Notwendigkeit der Abhaltung eines Hausgerichtes. Ein solches Hausgericht setzt ein geregeltes Verfahren mit Beweisaufnahme, Möglichkeit der Verteidigung des Beschuldigten und Urteilsfindung voraus. Und vor allem sollte ein Rat aus Nachbarn und Verwandten, ein *consilium*, zugezogen werden, an dessen Schuldspruch der Hausvater gebunden war.[32]

Wir besitzen für die augusteische Zeit, in Senecas Schrift *De clementia* (I 15), eine aufschlußreiche Schilderung eines Hausgerichtes, aus der auch deutlich wird, daß das Hausgericht als eine selbständige Wahrnehmung der Rechtspflege im häuslichen Bereich zu beurteilen und als solche vom Staate bzw. dem Kaiser anerkannt wurde.

In der frühen Kaiserzeit wurde dieses Verfahren nicht nur praktiziert, sondern auch empfohlen, z. B. von Tiberius unter Verweis auf den *mos maiorum*.[33] Für das 2. und 3. Jahrhundert läßt sich bei Kapitalverbrechen ein Vordringen der staatlichen Gerichtsbarkeit feststellen. Die Anrufung der staatlichen Gerichte wird jetzt angeboten, wenn nicht geboten.[34] Gleichzeitig nahm die Kontrolle der *patria potestas* durch die Kaiser zu. Die Tötung des eigenen Hauskindes, Grausamkeit gegenüber Sklaven,[35] unmenschliche Behandlung eines Sohnes u. a. wurden fallweise von dem Kaiser im außerordentlichen Verfahren bestraft. Bald aber wurden auf dem Wege der kaiserlichen Gesetzgebung die einschränkenden Gebote der Sitte ins Recht aufgenommen und die Anwendung der väterlichen Gewalt zunehmend gesetzlich geregelt.

In den Rechtstexten taucht beim Verweis auf solche Fälle gelegentlich der Hinweis auf die Verpflichtung des Vaters zur *pietas* auf, erstmalig im Zusammenhang mit einer Verfügung Trajans gegen einen Vater, der seinen Sohn ›schlecht – *contra pietatem* – behandelte‹.[36] Von Hadrian wird berichtet, daß er einen Vater, der auf der Jagd seinen Sohn getötet hatte, weil dieser Ehebruch mit der Stiefmutter betrieb, mit Verbannung bestrafte und diese Maßnahme damit begründet hatte, daß der Vater den Sohn »mehr nach Räuberart als Vaterrecht getötet habe. Denn«, so schließt der Auszug aus Marcianus in den Digesten (48,9,5), »väterliche Gewalt (*patria potestas*) muß auf *pietas*, nicht auf Unbarmherzigkeit (*atrocitas*) beruhen«.

Soviel zu den Schranken, die der willkürlichen Anwendung der väterlichen Gewalt durch Sitte und Brauchtum gesetzt sind. Die gleiche Instanz, der *mos maiorum*, hat dem römischen Vater aber vor allem seine Pflichten und Aufgaben vorgezeichnet. Von ihnen ist in den juristischen Texten keine Rede. Erst in der Spätphase des römischen Rechts werden im Zuge der allgemeinen Ethisierung des Rechts auch die außerrechtlichen Treu- und Schutzpflichten in das Recht aufgenommen. Sie waren aber von jeher die Hauptaufgabe des *pater familias* und bestimmten seinen Alltag, sein Trachten und Planen.

Seine wichtigste Funktion war – das wurde oben schon gestreift – die umfassende Sorge für die Familie, für Unterhalt, Wohl und Schutz der ihm Unterstellten. Das eigentlich väterliche Amt war das Schutz- und Fürsorgeamt, eine Seite, die von philosophisch beeinflußten Autoren wie Cicero und Seneca gern hervorgekehrt und isoliert weiterentwickelt wird zum Bild des gütigen und gnädigen Vaters. Bezeichnend hierfür ist bereits Ciceros Erklärung[37] des römischen Hauptgottes Iuppiter Optimus Maximus. Den Namen Iuppiter deutet er als ›hilfreichen Vater‹ – *iuvans pater*, bei den Epitheta läßt er das *Optimus* über das *Maximus* dominieren und umschreibt es mit *beneficentissimus* – ›in höchstem Maße Wohltaten erweisend‹.

Eine ihrer wichtigsten Aufgaben sahen die römischen Väter in der Erziehung ihrer Kinder, insbesondere der Söhne. Dafür haben wir eine Fülle literarischer Zeugnisse.[38] Die sorgfältige Erziehung der Söhne ist der eigentliche Ruhmestitel der römischen Väter. Und wo römische Söhne ihren Vätern ein literarisches Denkmal gesetzt haben, gilt ihr Hauptdank ebendieser väterlichen Bemühung. Das klassische Beispiel ist Horazens autobiographische Satire I 6, in der er erklärt, daß er alles, was er sei, seinem Vater verdanke, der, obwohl arm und nur ein Freigelassener, dem Sohn unter finanziellen Opfern eine gute Erziehung in Rom ermöglicht und ihm dabei stets selbst als unbestechlicher Hüter zur Seite gestanden habe.

Am aufschlußreichsten in unserem Zusammenhang ist das Verhalten des älteren Cato, der späteren Zeiten als Inbegriff altrömischer Strenge galt und sein Leben lang öffentlich für die Erhaltung der Vätersitte gekämpft hat, in einer Zeit des Umbruchs, der Auflösung und der Neuorientierung. Plutarch hat in seiner Lebensbeschreibung dieses Altrömers in einem gesonderten Kapitel ein authentisches Bild des Ehemanns und Vaters Cato gezeichnet, das manchen überraschen mag, da es eine ganz unerwartete Seite des römischen Vaters enthüllt, nämlich liebevolle Besorgtheit und fast rührende Vaterliebe, ein Zug, der sich bei den Italienern bis heute gehalten hat.

Plutarch schreibt im Cato maior (20):[39] »Er war auch ein guter Vater, ein braver Ehemann und ein nicht zu verachtender Hauswirt, der die Beschäftigung mit diesen Dingen nicht als etwas Geringes und Bedeutungsloses nur nebenher betrieb. Daher glaube ich auch darüber das Nötige sagen zu sollen.

Er sah bei der Wahl seiner Gattin mehr auf die gute Herkunft als auf Reichtum... Wer Frau oder Kinder schlage, sagte er, vergreife sich an den höchsten Heiligtümern; in seinen Augen sei es ein größeres Lob, ein guter Ehemann als ein großer Senator zu sein; er bewundere auch an dem alten Sokrates nichts anderes, als daß er gegen ein böses Weib und schwachbegabte Kinder sich immer mild und freundlich verhalten habe.

Als ihm der Sohn geboren war, gab es kein so dringendes Geschäft – es sei denn ein öffentliches –, das ihn hindern konnte, dabei zu sein, wenn die Frau den Säugling badete und windelte. Denn sie nährte ihn mit der eigenen Milch und nahm oft auch die Kinder der Sklaven an die Brust, um ihnen durch die Milchbruderschaft Liebe zu ihrem Sohn einzuflößen. Sobald dieser zu begreifen begann, nahm er ihn selbst in die Lehre und brachte ihm Lesen und Schreiben bei, obwohl er einen tüchtigen Elementarlehrer an seinem Sklaven Chilon hatte, der viele Knaben unterrichtete. Aber er hielt es nicht für recht, wie er selbst sagt, daß sein Sohn von einem Sklaven gescholten oder am Ohr gezogen würde, wenn er nicht fleißig lernte, noch auch, daß er einem Sklaven für einen so wichtigen Unterricht Dank schuldete, sondern er war selbst der Lehrer im Lesen und Schreiben, in der Gesetzeskunde und in den Leibesübungen, indem er seinen Sohn nicht nur im Speerwerfen, im Gebrauch der Nahkampfwaffen und im Reiten unterwies, sondern auch im Boxen, im Ertragen von Hitze und Kälte und im kräftigen Durchschwimmen der Wirbel und der reißendsten Stellen des Flusses. Auch seine Geschichte, sagt er, habe er selbst mit eigener Hand und mit großen Buchstaben niedergeschrieben, damit der Knabe die Möglichkeit habe, sich im eigenen Hause zur Kenntnis der Taten und Sitten der Vorfahren heranzubilden. ... Da Cato sich so bemühte, den Sohn zur vollkommenen Tüchtigkeit heranzubilden, war bei diesem zwar der Wille untadelig, und die Seele gehorchte dank ihrer guten Art, aber der Körper erwies sich als zu zart für große Anstrengungen, und so schraubte der Vater die allzu scharfen Anforderungen der Zucht herab.«

Frappieren dürften vor allem die Andeutungen, die Plutarch über Catos Ton im Umgang mit den Familienangehörigen macht. Der allgewaltige Hausvater verbreitet keine Atmosphäre der Angst um sich, geriert sich nicht als barscher oder mürrischer Despot. »Milde und freundlich« zu sein – das ist seine Maxime. Frau und Kind sind hoch geachtet, ja als Heiligtümer betrachtet. Ihnen werden herzliche Ge-

fühle entgegengebracht, liebevolle Zuneigung, Anteilnahme, rücksichts-
volle Besorgtheit.

Im Mittelpunkt der väterlichen Sorge und Liebe steht die Erziehung
und Unterweisung des Sohnes. Ihr widmet sich der Vater in eigener
Person (wie später Augustus bei seinen Enkeln), mit größter Sorgfalt
und Umsicht und unter persönlichem Einsatz. Bei körperlichem Trai-
ning, bei Sport- und Waffenübungen ist er dem Jungen Gefährte und
Vorbild. Ein Hauptziel der Erziehung ist die Kenntnis der ›Taten
und Sitten der Vorfahren‹, der bei den Römern so oft berufenen *facta
moresque parentum* oder *maiorum*, die nachgeahmt werden sollen.[40]
Dazu mußte der Vater den Sohn tüchtig machen. Ohne Strenge und
Disziplin war das nicht möglich, verlangten doch die römischen *vir-
tutes* in erster Linie Selbstbeherrschung, Leistungsfähigkeit und zähe
Ausdauer. Aber hinter der erzieherischen Strenge Catos wie des römi-
schen Vaters überhaupt steht im Normalfall die väterliche Liebe.
Strenge gegenüber dem Sohn ist in den Augen eines Römers ein Zei-
chen von Vaterliebe und das notwendige Korrelat der väterlichen
Güte. Daher kann Seneca, im Zusammenhang der Theodizee, die
Güte Gottes, die durch das ungerechte Leiden und Mißgeschick der
›Guten‹ in Frage gestellt erscheint, mit dem Hinweis auf die väter-
liche Gesinnung, den *patrius animus* Gottes gerade gegenüber seinen
Auserwählten verteidigen.[41]

Auf welch hoher Stufe menschlicher Zuneigung im allgemeinen Bewußtsein die Vaterliebe in Rom stand, zeigen zwei Verse Catulls
(72,2 f.), der, um die Uneigennützigkeit und Beständigkeit seiner
Liebe zu der von ihm geliebten Frau zu beteuern, sagen konnte: »Ich
liebte dich, nicht wie der gemeine Mann seine Freundin, sondern wie
der Vater die Söhne liebt und die Schwiegersöhne.«

Ich versuche, die Ausführungen über den *pater familias* zusammenzufassen und auszuwerten.

Die Eigenheit der römischen Vatervorstellung besteht in der magistra-
tischen Auffassung des Familienvaters. Die Voraussetzung dafür ist
das Zurücktreten des biologischen Aspektes. Über das zeugende Prinzip dominiert das ordnende und erhaltende. Der *pater familias* ist
gesehen als ein mit einer bestimmten Vollmacht, der *patria potestas*,
ausgezeichneter Amtsträger, der in dem zuständigen Amtsbereich,
dem römischen Haus, eine unumschränkte Gewalt besitzt, die er freilich vor den Augen der Vorväter, nämlich der heiligen Instanz des
mos maiorum, zu verantworten hat. Die Anwendung der hausherrlichen Gewalt äußert sich am auffälligsten in der Ausübung des Herr-
schafts- und Strafamtes gegenüber den Familiengliedern – das ist der
Aspekt, der in den juristischen Quellentexten, die sich mit der Rechtsstellung des *pater familias* befassen, naturgemäß dominiert. Zu den
Amtsaufgaben des *pater familias* gehört jedoch in erster Linie die

nicht rechtlich fixierte, vielmehr durch außerrechtliche Normen vorgeschriebene Schutz- und Fürsorgepflicht für alle Gewaltunterworfenen oder eben die Sorge und Verantwortung für die Familie, insbesondere die Kinder.

Insgesamt obliegt dem römischen *pater familias* somit ein doppeltes Amt: er hat die Funktion des Herrn und Zuchtmeisters und die des fürsorgenden Vaters auszuüben. Entsprechend schulden ihm die Familienangehörigen *obsequium*, Gehorsam, und *pietas*, Liebe und Achtung.[42]

B. Ergänzung der Strenge durch Humanitas: Terenz

Es scheint uns heute selbstverständlich, daß gegenüber einem solchen Übergewicht von Macht, bei einem derartigen Anspruch der Väter auf Unterordnung ein heftiger Drang der Söhne nach Emanzipation bestand. Und so erwartet man, daß es im Zusammenhang mit Progressismus und Aufklärung auch in Rom zur Auflehnung gegen die Väter gekommen ist und daß im Zuge solchen, von der Jugend getragenen programmatischen Protestes das traditionelle Vaterbild radikal in Frage gestellt worden ist. Aber gerade das ist nicht geschehen. Statt dessen gibt es überraschende historische Beispiele selbstverständlicher Solidaritätsbekundung und fragloser Unterordnung der Söhne gerade in Situationen des Konfliktes,[43] während das einzige authentische negative Vaterporträt der lateinischen Literatur – es handelt sich um Augustins Äußerungen über seinen ungläubigen Vater in den Confessiones[44] – aus der Spätzeit stammt und in tendenziöser Absicht gezeichnet ist.

Trotzdem hat es auch in Rom eine Auseinandersetzung mit dem traditionellen Bild des Vaters gegeben, sofern man darunter den strengen, gebieterischen Vater versteht. Diese Auseinandersetzung steht im Zusammenhang mit einer Krise der römischen Tradition und Vätersitte überhaupt und gehört zu dem Prozeß der Neuorientierung und des Umbruchs, der zu Beginn des 2. vorchristlichen Jahrhunderts eingesetzt hatte. Er war eine Folge der Ausdehnung der römischen Herrschaft auf den östlichen Mittelmeerraum und der intensiven Begegnung mit der hochzivilisierten griechisch-hellenistischen Kultur. Die Expansion zwang die Römer im Interesse einer Begründung ihrer neuen Herrschaftsstellung zur Reflexion auf die Prinzipien ihrer Politik und die Grundlagen ihrer Gesellschaftsordnung überhaupt. Die Konfrontation mit griechischen Lebensgewohnheiten, Bildung und Ideen rief eine Auseinandersetzung mit der eigenen Tradition hervor, dem durch sie vorgezeichneten Lebensstil und verbindlich gemachten Maßstäben und Ordnungen. Dabei sind viele der überkommenen Vorstellungen ins Wanken geraten. Die römische Nobilität selbst war damals in ihrer Einstellung zur Tradition gespalten. Ein großer Teil öffnete sich bereitwillig allem Neuen, wobei viele Maß und Ziel verloren; andere, darunter der alte Cato, befehdeten es erbittert und kämpften, zäh am Alten festhaltend, energisch gegen die von ihnen als Sittenverfall betrachteten Veränderungen.[45]

Zu den erfreulichsten Ergebnissen dieser Begegnung mit der griechischen Welt gehört bekanntlich die Übernahme und Verbreitung der von den Griechen vorgezeichneten Ideale der Urbanität und Humanität, die ebensowohl eine Verfeinerung des Lebensstiles, der Sprache, des Umgangstones, der Bildung und der Sitten wie eine Vertiefung und Humanisierung der menschlichen Beziehungen umfassen.[46]

Zunächst allerdings traten vor allem die negativen Auswirkungen der Begegnung mit dem Griechentum in Erscheinung. Die Mehrzahl der rapide zu Wohlstand gelangten Römer war dem Vergnügungsangebot und den Reizen der dekadenten hellenistischen Zivilisation nicht gewachsen und erlag den Verlockungen zu Luxus, Üppigkeit, Ausschweifungen und fragwürdigem Amüsement. Das betraf vor allem die Jugend der vornehmen und alten Familien. Polybios, der 168 v. Chr. unter den tausend Geiseln des Achäischen Bundes nach Rom gekommen war, berichtet (32,11) darüber: »In dem damaligen Rom . . . (hatten) die Neigungen der meisten eine böse Richtung genommen. Die einen waren wie besessen hinter Buhlknaben, die anderen hinter Dirnen her, viele dachten nur ans Trinken oder das Varieté und andere kostspielige Vergnügungen: sie hatten im Perseuskrieg die griechische Leichtfertigkeit kennengelernt und sie sich nur allzu schnell zu eigen gemacht. Eine solche Maßlosigkeit in diesen Dingen hatte die Jugend ergriffen, daß viele für einen Buhlknaben ein Talent zahlten.«

Unter solchen Umständen sahen sich die römischen Väter bei ihrer Aufgabe der Erziehung mit neuen Problemen konfrontiert. Die Lösungen konnten, entsprechend der jeweiligen Einstellung zum Überkommenen, dem *mos maiorum*, verschieden ausfallen, so daß sich Meinungsverschiedenheiten und Unsicherheiten über Ziele und Methoden der richtigen Erziehung ergeben mußten, in die auch das Vaterbild einbezogen war. Einen Beitrag zu dieser Problematik bildet die im Jahre 160 v. Chr. aufgeführte Komödie »Adelphen« (Die Brüder) des Terenz, die deshalb hier eingehender besprochen werden soll.[47]

Ich muß dabei etwas weiter ausholen, da es zugleich gilt, gewisse, auf alten Vorurteilen beruhende Einwände zu entkräften, nämlich einmal, daß die römischen Komödien, da sie Bearbeitungen griechischer Stücke sind, in denen zudem nur Typen figurieren, mit der römischen Wirklichkeit nichts zu tun haben und daher die in ihnen behandelten Probleme ohne Aktualität sind. Sodann, daß auch Terenz (wie Plautus) mit seinen Stücken wenig belehrende oder gar erzieherische Absichten verfolgte, sondern das römische Publikum in

erster Linie unterhalten und amüsieren wollte, indem er ihm, wie im Falle der Adelphen *Graeculi delirantes* auf die Bühne stellte.[48]
Terenz, ein um 190 v. Chr. in Karthago geborener Afrikaner, der als Sklave nach Rom gekommen ist, dort freigelassen und sogar der Freund hochstehender Persönlichkeiten, darunter des berühmten Scipio Aemilianus wurde, hat insgesamt sechs, heute noch erhaltene Komödien geschrieben, die zwischen 166 und 160 v. Chr. in Rom aufgeführt wurden.[49] Sie sind beherrscht von der Vater-Sohn-Thematik.[50] Bei der Motivauswahl aus der Fülle des vorliegenden Motivrepertoires hat sich Terenz somit auf das Vater-Sohn-Verhältnis konzentriert. Dieses erscheint bei ihm als die wichtigste der menschlichen Beziehungen.

Praktisch handelt es sich jeweils um einen Vater-Sohn-Konflikt, der ausgelöst wird durch die Liebe des meist recht leichtfertigen jungen Sohnes zu einem Mädchen, das er sich gegen allerlei Widerstände erkämpft. Der Kampf um das Mädchen bildet die Grundstruktur der neueren, d. i. der hellenistisch-römischen Komödie. Der Gegenspieler ist dabei, neben dem Rivalen und dem Kuppler, hauptsächlich der strenge Vater, der *pater durus*. Bei dieser Vaterfigur handelt es sich also zunächst um eine typische und dramatisch notwendige Rolle, die den lateinischen Komikern durch die hellenistische Komödie vorgegeben war. Mit der Theaterrolle sind natürlich auch bestimmte Züge und Verhaltensweisen festgelegt, die zudem in komischer Verzerrung oder komischer Übertreibung erscheinen. Die Väter der römischen Komödie, insbesondere die ›harten‹ Väter,[51] sind primär literarische Figuren und dürfen als solche nicht einfach als Karikatur des römischen *pater familias* betrachtet und so auch nicht gesellschaftskritisch interpretiert oder gar historisch-soziologisch ausgewertet werden.

Desgleichen ist zur Bühnenwelt[52] der hellenistisch-römischen Komödie zunächst zu bemerken, daß es sich bereits in den griechischen Originalen um eine fiktive, zwar an den realen griechischen Verhältnissen orientierte, ihnen aber nicht genau entsprechende Welt handelt. Beispielsweise besitzen die Söhne eine verhältnismäßig große Selbständigkeit, die künstlerisch notwendig ist, damit sie überhaupt einen Freiraum zum Handeln haben. Die römischen Bearbeiter haben an der fiktiven Bühnenwelt ihrer Vorlagen festgehalten und das griechische Milieu im allgemeinen wenig verändert, auch sind griechische oder griechisch klingende Personennamen gebraucht und als Ort der Handlung Athen oder eine andere griechische Stadt beibehalten. Die Diskrepanz zur historischen Realität hat sich in den lateinischen Stücken somit vergrößert.[53]

Andererseits läßt sich bereits in den ältesten erhaltenen römischen Komödien, denen des Plautus (gest. 184 v. Chr.), eine Tendenz zur Aktualisierung beobachten. Sie zeigt sich am deutlichsten in dem Versuch, durch gelegentliche Einbeziehung der römischen Welt[54] die römischen Verhältnisse zu berücksichtigen. Dazu gehört auch das Vater-Sohn-Verhältnis. Zwischen seiner Darstellung bei Plautus und Terenz bestehen charakteristische Unterschiede, aus denen wiederum die besondere Zeitbezogenheit der terenzischen Vater-Sohn-Thematik ersichtlich wird.

Bei Plautus fällt zunächst auf, daß trotz aller Komik, und zwar einer massiven, derben Komik, die Autorität des Vaters unangetastet bleibt und große Strenge, selbst unmenschliche Härte keinen Verlust seines Ansehens bewirken.[55] Zu einer echten Auseinandersetzung zwischen Vater und Sohn im Sinne eines menschlichen Konfliktes kommt es aber gar nicht. Das Verhältnis zwischen beiden ist fast unpersönlich und als bloßes Rechts- und Herrschaftsverhältnis dargestellt. In den Stücken des Plautus ist die Beziehung zwischen Vater und Sohn letztlich nur mittelbar, sie geht über den Sklaven und dessen handfeste Intrige.

Bei Terenz ist das anders. Unter vielem anderen[56] tritt auch der Sklave als Mittelsmann zurück, Vater und Sohn können sich direkt und als menschliche Partner begegnen und ihren Konflikt in humaner Weise austragen, bei der es um Vertrauen und gegenseitiges Verstehen geht im Gegensatz zu der fraglosen Unterwerfung der Kinder etwa bei Plautus. Für diese bezeichnend sind zwei, freilich von Töchtern gesprochene Verse aus dem Stichus (53 f.): »Letztlich aber liegt es in der Gewalt (*potestas*) des Vaters: wir müssen das tun, was die Väter befehlen« – *faciendum id nobis quod parentes imperant*.

Bei Terenz dagegen heißt es am Schluß der Adelphen, nachdem der Vater den Söhnen freigestellt hat, nach ihrer eigenen, wenn auch begrenzten und unreifen Einsicht zu leben oder sich der väterlichen Führung anzuvertrauen: »Vater, wir überlassen es dir, du weißt mehr als wir, was zu tun ist.« Gegenüber Plautus ist das eine deutliche Auflockerung und Humanisierung der Beziehung zwischen Vater und Sohn. Der Vater verzichtet auf den Gebrauch seiner Befehls- und Verfügungsgewalt. Der Sohn unterstellt sich freiwillig der Autorität des Vaters aufgrund der selbstgewonnenen Einsicht in die Überlegenheit des väterlichen Rates.

Wir wollen jetzt das Stück selbst betrachten.

Die Hauptpersonen sind zwei Brüder in Vaterrollen, denen zwei Brüder in Sohnesrollen entsprechen. Aufgebaut ist das Stück auf dem Gegensatz der Charaktere, der Lebensformen und der Prinzipien oder Standpunkte der Väter. Von diesen ist nur einer Vater im natürlichen Sinn, und zwar ist er der Vater der beiden Söhne, von denen er einen seinem unverheirateten Bruder zur Adoption gegeben hat. Doch fühlt er sich weiterhin als Vater für ihn verantwortlich und kümmert sich mehr um ihn, als dem Bruder recht ist. Das Hauptproblem und zugleich der Streitpunkt des Stückes ist die Frage der richtigen Erziehung der Söhne. Es geht also um die wichtigste Vateraufgabe. Vorgeführt werden nun zwei gegensätzliche Vaterfiguren, zwei Väter, die nach konträren Erziehungsmethoden verfahren und diese jeweils zum ausschließlichen Prinzip erhoben haben.

Der eine Bruder, Demea, der natürliche Vater beider Söhne, ist Bauer, lebt auf seinem Landbesitz vor der Stadt, bescheiden, einfach und in harter Arbeit. Er ist einfältig, karg, poltrig, oft kleinlich und knauserig, aber ehrlich und rechtschaffen. Sein Sohn wird kurzgehalten, viel erzogen in guter Absicht und nach alter Vätersitte, er soll den Vorfahren ähnlich,[57] d. h. anständig und rechtschaffen sein, muß ebenfalls hart arbeiten und soll den verderblichen Vergnügungen und der leichtfertigen Gesellschaft der Stadt ferngehalten werden. Des Vaters größte Sorge ist, die Söhne könnten dadurch ›verdorben‹ werden. Demea verkörpert den Typ des *pater durus*, des allzu strengen Vaters, in abgemilderter Ausprägung. Er ist streng, beschränkt, verständnislos, aber handelt besorgt und eifrig bemüht.

Der andere Bruder, Micio, ist in allem das Gegenteil.

Er lebt in der Stadt, unverheiratet, wohlhabend, bequem, in Gesellichkeit und Muße. Anderen Menschen und besonders seinem Sohn gegenüber ist er großzügig, tolerant, nachgiebig, gefällig, leutselig, läßt die Dinge gerne laufen und freut sich seiner Beliebtheit. Kurz: er ist der Typ des außerordentlich liberalen Vaters.

Das Stück beginnt mit einem Monolog des liberalen Vaters, des Adoptivvaters. Der Monolog dient vor allem der Exposition der Hauptfiguren und ihrer pädagogischen Prinzipien. Für die folgende Handlung wichtig ist die gleich eingangs erteilte Information, daß der liberal erzogene Sohn, Aeschinus, nachts nicht nach Hause gekommen ist. Der Vater macht sich Sorgen und sinniert dazu:[58]

»Dabei ist er doch nicht mein eignes Kind.
Mein Neffe, meines Bruders Sohn, ist er.
Mein Bruder ist von mir das Gegenteil
in seinem Wesen, schon seit Kinderzeiten.
Ich lobte mir das Leben in der Stadt,
bequem, behaglich, und verzichtete
gern auf das sogenannte Eheglück.
Er, als mein Widerspiel in jedem Punkt,
zog harte Arbeit auf dem Lande vor;
er lebte sparsam, nahm ein Weib; zwei Söhne
gebar sie ihm. Von diesen beiden hab' ich
den älteren adoptiert: von frühster Jugend
zog ich ihn auf; ich hielt und liebte ihn,
als ob's mein eigner wäre. Jetzt ist er
all meine Freude, alles, was ich liebe.
Und daß er mir im gleichen Sinn begegnet,
bestreb' ich mich – freigebig und mit Nachsicht.
Mit ihm verfahren nach dem strengen Recht
des Hausherrn und Familienoberhauptes,
scheint mir verfehlt. So hab' ich ihn gewöhnt,
daß er mir seine Streiche anvertraut,
wie sie die Jugend liebt, und wie die andern
sie auch tun, – aber heimlich vor dem Vater.
Denn wer sich angewöhnt, den eignen Vater
mit dreister Unwahrheit zu hintergehen,
wird's später so erst recht bei andern wagen.
(pudore et liberalitate liberos
retinere satius esse credo quam metu.)

Durch Güte auf das Ehrgefühl der Kinder
zu wirken, scheint mir, ist ein stärkres Band
als Furcht vor Strafe. Zwar mit meinem Bruder
komm ich nicht überein: er lehnt das ab.
Oft kommt er, schreit mich an: »He, Micio,
was fällt dir ein, den Jungen zu verderben?
Sein Liebesleben, seine Kneipereien,
und seine Eleganz zu finanzieren?
Zu närrisch bist Du!« – Vielmehr *er* zu *streng*,
weit über Recht und Billigkeit hinaus.
Nach meiner Meinung irrt sich der gewaltig,
der glaubt, Gehorsam, mit Gewalt erzwungen,
sei dauerhafter, habe mehr Gewicht
als solcher, dessen Band die Freundschaft ist.
Mein Sinn ist so und meine Ansicht diese:
wer seine Pflicht aus Furcht vor Strafe tut,
pariert nur so lang', wie er glauben muß,
daß es herauskommt; wenn er das nicht fürchtet,
kehrt er zur eignen Wesensart zurück.
Doch wen man sich durch Freundlichkeit und Güte
gewinnt, der tut's von Herzen, will das Gute
vergelten, ob ihn einer sieht, ob keiner.
Das nenn' ich Vater-Art: den Sohn gewöhnen,
daß er das Rechte tut aus eignem Willen
und nicht aus Furcht. Da liegt der Unterschied
des Vaters von dem Herrn und Sklavenhalter:
wer das nicht auseinander hält, gestehe,
daß er nicht Kinder zu erziehen weiß!
(hoc pater ac dominus interest. hoc qui nequit
fateatur nescire imperare liberis.)«

Die konträren Prinzipien der beiden Väter sind hier klar dargelegt:[59]
Micio bekennt sich zum Grundsatz freiheitlicher Erziehung. Er setzt
auf Vertrauen, Verstehen, Freundschaft. Wie das Stück zeigt, ver-
fährt er auch nach seinen Prinzipien. (Ein schönes Dokument für den
Umgang mit dem Sohn ist das Gespräch mit diesem im 4. Akt,
5. Szene.) Micio ist in Gesinnung und Handlungsweise wirklich liberal. Gemessen an den herkömmlichen Vorstellungen des römischen
Publikums ist seine Haltung als fortschrittlich, neu und für römische
Verhältnisse damals noch ungewöhnlich zu bezeichnen.
Demea vertritt demgegenüber den gewohnten Grundsatz der Strenge,
achtet auf Ordnung, verfügt autoritär über seinen Sohn, baut auf
Furcht und Unterordnung. Zu den bislang in Rom geltenden Maßstäben steht das nicht in Widerspruch, auch bleibt Demeas ganze Zielsetzung durchaus im Rahmen des Üblichen. Insofern ist seine Linie
einfach konservativ. Es war daher mit der Möglichkeit zu rechnen,
daß sie dem Publikum des Terenz akzeptabler erschien als die Micios,
dessen Maximen zwar sympathisch, human und als solche überlegen
sind, aber in der vorgeführten Praxis, innerhalb des Stückes, zu unerträglichen und schließlich lächerlichen Konsequenzen führen.
Eine andere Frage ist, ob Terenz etwas und gegebenenfalls was er

empfehlen oder gar propagieren wollte. Hat er eine der beiden Methoden als richtig oder der anderen überlegen hingestellt? Oder stehen beide gleichwertig – im positiven oder negativen Sinn – nebeneinander? Ist einer der beiden Väter als vorbildlich oder als abschreckend gezeigt? Und schließlich: Wenn einer das richtige Verhalten verkörpert, wie verhält sich dann der andere dazu?

Diese Fragen sind in der Forschung außerordentlich kontrovers, und das ist ein Zeichen dafür, daß die Lösung nicht einfach auf der Hand liegt. Der Hauptgrund für die Schwierigkeit liegt vermutlich darin, daß Terenz die Charaktere der beiden Väter gegenüber der griechischen Vorlage umgebogen hat. Doch ist die Beurteilung dadurch erschwert, daß das Verhältnis zu dem verlorenen gleichnamigen Stück des Menander, von dem Terenz antiken Zeugnissen zufolge in mehreren Punkten abgewichen ist, nicht eindeutig geklärt werden kann, so daß auch die Bearbeitungstendenz des Terenz umstritten ist.[60]

Die wichtigsten in der Forschung vertretenen Positionen[61] seien hier vereinfacht wiedergegeben:

(1) Micio ist bei Menander wie Terenz zwar nicht absolutes Vorbild, aber viel weniger abzulehnen als Demea.[62]

(2) Beide Väter sind in gleicher Weise abzulehnende Extreme, und zwar bei Menander wie bei Terenz. Diese, in letzter Zeit nochmals sehr umsichtig begründete[63] Auffassung, hat den Vorzug, daß den Schwächen Micios, die gerne übersehen werden, Rechnung getragen ist.

(3) Zwischen Terenz und Menander bestehen Unterschiede. Micio war bei Menander als vorbildlicher Vater gedacht; Demea war diesem positiv gezeichneten liberalen Vater als abschreckendes Beispiel eines autoritären Vaters gegenübergestellt. Terenz hat gegenüber Menander vor allem im letzten Akt den strengen Vater aufgewertet, den liberalen abgewertet und so zuletzt Demea als den Überlegenen erscheinen lassen. Bei Terenz ergibt sich daher der Gesamteindruck, daß an beiden Vätern Schwächen hervortreten, die Methoden beider einseitig und übertrieben sind.[64]

Die zuletzt aufgeführte Lösung, die der Einzelausführung noch manchen Spielraum läßt, kann, soweit ich sehe, aus dem Verlauf des vorliegenden Terenzstückes sowie aus einer Reihe gesicherter oder mit Wahrscheinlichkeit zu erschließender Änderungen des Terenz gegenüber Menander am besten begründet werden. Für sie sprechen vor allem folgende Umstände:

(1) Beide Väter haben mit ihren Erziehungsmethoden nicht den angestrebten Erfolg und werden von ihren Söhnen enttäuscht. Der liberal erzogene Sohn verheimlicht z. B. seinem Vater, daß er ein Bürgermädchen, das er freilich liebt, verführt hat und dieses von ihm ein Kind erwartet. Der streng erzogene Sohn wiederum erliegt den Reizen einer Hetäre und verliebt sich derart in sie, daß ihm das Leben

ohne sie unerträglich erscheint. Nachdem er sich seinem Bruder anvertraut hat, raubt dieser ihm das Mädchen mit Gewalt und begeht dabei gleich eine ganze Serie von Rechtsbrüchen.

Demea schildert den Vorfall ohne große Übertreibung folgendermaßen (88–90): »Eine Haustür hat er aufgebrochen, ist in ein fremdes Haus eingedrungen, hat den Hausherrn und alle Leute, die zum Haus gehören, fast totgeschlagen, hat eine Frau daraus geraubt ...«. Micio weiß der Besorgtheit und Empörung seines Bruders nur zu entgegnen (100–103): »Du beurteilst das falsch, Demea. Es ist keine Schande, glaube mir, wenn ein junger Mann mit Dirnen umgeht und trinkt – es ist keine! Auch nicht, wenn er eine Tür aufbricht.« Und etwas später (114–122): »Du hast mir deinen Sohn zur Adoption gegeben, er ist der meine geworden; stellt er etwas an, Demea, so ist es mein Schaden, ich trage es in erster Linie! Er schlemmt, er trinkt, er duftet nach Salben – von meinem Geld. Er hat eine Freundin – von mir kommt das Geld, solange es mir paßt ... Eine Tür hat er aufgebrochen – sie wird wieder hergerichtet; er hat ein Kleid zerrissen – es wird wieder geflickt – den Göttern sei Dank, wir haben es ja dazu, bis jetzt ist es mir nicht schwergefallen.«

Solche Bagatellisierung konnte weder für den Vater eine Beruhigung sein noch das Rechtsgefühl der Zuschauer befriedigen. Hinzu kommt, daß diesen bei Terenz das wahre Motiv der Gewalttat des Aeschinus, dadurch seinem Bruder zu helfen, ziemlich lange vorenthalten wird. Dadurch konnte sich der Eindruck verfestigen, daß Micios liberale Erziehung sich nicht bewährt.

(2) Am Schluß läßt Terenz den Demea, der erfahren mußte, daß er sich mit seiner strengen Art keine Liebe erwirbt, auf die Linie Micios umschwenken, die auf die Formel »Gefälligkeit, Nachsicht« (861) und »geben und willfahren« (880) gebracht wird. Demea hat mit seinem neuen Kurs einen grandiosen Erfolg. Sobald er sich leutselig, freigebig, großzügig zeigt, schenkt, vermittelt, stiftet, ist er der gute und geschätzte Mann, der allerliebste Vater, der gepriesene Wohltäter. Am Ende ist die Methode Micios als der bequeme Weg entlarvt. Das letzte Wort hat Demea.

Auf die Frage des Bruders: »Was ist denn los, was hat so plötzlich deine ganze Art gewandelt? Welche Schenklust? Was für eine plötzliche Freigebigkeit?« erklärt er: »Ich wollte zeigen, wenn dich die da für liebenswürdig und großzügig halten, daß das nicht deshalb geschieht, weil dein Leben ehrlich und dein Tun recht und gut ist, sondern weil du immer zustimmst, nachsichtig bist und schenkst, Micio.« Und an den Sohn gewendet: »Wenn euch aber deshalb meine Lebensweise zuwider ist, Aeschinus, weil ich nicht überhaupt allem, ob Recht, ob Unrecht, mich füge, so lasse ich es. Verschwendet, kauft, macht, was euch gefällt. Wenn ihr aber das lieber wollt, daß ich, wo ihr wegen eurer Jugend weniger klar seht, zu viel begehrt, zu wenig überlegt, daß ich da eingreife, warne, zurechtweise und am rechten Platze nachgebe, so wendet euch an mich: ich will es für euch tun!« Der Sohn antwortet mit den schon eingangs zitierten Worten: »Vater, wir überlassen es dir. Du weißt mehr als wir, was zu tun ist.«[65]

(3) In dieser Schlußrede erscheint Demea dem Bruder überlegen, dadurch, daß er dessen Methode bloßstellt und ihm eine Lektion erteilt. Er selbst hat an Menschlichkeit gewonnen und etwas von der liberalen Art des Bruders angenommen. Er verzichtet auf Zwang und Gehorsamsforderung, ist weniger Gebieter als Ratgeber und wird abschließend mit dem schönen Erfolg der freiwilligen und vertrauensvollen Annahme seiner Führung belohnt. Die Sympathie für Micio und sein humanes Verhalten wird durch diesen ›Triumph‹ Demeas nicht aufgehoben, aber es wird doch drastisch auf die Gefahren zu großer Milde und Nachgiebigkeit aufmerksam gemacht und der Strenge als solcher ein Lob erteilt.

In der literarischen Kritik seit Diderot und Lessing ist dieser Ausgang des terenzischen Stückes immer wieder getadelt worden. Für unseren Zusammenhang wesentlich ist die Frage, was Terenz damit bezweckt hat. Ich glaube, daß er einen neuen Weg zeigen wollte, das Zusammenleben zwischen Vätern und Söhnen, zwischen Eltern und Kindern ›menschlich‹ zu machen. Dieser Weg liegt ganz auf der Linie der gleichzeitigen Humanisierungsbestrebungen und entspricht auch den Intentionen bestimmter römischer Politiker, darunter vor allem denen des dem Terenz nahestehenden Scipio Aemilianus, sofern dieser tatsächlich ein politisches Bildungsprogramm verfolgt hat.[66] Wie immer es sich auch damit verhalten haben mag, daß Terenz durch seine Komödien an dem Prozeß der Neuorientierung mitwirken und zur Einbürgerung der Humanitätsidee in Rom beitragen wollte, steht außer Frage.

Der Beitrag unseres Stückes besteht einmal in der Korrektur falscher Vorstellungen von der neuen *humanitas* im Sinne menschlicher Toleranz, Milde und Nachsicht. Vor allem aber besteht er in der Bemühung um eine Auflockerung und Bereicherung des traditionellen Vaterbildes und mit ihm der Vater-Sohn-Beziehung. Die von Terenz gebotene Lösung ist spezifisch römisch: sie bewahrt, nimmt auf und integriert zugleich. Der strenge Vater, der in vielen Zügen, so nach der positiven Seite durch Besorgtheit, Pflichtgefühl und Verantwortungsbewußtsein, dem altrömischen Vaterbild entspricht, wird zuletzt nicht abgelehnt. Aber die Konzeption wird korrigiert und erweitert durch Aufnahme des Positiven aus Micios Einstellung und Methode. Es geschieht also das, was W. Schadewaldt als charakteristisch für den Humanisierungsvorgang jener Zeit herausgestellt hat:[67] eine komplementäre Erweiterung der altrömischen Strenge (*severitas, disciplina*) durch *humanitas*. Das Ergebnis, in den Adelphen des Terenz nur mehr angedeutet, ist eine Kombination aus dem

Ernst und der Verantwortung des strengen Vaters mit der verständnisvollen und auf Vertrauen bauenden Art des liberalen Vaters. Insofern liegt das als richtig Empfohlene doch zwischen den beiden Vaterfiguren und vermittelt zwischen deren extremen Positionen. Aber es ist bezeichnenderweise am Ende des Stückes auf eine der beiden Vaterfiguren übertragen, eben auf den mehr römischen Vater. So hat Terenz das traditionelle Vaterbild bei gleichzeitiger Öffnung und Erweiterung bewahrt.

Die Vereinigung von Humanität und Strenge ist gerade von Vertretern der *humanitas Romana* als Aufgabe erkannt und als Ideal propagiert worden. So lobt Cicero ihre Verwirklichung an seinem Freunde Atticus,[68] empfiehlt sie auf politischer Ebene dem Bruder Quintus.[69] Der jüngere Plinius, einer der hervorragendsten kaiserzeitlichen Vertreter römischer *humanitas*,[70] hat dann in einem seiner Briefe (9,12,2), nach der Schilderung eines Beispiels übertriebener väterlicher Strenge (*immodica severitas*) die Maxime aufgestellt: »Gebrauche Deine Stellung als Vater so, daß Du Dir bewußt bleibst, ein Mensch und der Vater eines Menschen zu sein« – *ita hoc quod es pater utere, ut memineris et hominem esse te et hominis patrem.*

II. Die Vaterfigur und ihre Funktionen

A. Nicht-familiäre Vaterrollen: Juppiter – Pater Patriae

1. An erster Stelle sei erwähnt, daß im republikanischen Rom historischer Zeit ein Teil der Senatoren, und zwar diejenigen, die aus den alten Adelsgeschlechtern, den sogenannten Patrizierfamilien stammten, in der förmlichen Anrede und entsprechend in der Ladungsformel als *patres* bezeichnet wurden.[71] Die Anredeformel für den ganzen Senat lautete in historischer Zeit: *patres, conscripti*, wobei es sich um eine asyndetische Aufzählung handelt.[72] Die *conscripti* sind die plebejischen Mitglieder des Senates, die erst im Laufe der Zeit, wohl in der frühen Republik, dazugekommen sind. Daraus folgt, daß ursprünglich alle Senatoren *patres* hießen, der römische Senat anfänglich somit eine Versammlung von ›Vätern‹ war.

Gegen Ende der Republik hat man dann, wie viele Äußerungen Ciceros, besonders der Singular *pater conscriptus*[73] zeigen, wieder in allen Senatoren *patres* gesehen (und *conscripti* als Attribut mißverstanden). Die Bezeichnung *patres* war – ich übernehme hier die wohlbegründete Erklärung Mommsens[74] – ursprünglich wörtlich gemeint, d. h. es handelte sich um die Häupter adliger oder angesehener Familien, der *gentes*, die eben *patres* waren und als solche den Staatsrat bildeten. In späterer Zeit konnte jedoch ein Senator seiner familienrechtlichen Stellung nach durchaus nur Haussohn sein. Daher finden wir bei Autoren wie Sallust und Livius auch eine Erklärung der Senatorenbezeichnung *patres*, die den veränderten Verhältnissen Rechnung trägt und zugleich das Entscheidende an der römischen Vaterstellung herausgreift: sie nehmen die Bezeichnung als Titel, als Würde- und Amtsbezeichnung.[75]

2. Dem Familienvater steht als kommensurable oder analoge Vatererscheinung der Göttervater gegenüber. Richtiger zunächst: die altrömischen Vatergötter.

Pater war in der römischen Religion seit alters ein offizieller Kultname, der den großen Göttern bei der förmlichen Anrufung, also im Gebet und bei offiziellen Erwähnungen, zukam.[76] Die Vaterakklamation ist mit dem Namen gerade der ältesten und bedeutsamsten einheimischen Gottheiten verschmolzen zu *Iuppiter* und *Marspiter*. Dadurch sowie durch Parallelbildungen bei anderen indogermanischen Stämmen, etwa Griechen, Illyrern, Indern,[77] ist ihr hohes Alter sichergestellt. Wahrscheinlich entstammt sie der vorstaatlichen Phase, der Zeit, da die Großfamilie ein politisch selbständiger Verband mit patriarchalischer Ordnung war und es noch keine ausgebildete, als höchste menschliche Würde auf die Gottheit übertragbare Königsvorstellung gab.

Jedenfalls bedeutet die Anrede eines Gottes als Vater zunächst nichts anderes als die Zusprechung der *pater familias*-Würde. Die Kultgemeinde brachte dadurch zum Ausdruck, daß sie sich ihrerseits der Herrschafts- und Schutzgewalt dieses Vater-Gottes unterstellt, der ihr als Steigerung, Überhöhung oder gar als Vor-Gesetzter des menschlichen *pater familias* erscheinen mußte. Aus dieser besonderen Analogie zwischen Gott und Vater, die in geschichtlicher Zeit bestehen blieb und mehr und mehr durch den höchsten Staatsgott, den capitolinischen Iuppiter, exponiert wurde, erklärt sich auch, daß in der lateinischen Sprache die schuldige Haltung gegenüber Göttern und Vätern mit ein und demselben Wort *pietas* bezeichnet wird und man damit im paganen Bereich immer ausgekommen ist.

3. Der Vatertitel begegnet dann im kultischen Bereich auch in den Namen einiger sehr alter Priestertümer. So hieß einer der beiden Fetialen, das sind die Priester, die die römische Gemeinde bei dem sakralen Akt des Bündnisschlusses oder der Kriegserklärung dem Nachbarvolk gegenüber vertraten, *pater patratus*.[78] Das römische Volk wurde somit in seiner Frühzeit bei Kult- und Rechtsakten (eine klare Trennung liegt nicht vor) anderen Gemeinden gegenüber durch einen Priestervater vertreten, wie eine Hausgemeinde in Kult- und Rechtsangelegenheiten durch ihren Familienvater vertreten wurde.

Denkt man die Analogie zu Ende, so kommt man zu der Vorstellung der Staatsfamilie. Diese Vorstellung hat es tatsächlich gegeben, sie ist durch verschiedene kultische Einrichtungen belegt und war wohl auch im allgemeinen Bewußtsein lebendig. Ich begnüge mich hier mit dem Hinweis auf den staatlichen Kult der Vesta und der Penaten, sodann auf die Unterhaltung des heiligen Herdfeuers auf dem Staatsherd durch die Vestalinnen.[79] Diese standen in historischer Zeit wie Haustöchter unter der Aufsicht des *pontifex maximus*, der ihnen gegenüber als Hausvater fungierte und insofern die Stellung eines *pater familias* innehatte.[80]

Wir können also – im Bereich des staatlichen Kultes in Rom – wenigstens zwei Ausprägungen des Priestervaters feststellen. Beiden ist gemeinsam, daß sie in Analogie zum Familienvater die politische Gemeinde, den *populus Romanus*, in bestimmten Angelegenheiten vertraten, und zwar einmal bei ›Rechtsgeschäften‹ mit den Nachbargemeinden und zum anderen – das gilt in besonderem Maße für den *pontifex maximus* – im Verkehr mit den Göttern.

Diese Priesterväter oder, wie man sie auch nennen könnte, pontifikalen Gemeindeväter sind – darin ist sich die Forschung einig – Relikte aus der Frühzeit Roms. In dem Rechtsvorgänger des *pontifex maximus*, dem ›Opferkönig‹ (*rex sacrorum*), hat man einen auf priesterliche Funktionen beschränkten Nachfolger des Königs erkannt. Seine Aufgabe war es, nach der Beseitigung des Königtums den Hauskult des Königs, der zugleich Gemeindekult war, aufrechtzuerhalten.[81] In der Einheit von königlichem Hauskult und Gemeindekult drückt sich die Auffassung des Königs als eines ›Volksvaters‹ aus. Er war, zumindest in rechtlicher und kultischer Hinsicht, die staatliche oder politische Entsprechung des *pater familias*.

4. Die Vorstellung des Volksvaters oder, wie wir zu sagen pflegen, Landesvaters konnte sich in der römischen Republik nicht entfalten, setzt sie doch im Grunde eine monarchische Regierungsform voraus. Sie taucht daher erst in den letzten Jahrzehnten der Republik auf, unter der Bezeichnung *parens patriae* oder *pater patriae*.[82] Diese knüpft u. a. an älteres römisches Brauchtum wie die Ehrung des Lebensretters als *pater* oder *parens* an, war aber bereits bei ihrer ersten förmlichen Verleihung als Ehrentitel mit Gedankengut aus hellenistischen Königstheorien oder Fürstenspiegeln angereichert. Der erste offizielle Landesvater Roms wurde Iulius Caesar, nach seinem Sieg über die Pompejaner, eben als er die Alleinherrschaft erreicht hatte. Die Verleihung des Titels erfolgte auf Senatsbeschluß, wahrscheinlich im Herbst 45, als dankbare Antwort auf seine *clementia*, d. i. die väterliche Milde, die er als Sieger gezeigt hatte.[83]

In der offiziellen Zuerkennung der Würde eines Landesvaters war aber auch eine Auslegung der unbegrenzten politischen Macht des Diktators Caesar als ›väterliche Gewalt‹ enthalten.[84] Für die Bürger konnte daraus die Verpflichtung zur *pietas* abgeleitet werden. Es hat den Anschein, als habe Caesars Erbe und Nachfolger Augustus diesen Umstand einberechnet, als er in Rom die kultische Verehrung seines

Genius, des Genius Augusti, offiziell einführen ließ. Durch den Geniuskult wurde die Analogie des Princeps zum römischen Hausvater jedenfalls betont. Zugleich wurde durch mancherlei Maßnahmen der Gedanke an die Staatsfamilie belebt, so daß Augustus als väterliches Haupt dieser Familie erscheinen mußte. Die offizielle Verleihung des Titels *Pater Patriae* an Augustus im Jahre 2 v. Chr. brachte nur die förmliche Bestätigung längst eingebürgerter Vorstellungen.[85]

In der Folgezeit ist *Pater Patriae* ein gängiger Kaisertitel. Die Landesvatervorstellung wird damit ein fester Bestandteil der Herrschervorstellung. Unter dem Einfluß hellenistischer Fürstenspiegel und philosophischer Theorien werden an dem väterlichen Herrscher bestimmte Züge, insbesondere *clementia* und Fürsorglichkeit betont, Züge, die nun auch im Bild des Vaters stärker hervortreten. Doch wird, etwa in Senecas Fürstenspiegel *(De clementia)* die Verpflichtung des Herrschers aus dem Begriff des Vaters abgeleitet, der Vater somit als Vorbild des Herrschers herangezogen: »Was der Vater tut, muß auch der Princeps tun, dem wir den Beinamen Vater des Vaterlandes nicht aus leerer Schmeichelei verliehen haben. ... Vater des Vaterlandes haben wir ihn genannt, damit er wisse, daß ihm eine väterliche Gewalt *(potestas patria)* verliehen ist, die am gemäßigtsten ist, da sie für die Kinder sorgt und das Eigene ihnen hintansetzt«.[86]

5. Mehr anhangsweise sei noch auf eine Einrichtung verwiesen, die ihrer Struktur und Substanz nach als Vaterverhältnis verstanden werden muß und letztlich auch aus einem Vater-Status im juristischen Sinn abzuleiten ist. Ich meine die für das soziale und politische Leben Roms so wichtige Einrichtung des Patronates.[87] Patronatsverhältnisse begegnen hier auf rein privater Ebene und auch auf politischer und sogar völkerrechtlicher. Es gab Patrone einzelner Privatpersonen, und es gab Patrone von politischen Gemeinden und selbst ganzen Völkern oder Stämmen. Cicero konnte unter Verweis auf diese Einrichtung die Herrschaft Roms über andere Völker ein *patrocinium orbis terrae* (›Schirmherrschaft über den Erdkreis‹) nennen.[88]

Patronus im eigentlichen Sinn ist der ehemalige Herr eines freigelassenen Sklaven, der als *dominus* in der Stellung eines *pater familias* zu denken ist. Der Freigelassene blieb zunächst, vor allem unter den bäuerlichen Verhältnissen der Frühzeit, weiterhin unter der Gewalt seines Freilassers, der ihm gegenüber nunmehr in der Stellung eines Patrons eine der *patria potestas* ähnliche Vollgewalt hatte. Dazu gehörte auch die Zuchtgewalt und der Anspruch auf Dienstleistungen, auf Gehorsam und Ehrerbietung.[89] Im Laufe der Zeit wurde dieses Verhältnis freilich immer mehr auf eine nur wirtschaftliche und soziale Abhängigkeit reduziert.

Das Wesentliche am Patronatsverhältnis ist jedoch, daß der Patron seinerseits eine rechtlich nicht fixierte, lediglich auf der *fides* gründende, also moralische Pflicht zu Schutz und Beistand gegenüber dem Freigelassenen (*libertus*) und Klienten hatte und daß diese außerrechtliche Treuepflicht eher als eine noch höhere Bindung empfunden wurde, als es eine Rechtspflicht war.[90] Die Funktion des *patronus* ist also die gleiche wie die des *pater familias*, sie besteht einerseits in der Herrschaftsausübung (mit Strafgewalt), andererseits in der Fürsorge- und Schutzverpflichtung. Dabei ist die Herrschaftsgewalt wie beim *pater familias* rechtlich festgelegt, während die Verpflichtungen dem Bereich der *mores* überlassen sind. Bei der Übertragung des Patronatsverhältnisses auf politische Gemeinden oder fremde Nationen blieb diese Grundstruktur[91] erhalten.

6. An den Schluß dieses Überblicks möchte ich die römische Nationalsage stellen, derzufolge der geflüchtete Trojaner Aeneas der Ahnherr der Römer ist, und zwar in der Ausprägung des *pius Aeneas patrem portans*, d. i. des ehrfürchtigen Sohnes, der nebst den Hausgöttern seinen alten und gehbehinderten Vater auf den Schultern aus dem brennenden Troja trägt oder – wie es die meisten bildlichen Darstellungen[92] zeigen – auf die Flucht und damit gewissermaßen in die Zukunft nimmt.

Wir können heute mittels archäologischer Funde nachweisen, daß Rom sich diesen mythischen Gründerheros und Stammvater selbst und zwar sehr früh, möglicherweise schon gegen Ende des 6. vorchristlichen Jahrhunderts, gewählt hat.[93] Daher dürfen wir in diesem Akt wirklich einen Ausdruck römischen Selbstverständnisses sehen, demzufolge nach späteren Formulierungen die *pietas* gegenüber Göttern und Vätern, und das heißt bei der römischen Auffassung der *pietas* als Gehorsam Unterordnung unter Götter- und Väterwille, das spezifische Merkmal der römischen Nation, sozusagen ihre differentia specifica ist.[94] Der Aeneas *patrem portans*, der in der römischen Version der Sage wiederum selbst als Vater im eigentlichen Sinn seinen kleinen Sohn an der Hand führt und seinerseits eine Vaterrolle übernimmt – dieser Aeneas ist somit Leitbild und Selbstdarstellung zugleich.

Die Vaterbeladenheit der Römer in ihrem doppelten Sinn kann in der Tat nicht anschaulicher werden. Einerseits handelt es sich um eine Beladenheit mit der Figur des Vaters – hier des Anchises – und der durch ihn verkörperten Tradition, Sitte und Erfahrung. Ihr entspricht die in Rom selbstverständliche Bereitschaft zur Anerkennung der Väter als Autorität, zur Unterordnung unter ihren Rat und Willen und darüber hinaus zur Nachahmung ihres Vorbildes, eine Haltung, die man als Sohnesmentalität bezeichnen könnte. Sie ist die Voraussetzung für die Geltung der Tradition und die dominierende Rolle der Väter im Leben der Römer.

Auf der anderen Seite handelt es sich zugleich um eine ›Beladenheit‹ mit der Rolle des Vaters, die, wie unser Überblick gezeigt hat, das Muster für verantwortliche und berufene Ausübung fürsorgender und ordnender Funktionen bildet. Diese Affinität des Römers zur Vaterrolle beruht auf einer Bereitschaft zur – römisch gesprochen – *cura*, d. i. zur Ausübung väterlicher Funktionen und zur Übernahme entsprechender Verantwortung, und kann als Vateridentifikation infolge der intensiven Orientierung am Leitbild des Vaters aufgefaßt werden. Die ausgeprägte Tendenz, die beschriebene Tätigkeit mittels der Vaterrolle zu begreifen, macht es möglich, in der von der Vaterfigur abgelösten Paternalität ein Wesensmerkmal des repräsentativen Römers, zumal in Amts- oder Herrschaftsausübung, zu sehen. Vergil hat in der Aeneis gerade diesen Zug im Bilde des Römers herausgehoben.

B. Die klassische römische Vatergestaltung: Vergils Aeneis

In der Aeneis hat die Vatervorstellung ein Ausmaß und eine Gewichtung, die ihrer Bedeutung im Leben der Römer durchaus entspricht. Vergil hat alle wichtigen Ausprägungen des Vaters, gewissermaßen die Grundtypen, aufgenommen und an seinen Gestalten zur Anschauung gebracht. Die Vatermanifestationen sind insgesamt auf drei Ebenen verteilt, die letztlich in sich gestaffelt erscheinen.

(1) Am vielfältigsten begegnen sie auf der privaten oder familiären Ebene, in der natürlichen Vater-Sohn-Relation.

(2) Daneben tritt die übergreifende Ebene des Staatlichen und Politischen, auf der der König, Führer oder Herrscher sich als Vater manifestiert, indem er gegenüber Volk, Gemeinde, Gefolgschaft in der Rolle des Vaters amtiert.

(3) Darüber liegt die alles überdachende Ebene des Göttlichen, auf der in letzter Instanz der supramundane Weltlenker, Iuppiter, als allmächtiger Vater über der Menschheit waltet.

Die verschiedenen Ausprägungen des Vaters erscheinen bei Vergil in einen inneren Zusammenhang gebracht und zu einer Vater-Pyramide zusammengefaßt, die vom Familien- bzw. Sohnes- oder Hausvater über den Volks- oder Landesvater zum Menschheits- oder Weltvater aufsteigt, vom *pater familias* über den *pater patriae* und seine Entsprechungen zum göttlichen *pater omnipotens*. Die menschlichen Vatermanifestationen vereinigen sich in der Figur des Aeneas, an dem auch die oben herausgestellte Ambiguität der römischen Vaterbeladenheit demonstriert wird. Aeneas fungiert somit in Vergils Aeneis als Repräsentant auch des römischen Vaters und der römischen Paternalität schlechthin.[95] — Wir betrachten jetzt die vergilischen Vatergestalten auf den drei Ebenen.

1. Auf der privaten Ebene liegen die einzelnen Vater-Sohn-Konstellationen, in erster Linie Anchises und Aeneas, auf die wir unsere Betrachtung konzentrieren müssen. Von den übrigen seien wenigstens die beiden Paare Euander-Pallas und Mezentius-Lausus gestreift, die in das Kampfgeschehen der zweiten Aeneishälfte verwickelt sind. Beide Väter müssen den Tod ihrer Söhne überleben.

Euander, der greise Arkaderkönig, der, selbst für den Kampf nicht mehr tauglich, bangenden Herzens seinen einzigen, über alles geliebten Sohn Pallas mit Aeneas in den Krieg ziehen läßt und verliert, figuriert als trauernder und vereinsamter Vater, stellvertretend für alle Väter, denen der Krieg die Söhne entrissen hat. Ausgestaltet sind in diesem Verhältnis der Abschied von dem Sohn (beim Auszug der Truppen)[96] und die Klage um den Toten (beim Eintreffen des Leichenzuges).[97] In der Konstellation Mezentius-Lausus liegt der Akzent zunächst auf dem Verhalten des Sohnes, der für den verwundeten und bedrängten Vater einspringt, ihm den Rückzug aus dem Kampf ermöglicht und sich dabei gewissermaßen selbst opfert – ein Muster der Sohnespietät, wie nachdrücklich festgestellt wird.[98] Der Höhepunkt liegt jedoch darin, daß Mezentius, der verhaßte Tyrann und harte Recke mit dem stehenden Beiwort ›Götterverächter‹, durch den Tod des Sohnes zutiefst als Vater getroffen wird und dadurch Menschlichkeit gewinnt. Nach ergreifender Klage und Selbstanklage folgt er dem Sohn in den Tod, indem er sich trotz seiner schweren Verwundung wieder zum Kampf stellt und dabei würdig untergeht.[99]

Bezeichnend scheint mir, daß zwischen den vergilischen Vätern und Söhnen eine innige, von gegenseitiger Liebe bestimmte menschliche Beziehung besteht. Das gilt in besonderer Weise für die Hauptfiguren Anchises und Aeneas, an denen in der Aeneis der Idealfall eines Vater-Sohn-Verhältnisses vorgeführt wird.

In Aktion gezeigt wird Anchises als Vater des Aeneas erstmals in der Nacht der Zerstörung Trojas, also im Zusammenhang der Iliupersis des 2. Buches, die Aeneas selbst berichtet. Der alte Vater weigert sich, mit auf die Flucht zu gehen, und will allein zurückgelassen werden.[100] Aeneas lehnt ein solches Ansinnen entrüstet als *nefas* – Frevel – ab, und es kommt erst zum Aufbruch, nachdem Anchises, durch Götterzeichen belehrt, dem Auszug aus Troja zugestimmt hat. Der Auszug vollzieht sich in der durch die Tradition vorgegebenen Form: Aeneas nimmt den alten hilflosen Mann auf seine Schultern. Vergil läßt ihn dazu sagen:

»...diese Anstrengung wird mir keine Last sein. Was auch immer kommt, vereint trifft gleiche Gefahr uns, gleiche Rettung wird beiden zuteil« (2,708 bis 710).

Auf der im folgenden Buch, ebenfalls aus dem Mund des Aeneas geschilderten Fahrt erscheint der Vater – oft mit der Formel eingeführt *et pater Anchises* – wie selbstverständlich in einer Führerrolle, in der er jedoch mehr die Ausübung eines geistlichen Amtes wahrnimmt. Das Epitheton *pater* zielt hier letzlich auf diese Stellung. Anchises gebietet jeweils die Abfahrt,[101] deutet Götterzeichen und Orakel, bestimmt daraus das Fahrtziel, erkennt rechtzeitig Gefahren (wie die Charyb-

dis) und fungiert in exzeptionellen Situationen, etwa bei der Begrüßung Italiens, als Priester. Insgesamt ist er dem Sohn bei seiner schweren Aufgabe Ratgeber und Beistand, mit den Worten des Aeneas: *omnis curae casusque levamen* – »aller Sorge, allen Unglücks Trost« (3,709).
Vergil hat den Umstand, daß Aeneas im 2. und 3. Buch selbst der Berichterstatter ist, ganz offensichtlich dazu benutzt, die Bedeutung des Vaters aus der Perspektive des Sohnes zu beleuchten. Die eigenen Verdienste müssen demgegenüber infolge der Selbsterzählung zurücktreten. Die in einem Aeneas-Epos obligaten Demonstrationen der Sohnespietas konnten bei dieser Anlage nur noch gegenüber dem toten Vater erfolgen. Vergil hat sie dem 5. und 6. Buch vorbehalten und mit zwei großen homerischen Themen verbunden, den Leichenspielen und der Katabasis. Beide sind in der Aeneis anders als in den Vorlagen auf den Vater bezogen. Vergils Leichenspiele dienen der Ehrung des Vaters, und der Abstieg in die Unterwelt ist ein Gang zum Vater, ein Akt des Gehorsams und der Sohnesliebe.[102]
Die Begegnung zwischen Aeneas und Anchises im Hades ist betont als eine Begegnung zwischen Vater und Sohn gestaltet und vollzieht sich in einer Atmosphäre inniger Vertrautheit und Liebe. Die Szene würde es verdienen, ganz vorgeführt zu werden.[103] Ich beschränke mich auf die von sehnsuchtsvoller Gebärde unterstützten, gefühlsgeladenen Begrüßungsworte des Anchises:

»Als er den Aeneas gegenüber durchs Gras eilen sah, streckte er lebhaft beide Hände aus, Tränen entströmten den Augen, und es drängten die Worte heraus: Gekommen bist du endlich, deine Liebe (*pietas*), erwartet vom Vater, bezwang den harten Weg; ich darf nun schauen dein Antlitz, Sohn, darf hören vertrautes Wort und darf es erwidern. Hab ich doch im Herzen geglaubt und gewußt, so werde es kommen, ich zählte die Tage ab, und mein Sorgen (*cura*) hat mich nicht betrogen....« (684–691).

Bei aller Empfindung, die zum Ausdruck kommt, bleibt die Terminologie sozusagen korrekt: die Haltung des Sohnes ist als *pietas*, die des Vaters als *cura* bezeichnet. Für ›Sorgen‹ könnte auch ›Vaterliebe‹ (*patrius amor*) stehen: beide Ausdrücke verwendet Vergil (1,643 ff.) nebeneinander für die liebevolle Sorge des Vaters Aeneas um und für seinen Sohn Ascanius.
Die familiäre Vaterstellung des Aeneas ist in der Aeneis nur selten, wenn auch an markanten Stellen hervorgekehrt. Zwei Szenen im ersten und letzten Buch dienen dazu, die väterliche Liebe und Verantwortung exemplarisch darzutun. Im 1. Buch läßt Aeneas, nachdem er an Didos Hof für die schiffbrüchigen Trojaner gastliche Aufnahme gefunden hat, sofort Ascanius von den Schiffen herbeiholen, weil »die Vaterliebe sein Herz nicht ruhen ließ« und »sein väterliches Sorgen ganz auf Ascanius zielt« (1,646). Eben dies wird gegen Ende des Epos nochmals vorgeführt. Bevor Aeneas in den Zweikampf mit Tur-

nus aufbricht, nimmt er Abschied von Ascanius. Die zu ihm gesprochenen Worte[104] sind als Vermächtnis gedacht und geben zugleich die vergilische Bilanz eines vorbildlichen Heldenlebens: Tüchtigkeit *(virtus)* und Mühsal *(labor)*. Glück gehört nicht dazu:

»Lerne von mir, Kind, Mannhaftigkeit und echte Mühsal, Glück von anderen...« (12,435 f.).

Darauf folgt die feierliche Verpflichtung auf die Vorbilder der Familie *(exempla tuorum)*, des Vaters und des Oheims Hektor, der Trojas Heldenkraft repräsentiert.

Die maßgebliche Vaterrolle des Aeneas gehört auf die zweite der vorhin unterschiedenen Ebenen, die amtliche, und hängt mit seinen Führeraufgaben zusammen.

2. Vergil verwendet, um die Führer- und gewissermaßen Amtsstellung des Aeneas zu bezeichnen und zugleich, um seine Tätigkeit zu charakterisieren, vorzugsweise das Epitheton *pater*.[105] Es ist bei Vergil neben *pius* das häufigste Beiwort des Aeneas, kommt über zwanzigmal vor und ist kein bloßer epischer Schmuck, sondern jeweils mit Bedacht gesetzt. Außer Aeneas und Anchises in bestimmten Zusammenhängen wird – bei einigen belanglosen Ausnahmen – nur noch der alte Latinus in seiner Eigenschaft als König und Herrscher durch den Vatertitel ausgezeichnet.[106]

In Bezug auf Aeneas handelt es sich durchgängig um eine Würdebezeichnung. Ganz allgemein wird er dadurch als väterlicher Führer seiner Schar charakterisiert, der sich, wie in dem exemplarischen Auftritt nach dem Seesturm im 1. Buch (180–222)[107] vorgeführt wird, in vorbildlicher Weise um seine Leute kümmert und umsichtig und verantwortungsvoll für sie sorgt. Es wirkt wie eine Bestätigung aus dem Kreise der Seinen, daß Vergil die Vater-Benennung für Aeneas zuallererst von Ilioneus, dem Wortführer der Trojaner, in Abwesenheit des Aeneas gebraucht sein läßt (1,555). Im einzelnen lassen sich die folgenden typischen Situationen unterscheiden, in denen Aeneas das *pater*-Epitheton erhält, nämlich weil er in besonderer Weise als Vater fungiert oder in Erscheinung tritt:

a) einmal, wenn er sich, auf Grund einer bedrohlichen oder aussichtslosen Lage, schwere Sorgen um den Fortgang des Unternehmens macht. So nach der Meuterei der trojanischen Frauen auf Sizilien, bei der ein Teil der Schiffe verbrannt war (5,700 ff.), und vor allem nach dem Kriegsausbruch in Latium (8,28 f.). In diesen Fällen liegt der Akzent auf der *cura* des Vaters.

b) Zum anderen heißt Aeneas bevorzugt *pater* bei repräsentativen, offiziellen Auftritten, z. B. am Hof von Karthago, vor dem Arkaderkönig Euander, vor dem Etruskerheer, oder in feierlicher Amtsausübung, wie bei den Leichenspielen für Anchises im 5. Buch und der Bestattung der Gefallenen im 11. Buch.[108]

In diesen Fällen liegt der Akzent auf der Würde der Erscheinung des Aeneas und des durch ihn repräsentierten Amtes, das er ja im Auftrage der *fata*, in denen sich der Götterwille kundtut, versieht. Im Vatertitel ist auch ein Hinweis auf die Vollmacht und Berufung des Aeneas zum Führer der ausgewanderten Trojaner enthalten, die ihn in offizieller Rede nach außen als ihren König bezeichnen (vor Dido und vor Latinus),[109] und darüber hinaus – das gilt für die zweite Aeneishälfte – ein Hinweis auf seine Legitimation zur Führung des ihm von der Gegenseite aufgezwungenen Krieges in Latium.[110] Gegen Ende des Epos wird dann deutlich gemacht, daß es eben die ›Paternalität‹ ist, die Aeneas zum Träger seiner Sendung und zum Vollstrecker der weltweiten historischen Aufgabe qualifiziert.

c) In diesem Zusammenhang wird das Vater-Epitheton in kontrastierender Funktion gebraucht, zur Abhebung des Aeneas von seinem Gegenspieler Turnus. Erstmals ist es pointiert so gesetzt am Ende des 11. Buches (904). Zur Ausführung kommt dieser Gedanke an zwei Schlüsselstellen, die Höhepunkte des Geschehens enthalten:
(1) bei dem feierlichen Aufmarsch der ›Könige‹ zum Vertragsschluß (12,161 ff.) und
(2) vor dem Zweikampf, als es zur endgültigen Konfrontation der Gegner kommt.

An der ersten Stelle wird Aeneas nach Latinus und Turnus, die in Gespannen aufgefahren sind, knapp und monumental vorgeführt:

hinc pater Aeneas, Romanae stirpis origo – »Da Vater Aeneas, des römischen Stammes Ursprung, leuchtend im Sternenschild und in den himmlischen Waffen.«

›Vater Aeneas‹ ist hier zum Stammvater der Römer überhöht und selbst als Prototyp und Repräsentant des Römers gesehen, er vertritt die römische Seite.

An der anderen, der letzten *pater Aeneas*-Stelle des Gedichtes, ist die Kontrastierung durch zwei Vergleiche mit gegensätzlichem Symbolgehalt verdeutlicht.[111] Turnus wird verglichen mit einem abstürzenden Fels, der lawinenartig alles, was auf seiner Bahn liegt, mit ins Verderben reißt. ›Vater Aeneas‹ mit einem hochragenden, majestätisch in sich ruhenden Berg, für den nach anderen imposanten Gebirgsriesen der heimatliche, selbst mit dem Vater-Epitheton ausgezeichnete Appennin eingesetzt ist:

»... so gewaltig, wie der Athos oder der Eryx, oder, wenn er mit lichtflimmernden Eichen rauscht und sich freut, mit schneebedecktem Gipfel sich zu den Lüften erhebend, der Vater Appennin.«[112]

3. Auf der dritten und letzten Ebene waltet in der Aeneis Iuppiter, der bei Vergil zum allmächtigen Weltvater gesteigert und oft nur *pater omnipotens* genannt ist, zuweilen auch bloß *pater ipse*. Unter und neben ihm gibt es Vatergötter mit beschränkter Kompe-

tenz, gebunden an festbegrenzte Wirkungsbereiche. Der Vatertitel steht für sie hauptsächlich in Gebetsanrufungen, römischem Brauch und Empfinden entsprechend. Es handelt sich auch in erster Linie um römische Kultgötter, wie Mars, Quirinus, Apollo, Neptunus, Ianus oder den Flußgott Tiberinus. Vergil hat also die alte römische Göttervorstellung mitsamt der dazugehörigen Kultpraxis in die Vorzeit projiziert. Wenn nun Iuppiter von Vergil immer wieder als *pater omnipotens* bezeichnet wird, so heißt das, daß er allumfassende Zuständigkeit hat, Herr der Welt ist, die unter seinem Gesetz steht, aber zugleich, daß er ein väterliches Regiment ausübt.

Diese Vorstellung hat Vergil bereits in seinem Gedicht über den Landbau, im 1. Buch der Georgica entwickelt, im Zusammenhang einer Sinngebung der harten bäuerlichen Arbeit. Die Mühen und Plagen der Menschen, speziell in der bäuerlichen Arbeitswelt, oder eben das Gesetz des *labor*, unter dem die (gegenwärtige) Welt steht, werden da – entgegen anderen Erklärungen (etwa bei Hesiod oder Lukrez)[113] – providentiell und teleologisch gedeutet als väterlicher Wille Iuppiters, der das Gute des Menschen bezweckt, nämlich seine Aktivierung und Bewährung, seine Selbstverwirklichung als Geistnatur. Die diesbezüglichen Ausführungen sind eingeleitet mit dem Satz:

»Der Vater selbst wollte, daß der Weg zur ›Kultivierung‹ (der Erde) nicht leicht sei.«[114]

Der harte Herr der Eisernen Zeit, Iuppiter, ist für Vergil ein Weltvater, dessen Strenge als väterliche Fürsorge begriffen ist.

Vergil setzt in der Aeneis diese teleologisch-providentielle Weltdeutung voraus und knüpft bei der ersten Erwähnung Iuppiters (1,60) betont an die Konzeption des Weltvaters aus den Georgica mit seiner ordnenden und fürsorglichen Tätigkeit an. Bezeichnenderweise ist Iuppiter hier aber mit *pater omnipotens* umschrieben, wird somit als fürsorglicher und allmächtiger Vater eingeführt. Damit ist zugleich die Ausweitung der Perspektive auf die politische Welt signalisiert. Der Akzent wechselt über auf die Herrschertätigkeit des höchsten Gottes.

Gleich im 1. Aeneisbuch wird, nachdem auf der menschlichen Bühne in der Aeneadenhandlung Ruhe eingetreten ist, Iuppiter in der Ausübung seines Herrscheramtes vorgeführt.[115] Er erscheint schon fast als supramundaner Gott, auf dem Scheitelpunkt des Himmels, und so von höchster Warte das Geschehen auf Erden überwachend. Aus seinem Walten ist bei diesem ersten Auftritt das fürsorgende Moment herausgehoben: Vergil nennt ihn »*iactantem pectore curas* – von Herrschersorgen erfüllt« und läßt die Korrespondenz zu Aeneas deutlich werden, der in der unmittelbar voraufgehenden Szene nach der Seesturmkatastrophe als Führer seiner Schar in entsprechender Besorgtheit gezeigt war. Der himmlische Herrscher und Vater rückt dadurch in Analogie zu dem irdischen, und dieser wird, da er ja im Auftrag der *fata* und damit letztlich in Iuppiters Willen handelt, durch diese Szenenstaffelung als dessen Stellvertreter oder Abbild gekennzeichnet.[116]

Im letzten Teil der Aeneis wird Iuppiter noch einmal in Ausübung seines Herrscheramtes gezeigt, im Rahmen der Götterversammlung des 10. Buches. Bei diesem Auftritt ist der Aspekt gebieterischer Allmacht hervorgekehrt. Der allmächtige Vater – er heißt hier demonstrativ *pater omnipotens* – ist ein Gott, vor dem Stürme und Meer still werden, die Erde in ihren Tiefen erbebt und das All sich beugt:

»Da hub an der allmächtige Vater, der die höchste Macht über die Welt hat, bei seinen Worten verstummt der Götter hohes Haus und die Erde, die in ihren Grundfesten erbebt, es schweigt der steile Äther. Da ruhen die Zephyrwinde, die Gewässer zwingt das Meer zum Frieden.«[117]

Er ist der ordnende und bändigende Gott, dem auch das Strafamt obliegt.

Daher darf es nicht verwundern, wenn Iuppiter gerade in Verbindung mit dem Strafvollzug, z. B. an mythischen Frevlern, *pater omnipotens* genannt wird.[118] Väterliches Regiment schließt nach römischer Auffassung, die Vergil in der Aeneis zur Geltung bringt, das Strafamt ein.

Ich möchte diese Betrachtungen über die Vatervorstellungen in der Aeneis mit zwei Versen abschließen, aus denen besonders deutlich wird, daß für Vergil und doch wohl auch für seine Zeit, für die er spricht, Vaterherrschaft und Römerherrschaft wesenseins sind und die an den beiden Exponenten Aeneas und Iuppiter im Rahmen seines Epos dargestellte Paternalität *das* Wesensprädikat des Römers ist. Die beiden Verse (9,448 f.) gehören in den auktorialen Nachruf auf das gefallene Freundespaar Nisus und Euryalus und enthalten eine Umschreibung des Gedankens: ›solange Rom (als Reich) besteht‹. Sie lauten:

»solange das Haus des Aeneas an des Kapitols unbeweglichem Felsen wohnt und die Herrschaft ein römischer Vater (oder: Vater Romanus) hat« – *imperiumque pater Romanus habebit.*

III. Die Übertragung der römischen Vatervorstellungen auf den christlichen Gott: Laktanz

Vergils Theologie des *pater omnipotens* ist der römischen Gottesvorstellung gemäß, da in ihr auch die strafende Funktion der Gottheit berücksichtigt ist. Strafe und Götterzorn sind Grundelemente der römischen Religions- und Gottesauffassung[119] und haben die religiöse Praxis im privaten wie öffentlichen Bereich maßgeblich bestimmt. Der Hauptzweck römischer Religionsübung, die in gewissenhaftem Kult-

vollzug bestand,[120] war die Besänftigung oder Versöhnung der primär als unheimlich erfahrenen Götter, mit deren gebieterischer Forderung, Willens- oder Zorneskundgebung stets – gerade auch im Staatsleben – gerechnet wurde. Daher hieß eine Gottheit bei den Römern *numen*, was die Antiquare der ausgehenden Republik als ›gebietendes Nicken‹ beim Vollzuge der Machtausübung oder einfach als Herrschaftsausübung (*imperium*) erklärten.[121]
Der vorzügliche Wirkungsbereich dieser göttlichen Mächte war die römische Geschichte, in der sie sich lohnend und strafend gegenwärtig und mächtig erwiesen.[122] In römischer Sicht, die wohl erstmals von Cicero klar dargelegt worden ist, erschienen die politischen Erfolge und Siege Roms als Lohn der *pietas*, als Anerkennung der Götter für sorgfältige Beachtung ihrer Weisungen und gehorsame Einhaltung ihrer Forderungen, eben der Kultvorschriften, während Mißerfolge, ganz besonders militärische Niederlagen, als Strafe für Vernachlässigung der *religio* und in diesem Sinne als Auswirkung göttlichen Zornes gedeutet und erfahren wurden.[123] Aufgrund derartiger religiöser Erfahrung mußte in der Vorstellung des Römers zum göttlichen Wirken strenggenommen immer eine gnädige und eine zürnende Seite gehören. Sie erscheinen in Vergils Aeneis hypostasiert in den beiden göttlichen Gegenspielerinnen, Venus und Iuno, die die Rollen der helfenden, beschützenden Göttin einerseits und der feindlichen, hemmenden andererseits ausüben und unter theologischem Aspekt Verkörperungen der Gnade bzw. des Zorns der Götter sind.[124]

Zu einer theoretischen Entfaltung der theologischen Ansätze Vergils auf paganer Grundlage ist es jedoch nie gekommen. Die römische Kult-Religion erschöpfte sich im Vollzug des überkommenen Rituals und bedurfte keiner Theologie. Die Priester waren auf das Traditionsprinzip festgelegt und begnügten sich mit der Gehorsamshaltung.[125] Daher blieben sie untheologisch. Theologie war in Rom eine Sache der Philosophie. Die aber stand ganz unter griechischem Einfluß und war gerade in ihrer Gotteslehre von dem inzwischen zum philosophischen Gemeingut gewordenen Begriff eines absolut guten Gottes beherrscht. Für einen strafenden Gott-Vater nach römischem Muster war daneben kein Raum.
So waren erst christliche Autoren aufgrund ihrer vom Alten Testament her geprägten Vorstellung des gnädigen und zornigen Gottes in der Lage, an den ihnen vertrauten römischen Gottes- und Vaterbegriff anzuknüpfen und eine auf römischen Voraussetzungen aufbauende Vatergott-Konzeption zu entwickeln. Ansätze dazu liegen bereits bei Tertullian, dem ersten lateinisch schreibenden Theologen vor. In vollem Umfang ist das jedoch erst in konstantinischer Zeit durch Laktanz geschehen, im Rahmen seiner an die gebildete römische Welt adressierten Apologetik, deren Hauptziel es war, das christliche

Gottesverhältnis, das Laktanz echt römisch als ein durch die Faktoren: göttliche Forderung, menschlicher Gehorsam, gerechter Heilslohn bestimmtes Rechts- und Herrschaftsverhältnis auffaßte, rational zu begründen und als verbindlich auszuweisen. Das entscheidende Argument und Muster lieferte ihm dabei der römische *pater familias*, der nun in konsequente Analogie zum christlichen Gott gerückt wurde.

Bevor wir die theologische Verwendung der *pater familias*-Analogie bei Tertullian und Laktanz im einzelnen betrachten, muß die bisher auf die Vater-Sohn-Beziehung beschränkte Darstellung des *pater familias* um einen wichtigen Aspekt ergänzt werden.[126]

Zur römischen Familie gehörten neben den Hauskindern auch die Haussklaven. Sie waren ebenso der Gewalt des Hausvaters unterworfen. Doch hieß dieser den Sklaven oder dem Gesinde gegenüber *dominus*, so daß der *pater familias* je nach Objekt als *pater* oder als *dominus* in Funktion trat. Die hausherrliche Gewalt läßt sich daher auch in väterliche Gewalt (*patria potestas* im engeren Sinn) und ›Herrengewalt‹ (*dominica potestas*)[127] zerlegen. Insofern ist *pater familias* ein Doppelbegriff, der die Funktionen des *pater* und *dominus* in sich vereint. Zwischen beiden Funktionen besteht inhaltlich jedoch keine wesentliche Differenz. In beiden Fällen, Hauskindern wie Haussklaven gegenüber, besteht die Anwendung der hausherrlichen Gewalt in der Ausübung von Herrschafts- und Strafgewalt einerseits und Schutz- und Fürsorgepflicht andererseits. Begrifflich versuchte man diese Doppelheit durch unterscheidende Zuordnungen wie *clementia* und *severitas, diligentia* und *disciplina* oder die Scheidung von väterlicher *potestas* und *pietas* zu erfassen.

Für die Entwicklung des Vaterbildes in der Folgezeit bedeutsam ist, daß durch diese komplexe Doppelstruktur die Möglichkeit einer Disproportionierung gegeben war, derart, daß zunächst das Herrschafts- und Strafamt und mit ihm die Strenge dem *dominus*, das Schutz- und Fürsorgeamt und die damit verbundene Güte dem *pater* zugeordnet wurde, und daß weiterhin die eingeengten Funktionen des *pater* und *dominus* voneinander getrennt, einseitig weiterentwickelt und schließlich auch gegeneinander ausgespielt werden konnten.

Tatsächlich wurde auch vielfach der *dominus*-Aspekt und mit ihm das Richter- und Strafamt von der Vatervorstellung abgespalten und diese unter dem Einfluß philosophischer Ideen einseitig zugunsten der väterlichen Güte ausgebaut. Parallele Tendenzen lassen sich in der Geschichte sowohl des Gottesbegriffs wie des Herrscherbildes beobachten. Aus dem Gottesbegriff wurde, z. B. in den philosophischen Schriften Senecas, das Element des Zornes, als dem Göttlichen wesenswidrig, vollkommen eliminiert.[128] Das Herrscherbild wurde in der frühen Prinzipatszeit zunehmend nach dem Vorbild hellenistischer Fürstenspiegel auf den gütigen Landesvater zugeschnitten, der sich durch Milde und Nachsicht auszeichnet.[129]

Daneben blieb aber der *pater familias*-Begriff in seiner ganzen Bedeutungsfülle als die geläufige Vatervorstellung bestehen. Zu Beginn des 3. nachchristlichen Jahrhunderts erklärte der römische Christ Tertullian die Anrede »Vater« im christlichen Herrengebet als *appellatio et pietatis et potestatis* – als Benennung, in der sowohl das Vaterverhältnis wie das Herrschaftsverhältnis angesprochen ist.[130] Der *dominus*-Aspekt gehörte für ihn selbstverständlich zur Vatervorstellung. Eben diese Seite des römischen Vaterbegriffs ist es dann auch, die von den christlichen Autoren hervorgekehrt und theologisch zur Verteidigung und Begründung bestimmter Elemente der biblischen Gotteslehre fruchtbar gemacht wurde.

Ich schicke der Einzelbetrachtung einen Überblick über die wichtigsten Zusammenhänge und Beweisziele voraus:

(1) In erster Linie ging es um die Verteidigung des Richter- und Strafamtes Gottes, biblisch gesprochen der Gerechtigkeit Gottes und seines Zorns, und zwar: einmal in der innertheologischen Auseinandersetzung mit der dualistischen Zweigötterlehre des Häretikers Markion, einer Auseinandersetzung, die auf lateinischer Seite Tertullian in einem fünfbändigen Werk ›Gegen Markion‹ geführt hat; sodann auch ganz allgemein gegenüber dem philosophischen Begriff eines leidenschaftslosen Gottes, welchem jeder Affekt und ganz besonders der des Zornes als ihm wesenswidrig abgesprochen wurde. Laktanz hat dagegen eigens eine Schrift ›Über den Zorn Gottes‹ verfaßt.[131]

(2) Weiterhin wurde dann von Laktanz die *pater familias*-Analogie bei der Widerlegung des Polytheismus als Argument für die Einzigkeit Gottes verwendet. In diesem Zusammenhang hat Laktanz auch eine eigene christlich-römische Gotteslehre entwickelt, die folgerichtig auf der Zweiseitigkeit des römischen Vaterbegriffs aufgebaut ist.

(3) Schließlich konnte aus der dem römischen *pater familias* analogen Position Gottes die Verehrungs- und Gehorsamspflicht des Menschen abgeleitet und auf diese Weise der Anspruch Gottes an den Menschen im eigentlichen Sinn legitimiert werden.

Ich möchte nun die Verwendung der römischen Vatervorstellung durch die beiden Autoren an ausgewählten Einzelstellen vorführen. Bei Tertullian beschränke ich mich auf zwei Stellen aus der Argumentation gegen Markion,[132] einen aus dem Pontusgebiet stammenden Griechen. Dieser hatte, ausgehend von der Unvereinbarkeit von Gesetz und Evangelium bzw. Zorn und Gnade, die er nicht im biblischen Sinn als Aktionen Gottes, sondern in griechischer Weise als Gemütsbewegungen oder Seinsprädikate auffaßte, den zürnenden, gerechten Schöpfer- und Richtergott des Alten Testamentes als bösen Gott scharf von dem gütigen und gnädigen Erlösergott des Neuen Testamentes getrennt und diesem guten Gott, also dem Gott der Christen, jede strafende Funktion abgesprochen. Entsprechend sind die Beweisziele Tertullians in den Ausführungen, auf die es hier ankommt: die Einheit Gottes und die Rechtfertigung des göttlichen Richteramtes samt seiner menschlichen Korrelation, der Gottesfurcht.

Zum Erweis der Notwendigkeit des letzteren zieht Tertullian (I 27,3) erstmals die römische Vatervorstellung heran und zwar mit ihrer komplexen Doppelstruktur. Sie mußte sich dem Römer besonders nahelegen aufgrund der im kirchlichen Sprachgebrauch üblichen Anreden Gottes als ›Vater‹ und ›Herr‹.[133] Ich zitiere nur die wichtigsten Sätze: »Wenn du ihn (Gott) den Herrn nennst und dabei doch sagst, man brauche ihn nicht zu fürchten, so ist das ein Unsinn; denn der Name Herr bezeichnet ja eben eine furchteinflößende Machtstellung (*potestas timenda*). ... Offenbar ist er dann auch nicht dein Vater, denn einem Vater gegenüber gebührt sich sowohl Liebe wegen des fürsorglichen Verhaltens (*pietas*), als auch Furcht wegen seiner Macht (*potestas*); er ist auch nicht dein rechtmäßiger Herr (*legitimus dominus*), so daß du ihn liebst wegen seiner Menschlichkeit (*humanitas*) und fürchtest wegen seiner strengen Zucht (*disciplina*).«[134]

An der anderen Stelle (II 13,5) steht die Einheit von Güte (*bonitas*) und Gerechtigkeit (*iustitia*) im Vordergrund. Beide gehören für Tertullian untrennbar zusammen, sind konstitutive Bestandteile der Gottesvorstellung und machen erst den vollen Gottesbegriff aus. Ihre begriffliche Einheit findet er wiederum in den überkommenen Gottesprädikationen *pater* und *dominus* verbürgt, die er in Analogie zum *pater familias* als Funktions- oder Amtsbezeichnungen versteht:[135] »Zur Fülle der Gottheit gehört immer auch die Gerechtigkeit; denn sie macht Gott erst vollkommen, nämlich zum Vater und zum Herrn, zum Vater infolge seiner Milde (*clementia*), zum Herrn infolge seiner Zucht (*disciplina*), zum Vater durch seine sanfte (*blanda*), zum Herrn durch seine strenge Herrschaft (*potestate severa*); als Vater ist er mit kindlicher Ergebenheit (*pie*) zu lieben, als Herr notwendig zu fürchten.«

Gott ist hier, wie ein *pater familias*, seiner Funktion nach *pater* und *dominus* zugleich. Bei der Ausübung der Vaterfunktion handelt er gütig, als Herr streng. Mit Güte und Strenge sowie den übrigen, den beiden Grundfunktionen zugeordneten Begriffen sind also Verhaltensweisen Gottes den Menschen gegenüber gemeint. Er ist in seinem Handeln, in seiner Zuwendung zur Welt, nicht in seinem Wesen begriffen, römisch gedacht: in seiner Amtsausübung. Zu dieser gehören notwendig die beiden unterschiedenen Verhaltensweisen. Sie sind zwei Seiten ein und desselben Gottes, die für Tertullian auch in dem biblischen Doppelgebot, Gott zu fürchten und zu lieben, zusammengefaßt sind, in dem er seinen Beweisgang an unserer Stelle gipfeln läßt.

Im Ganzen der Theologie Tertullians, in der es um innerchristliche Probleme geht und die überwiegend biblisch begründet ist, spielt die römische Vatervorstellung keine nennenswerte Rolle. Der Begriff des *pater familias* taucht in bestimmten Zusammenhängen mehr assoziativ auf und wird dann als willkommenes Argument eingesetzt. Das ist ein Zeichen dafür, daß er zu den selbstverständlichen, aus der römischen Vorstellungswelt beibehaltenen Denkformen Tertullians gehört. Erst Laktanz hat ihn, vermutlich auch mit Blick auf seine Adressaten, bewußt aufgegriffen und konsequent theologisch ausgewertet.

Laktanz hat seine christliche Schriftstellerei nach Ausbruch der großen Verfolgung (303/304 n. Chr.) mit einem kleinen anthropologischen Traktat über ›Das Schöpfungswerk Gottes‹ begonnen, welcher der Gestaltung des Menschen gilt.[136] Das Hauptziel dieser im Einzelnen wenig originellen Schrift ist es, aus der (in die Providenzbeweise der stoischen Schultradition gehörigen) Demonstration der Zweck- und Planmäßigkeit des menschlichen Organismus die Schöpfungsabhängigkeit des Menschen von Gott zu erweisen. Im Interesse dieses Nachweises steigert Laktanz die Schöpfungslehre bis zum Kreationismus, d. h. er behauptet, daß jede Seele direkt von Gott abstamme, der göttliche Schöpfungsakt sich somit bei der Entstehung jedes einzelnen Menschen wiederhole.

Das so verstandene Schöpfungsverhältnis wird nun von Laktanz als Vater-Sohn-Beziehung dargestellt. Der Schöpfergott ist als solcher ein Vatergott, in ihm erfährt die menschliche Vatervorstellung – wie in dem Hauptwerk, einer Art Religionslehre mit dem Titel *Divinae Institutiones*, näher ausgeführt wird – eine Steigerung und Verabsolutierung: der wahre, eigentliche und einzige Vater des Menschen ist Gott.[137] Von ihm gilt: *veri patris officio functus est* – ›er hat das eigentliche Amt des Vaters versehen‹,[138] indem er den Menschen ins Leben gerufen hat und am Leben erhält. Ihm gegenüber ist der irdische Vater lediglich Instrument der Erzeugung (*generandi minister*).[139] Der Vatertitel steht daher strenggenommen nur noch dem Schöpfergott zu, ist exklusives Gottesprädikat.[140]

Aus der Vaterschaft Gottes aber ergibt sich nach römischer Auffassung für den Menschen die gesetzesgleiche Verpflichtung zu Verehrung und Gehorsam. Er schuldet Gott als seinem Vater *pietas* und *obsequium*.[141] Das ist für Laktanz, der in gut römischer Weise letztlich nur an der praktischen Frömmigkeitsübung im Sinne der Erfüllung der göttlichen Gebote interessiert ist, der entscheidende Gesichtspunkt seiner Vatergott-Konzeption. Sie bedeutet für ihn eine Möglichkeit, der Verpflichtung des Menschen zum Religionsdienst und damit vor allem den Forderungen der christlichen Ethik in römischen Augen Rechtsverbindlichkeit zu verleihen.

In diesem Zusammenhang zieht Laktanz wiederholt den Begriff des *pater familias* mit seiner vollen juristischen Bedeutung heran und überträgt die Rechtsstellung des römischen Vaters innerhalb der Familie auf das Verhältnis Gottes zur Menschheit schlechthin. Für die

Gotteslehre folgt daraus zunächst mit Notwendigkeit die Einzigkeit Gottes. Aus der Zweiseitigkeit des Vaterbegriffs ergibt sich aber auch die Doppelfunktion Gottes als *pater* und *dominus* in der totalen Steigerung des Schöpfers und Weltherrschers. Diese Doppelfunktion, die eine Stütze in den christlichen Gottesprädikaten *pater* und *dominus*[142] findet, ist für die Gottesvorstellung des Laktanz grundlegend. Gottes gesamtes Handeln, seine Zuwendung zur Welt, wird auf zwei Grundaktivitäten, ›Erschaffen‹ (*creare*) und ›Herrschen‹ (*regere*), zurückgeführt und auf die ›Rollen‹ (*personae*)[143] des *pater* und *dominus* verteilt. Ihnen sind wie bei Tertullian als komplementäre Verhaltensweisen in dem oben erläuterten Sinn im allgemeinen Milde, Nachsicht (*indulgere*) oder Güte auf der einen Seite und Strenge, Zucht (*coercere*) oder Zorn auf der anderen Seite zugeordnet, hinter denen das bekannte Doppelamt des *pater familias* steht, die Fürsorge- und Schutzpflicht und das Straf- und Richteramt. Im Blick darauf schreibt Laktanz Gott ebenfalls eine doppelte Gewalt (*duplex potestas*)[144] zu, die Vater- und Herrengewalt. Der Akzent liegt deutlich auf der letzteren, dem Strafamt.

Laktanz bevorzugt in den meisten Fällen die infolge der oben geschilderten Disproportionierung vereinfachte Doppelstruktur des *pater familias*-Begriffs, deren Charakteristikum die Aufteilung der Tätigkeit auf die Rollen des *pater* und des *dominus* ist. Er kann aber gelegentlich auch betonen, daß sowohl dem Herrn die Fürsorgepflicht wie dem Vater das Strafamt zukommt.[145] Im Grunde ist jedoch bei der Übertragung auf Gott die komplexe Doppelstruktur gegenstandslos geworden, da auf menschlicher Seite der Unterschied zwischen Hauskindern und Sklaven aufgehoben ist, so daß jeder Mensch dem ›Vater‹ und ›Herrn‹ Gott sowohl als Sohn wie als Sklave gegenübersteht. Insofern entspricht der Identität von *pater* und *dominus* in Gott die Identität von *filius* und *servus* im Menschen.[146] In diesem Sinne ist die Analogie in der Schlußparänese der Schrift ›Über den Zorn Gottes‹ (24,5) ausdrücklich auf die *familia*, die Hausgenossenschaft, ausgeweitet, die nun aus der ganzen Menschheit gleichermaßen gebildet wird.

Laktanz legt gerade darauf großen Wert. Auch dabei geht es ihm in erster Linie um die Konsequenzen für die Begründung der Ethik. Ist jeder Mensch der zweifachen Gewalt Gottes unterworfen, so schuldet auch jederman unterschiedslos Gott zweifache Anerkennung (*duplex honos*).[147] Römisch formuliert lautet das: er unterliegt dem doppelten Anspruch auf *pietas* und *obsequium*; biblisch formuliert: er untersteht dem Doppelgebot, Gott zu fürchten und zu lieben. Für Laktanz besagen beide Versionen, die römische und die biblische, dasselbe. Die biblische Forderung ist jedoch nicht nur im Sinne der römischen ausgelegt, sondern mit deren Hilfe als angemessen und legitim zugleich ausgewiesen.

Alfred Schindler

I. Gott als Vater in Theologie und Liturgie der christlichen Antike

Gerhard Ebeling zum 65. Geburtstag (6. Juli 1977)

Bei der Behandlung des Vaterbildes im Neuen Testament konnte die kulturgeschichtliche Seite und überhaupt die Frage nach dem irdischen Vater weggelassen werden.[1] Dies ist bei der Beschäftigung mit der Alten Kirche der ersten etwa fünf Jahrhunderte nicht mehr möglich. Die Ausbildung eigener Lebensformen in Abgrenzung wie in Anpassung an die antike Umwelt brachte unweigerlich auch neue oder andersartige Beziehungen zum menschlichen Vater mit sich. Zugleich blieb die Bedeutung des Vatertitels für Gott erhalten, freilich gegenüber dem Neuen Testament mit erheblichen Abweichungen. Wenn hier zuerst Gott als Vater und in einem zweiten Kapitel die irdischen Väter behandelt werden, so haben die Aufteilung wie die Reihenfolge bestimmte Gründe, die im Lauf der Darstellung klar werden (vgl. bes. S. 70).

Wir gehen davon aus, daß im *Neuen Testament* Gott als Vater eine überragende Rolle spielt, ganz anders als im Alten Testament. Die einzigartige Beziehung Jesu zu Gott drückt sich offensichtlich in keiner Gottesanrede treffender aus als im Vatertitel, und Jesus weitet diese Gottesbeziehung in seiner Verkündigung auf die Nachfolger aus, wie am Gleichnis vom verlorenen Sohn deutlich wird. Ist dies vor allem im Blick auf die drei ersten Evangelien gesagt, so tritt im Johannesevangelium die Vater-Sohn-Beziehung zwischen Gott und Jesus noch mehr in den Vordergrund, wird aber nicht zu einer abstrakten Spekulation, sondern erweist ihre Heilsbedeutung darin, daß die Jünger durch den Sohn, etwa durch das Gebet in seinem Namen, den vollen Zugang zum Vater haben. Auch bei Paulus steht Christus unter anderem deshalb im Mittelpunkt der Verkündigung, weil wir durch ihn zur Kindschaft des Vaters gelangen und im Geist »Abba«, also »Vater«, rufen können.

Mit diesen Andeutungen sollte vor allem die zentrale Bedeutung Gott-Vaters für die drei Hauptkomplexe der neutestamentlichen Literatur in Erinnerung gerufen werden, für die Synoptiker, den johanneischen und den paulinischen Kreis. Schon innerhalb des Neuen Testamentes kann man beobachten, wie die übrigen, eher späten Schriften am Vatertitel weniger Interesse zeigen. Das allein besagt freilich nicht viel, doch verstärkt sich der Eindruck, in spät- und nachneutestamentlicher Zeit trete der Vatertitel für Gott zurück, wenn man die Schriften der sog. *Apostolischen Väter* daraufhin durchsieht. Unter den Apostolischen Vätern versteht man (seit dem 17. Jahrhundert) die Verfasser einiger Schriften, die aus dem 2. Jahrhundert stammen und nicht den apologetischen oder gnostischen Schriften, über die noch zu reden ist, zugerechnet werden können.[2] Hier interessieren diese Schriften nun nicht wegen ihres gemeinsamen Titels (dazu s. u. S. 72 f.), sondern wegen ihres Inhalts, der die Gemeindefrömmigkeit des 2. Jahrhunderts spiegelt. Bei der Durchsicht der hier auftretenden Vater-Benennungen für Gott begegnet man natürlich den neutestamentlichen Stellen, etwa aus den Evangelien, die hie und da zitiert werden: In der Didache (8,2) wird das Vater Unser wiedergegeben, im 2. Klemensbrief klingt der Hinweis auf den »Willen des Vaters im Himmel« an (8,4; 9,11; 10,1; 14,1), der aus den Synoptikern wohl bekannt ist, und für die Relation zwischen Christus und Gott legt sich natürlich der Vatertitel immer wieder einmal nahe. Alles in allem aber sind kaum Aussagen zu finden, die eine besondere Profilierung oder Gewichtung der Vaterbezeichnung für Gott erkennen lassen.

Eine Ausnahme allerdings muß genannt werden: *Ignatius von Antiochien*, der auch zu den Apostolischen Vätern zählt, Bischof von Antiochien war und um 110 in Rom Märtyrer wurde. Er ist innerhalb der Apostolischen Väter mit Paulus und Johannes am nächsten verwandt und hat dementsprechend eine ausgeprägtere Vater-Theologie. Aber nicht das muß uns hier hauptsächlich beschäftigen, sondern eine eigenwillige Fortführung und Änderung von Gedanken, die auch im Johannesevangelium auftauchen, nämlich der Analogie zwischen der Einheit von Vater und Sohn einerseits und der Einheit der Kirche andrerseits. Die Einheit der Kirche ist eine Hauptsorge des Ignatius, der sich gegen zentrifugale Tendenzen, besonders gegen den Einbruch der Häresie, wehrt. Das wichtigste Mittel zur Wahrung der Einheit ist für Ignatius nun aber nicht einfach der Heilige Geist oder die rechte Lehre, sondern die Person des Bischofs und die regelmäßige Gemeindefeier unter seiner Leitung. Der in der Forschung sog. monarchische Episkopat ist hier, wenigstens der Idee nach, stark ausgeprägt, und jede Lebensäußerung der Gemeinde muß vom Bischof geleitet oder gebilligt werden. Die Bezeichnung »Vater« für den Bischof taucht hier noch nicht auf, wohl aber der Vergleich Gott-Vaters mit dem Bischof, so daß Gott geradezu Episkopos (Aufseher bzw. Bischof) aller genannt wird (Magn. 3,1). Der (kirchliche) Episkopos ist Abbild des (himmlischen) Vaters (Trall. 3,1), und wie Christus, der Sohn, dem Vater in allem gehorsam ist, so sollen auch die Gemeindeglieder sich in allem dem Bischof unterordnen (Magn. 7,1; 13,2; Smyrn. 8,1). Die Analogie wird noch weiter ausgesponnen und z. B. die Diakonen mit Christus, die Presbyter mit den Aposteln in Parallele gesetzt (Trall. 3,1). Die himmlische Hierarchie wird also greifbar in der gemeindlichen Hierarchie – wenn man so sagen darf, und das rechte Verhältnis zu jener zeigt sich an der Einordnung in diese, also die kirchliche Ordnung. Diese Konkretisierung des Verhältnisses zum göttlichen Vater erleichtert es Ignatius offenbar, auch sonst den Vaterglauben und den Vatertitel in einer dem Neuen Testament ähnlichen Weise aufrechtzuerhalten, was sich nicht nur an der Häufigkeit der Verwendung zeigt, sondern auch an seiner eigenen unmittelbaren Erfahrung Gottes als Vater durch Christus. Die für ihn zentrale Berufung zum Martyrium erfährt er etwa, wenn er in seinem Inneren hört: »Komm her zum Vater!« (Röm. 7,2). Bei all dem ist klar: der göttliche Vater ist Christi Vater und daher auch der Vater der Christen, nicht ein All-Vater.

Dieser Aspekt des Vatertitels, nämlich seine Universalität, wird nun aber wichtig für die sog. *Apologeten*, d. h. für die Verfasser von Verteidigungsschriften für das Christentum gegenüber dem Heidentum, wie sie vor allem im 2. Jahrhundert in relativ großer Zahl entstanden.[3] Ihrer Absicht entsprechend konnten sich die Apologeten nicht mehr im Rahmen der Sprache und Begriffswahl der biblischen Überlieferung halten und waren gezwungen, die Sprache der heidnischen Welt zu reden. Als solche wählten sie die Sprache der Philosophie. Sie präsentierten sich selbst als die Vertreter der wahren Philosophie und knüpften an jene philosophischen Vorstellungen an, die mit der biblischen Überlieferung vereinbar schienen. Es versteht sich, daß dabei der Gottesbegriff eine Hauptrolle spielen mußte, und zwar ein Gottesbegriff, der die christologische Ausrichtung des neutestamentlichen Vatertitels nicht in dem Maße beibehalten konnte, wie es bisher beschrieben wurde. Gerade der Vatertitel öffnet sich ja im Neuen Testament und in den nachfolgenden Schriften kaum dem universalen Aspekt.[4]

Die Öffnung zur Philosophie und die Öffnung des Gottesbegriffs im Sinne des Allvaters konnten von den Apologeten in einem vollzogen werden: Schon Homer hatte Zeus den Vater der Götter und Menschen genannt, und Platon hatte mehrfach und prägend für die Folgezeit das höchste Wesen als Vater bezeichnet. Der in unserer Zeit und im späteren Platonismus so oft zitierte Dialog Timaios enthält vor allem eine Stelle, die besonders gern zitiert wurde. Sie lautet (28 c): »Den Schöpfer (poietes) und Vater dieses Alls zu finden, ist schwierig, und wenn man ihn gefunden hat, ist es unmöglich, etwas Allgemeinverständliches über ihn zu sagen.« Es ist hier nicht der Ort, die Geschichte des philosophischen Gott-Vater-Begriffs vorzutragen. Ich muß mich darauf beschränken, die häufigsten Bedeutungsnuancen dieses Begriffs kurz zu skizzieren, die für das Verständnis der Synthese mit dem Christentum wichtig wurden:

Einmal liegt in dem Bild die bei Platon schon angelegte Tendenz beschlossen, jene Instanz Vater zu nennen, die *jenseits* des welthaften

Seins bleibt, also nicht die Fülle der Erscheinungen, auch nicht der Ideen, in sich schließt, sondern über ihnen steht, ja unsagbar und letztlich unbegreifbar bleibt. Auf dieser Linie bewegt sich die Verwendung des Begriffs im Neuplatonismus und in der Gnosis, über die noch zu reden ist. Aber es leuchtet wohl von selbst ein, daß dies nicht der nächstliegende Sinn des Vatertitels ist.

Viel näher liegt die *Verwandtschaft* des Vaters mit der Welt, die natürliche Einheit von Gott und Welt, also jenes Element des Vaternamens, das mit dem Erzeugen, dem Nähren und Erhalten zu tun hat: »Dein Preis geziemt den sterblichen Menschen, sind wir doch alle entsprossen von dir ...« – so drückt es der Stoiker Kleanthes in seinem berühmten Zeus-Hymnus aus.[5] Solche Verwandtschaft mit dem Vater-Gott kann auf die Seele beschränkt werden, oder es können die zwei Begriffe Platons (Vater und Schöpfer) auf den seelischen und materiellen Bereich aufgeteilt werden (Plutarch).[6] Die Wesensverwandtschaft mit Gott kann aber auch über das Physische ins Moralische erhoben und als Appell an das sittliche Bewußtsein oder gar als Ergebnis sittlichen Handelns begriffen werden: Nur die Weisen sind Verwandte Gottes, nur der Tugendhaften wahrer Vater ist er. Oder: Wer sich seiner Gottesverwandtschaft bewußt ist, der führt ein dessen würdiges Leben[7].

Eine weitere Dimension der göttlichen Vaterschaft entstammt der *patria potestas*: das Regieren und Ordnen des kosmischen Haushaltes durch die Vorsehung. Hier ist der göttliche Vater zugleich König und Richter über die Götter und Menschen und Vorbild irdischer Monarchen. Damit verbindet sich dann natürlich leicht der pädagogische Gedanke, daß Gott gerade seine liebsten Söhne besonders hart züchtigt.[8]

Wie immer der Vatergedanke auf Gott übertragen wird, es ist jedesmal eine universelle Wirksamkeit gemeint, und eine Einengung auf ein Volk oder eine Religionsgemeinschaft ist in dieser, der philosophischen Tradition gerade nicht vorgesehen. *Diesen Gottesbegriff verwenden nun die Apologeten*, und zwar auch in nicht-apologetischen Zusammenhängen. Von Justin z. B. ist nicht nur die Verteidigungsschrift gegen die Heiden überliefert, sondern auch der Dialog mit dem Juden Tryphon, worin die biblische Überlieferung natürlich viel mehr zum Zug kommt. Aber auch da verwendet Justin immer wieder Wendungen wie »Vater des Alls«, »Vater aller Menschen« und dgl.[9] Man darf also wohl sagen: Die Apologeten nehmen den universalen Vater-Titel *ganz* in ihren christlichen Sprachgebrauch auf.

Das hat Folgen. Denn der aus der Philosophie entlehnte Gott-Vater ist erstens ein der allgemeinen Vernunft zugänglicher Gott, der keiner Offenbarungsakte bedarf; zudem ist er ein Gott, der keine Geschichte wirkt, jedenfalls keine Heilsgeschichte im biblischen Sinne; und schließlich ist es ein Gott, der der Welt nicht gegenübersteht als selb-

ständiger Wille, sondern in höchster Abstraktion die Ewigkeit und
Schönheit des Kosmos verkörpert. Wie läßt sich ein solcher Vatergott
mit dem Vater Jesu Christi in Verbindung bringen?
Die Apologeten geben auch Christus eine rationalere, allgemeinere,
ja kosmologische Dimension: Er ist der Logos, der zweite, untergeordnete Gott, die vermittelnde Instanz, die alle Wirksamkeit des jenseitigen Gott-Vaters in der Welt ausübt. Die Gesetzgebung der Griechen, ihre Philosophie, die Teileelemente der Wahrheit enthält, die
Gotteserscheinungen vor den Patriarchen des Alten Bundes, aber ebenso die Ordnung und Erhaltung der Welt – das alles sind Wirkungen
des Vaters *durch* den Logos. Der Vater bleibt gleichsam passiv, aber
nach seinem Willen vollbringt der Sohn alles, Geschichtliches und
Natürliches, in der Welt. Ist *dieser* Vater mit *diesem* Logos-Sohn nun
noch der Vater Jesu Christi und »unser« Vater? Hat er sich nicht in
die allgemeine Vorsehungsmacht verwandelt, von der auch die Stoiker
reden, wenn sie Gott Vater nennen?
Diese Frage ist mit Nein zu beantworten. Justins Dialog mit dem
jüdischen Partner zeigt deutlich, daß das Heilswerk in Christus die
zentrale Manifestation des väterlichen Willens ist und daß auch das
Allgemeinere, was an die Adresse der Heiden gesagt wird, dem Interesse an der Vaterschaft durch Christus dienstbar sein soll. Der richtige
Zugang zu diesem Allgemeineren führt über den menschgewordenen
Sohn. Der philosophische Gottesbegriff wird vom Christentum um-
gestaltet, ja, die Ausweitung des Vatertitels bringt sogar einen Gewinn an biblischer Substanz: Daß Gott der Schöpfer ist und Herr aller Geschichte, kann nun auch mit dem Vater-Titel ausgedrückt werden. Man wird also keinesfalls sagen können, die Apologeten hätten
den biblischen Glauben an den Vater in Christus verraten an einen auf-
geklärten, entchristlichten Allvaterglauben. Wohl aber wird man zu-
geben müssen, daß die Vermittlung beider Komplexe nicht überzeu-
gend gelungen ist und die Aussagenreihen teilweise recht unvermittelt
nebeneinander stehen.
Was hier noch ungenügend vermittelt erscheint, das wird von dem
bedeutendsten christlichen Theologen vor Konstantin, von *Origenes*
(Lebensdaten etwa 185–254), auf geniale Weise vereinigt. Ihm gelingt
es, das Christliche und das Philosophische in ein umfassendes System
zu bringen und dabei den griechischen wie den biblischen Gott-Vater-
Gedanken zu einer Einheit zusammenzufügen, die später nicht wieder
erreicht werden wird. Man hat versucht, das Zentrum seiner Theologie überhaupt im Gedanken der Vaterschaft Gottes zu finden,[10] was
zwar sicher einseitig ist, aber jedenfalls nicht ohne gute Gründe erfolgte. Origenes bemerkt dank seiner vorzüglichen Schriftkenntnis,
daß die Gebetsanrede »Vater« im Alten Testament fehlt, und sieht
darin einen Beweis für die durch Christus vermittelte neue Sohnschaft
der Christen, die erst so den freien und vollen Zugang zu Gott-Vater

haben. Die Besonderheit der Gebetsanrede Jesu ist also hier genau
erkannt. Wie wichtig die Anrufung des Vaters für Origenes ist, er-
kennt man auch an der Behauptung, das Gebet habe sich *nicht* an den
Sohn zu richten, sondern *durch* ihn und niemals ohne ihn an den Vater.[11] Zwar wird daran auch eine Unterordnung Christi unter Gott-
Vater erkennbar, die später hart umkämpft sein wird. Aber zugleich
erfahren dadurch die Väterlichkeit Gottes ebenso wie unsere durch
Christus vermittelte Sohnschaft eine Aufwertung. Wir werden von
Christus in sein Beten und in seine Vaterbeziehung hereingenommen.
Es kann nun natürlich kein Überblick über das System des Origenes
gegeben werden. Nur darauf ist kurz einzugehen, daß sein Gesamtentwurf vom *Grundgedanken der göttlichen Pädagogik* geprägt ist,
die alle kosmischen und geschichtlichen, alle leiblichen und seelischen
Dimensionen einschließt und am Ende alle Wesen zur Versöhnung
führen wird. Daß aber der Gedanke der göttlichen Pädagogik untrennbar ist vom Vaterbild, dürfte ohne weiteres einleuchten. Der
göttliche Vater hat von Ewigkeit her seinen Sohn bei sich; er wird
ewig vom Vater als der unerschöpflich überströmenden Quelle gezeugt
und ist als selbständiges göttliches Wesen vollkommenes Abbild des
Vaters. Zur ewigen Ausstrahlung der väterlichen Vollkommenheit
gehört auch die Schöpfung, genauer: die Geistwesen, die erst durch
einen urzeitlichen Abfall in Körper eingekleidet und in die sichtbare
Welt versetzt wurden. Gerade dies, also die Strafe der Einkörperung,
ist aber Ausfluß der väterlichen Güte, die durch einen langen Erzie-
hungs- und Reinigungsprozeß die gefallenen Wesen schließlich zurückführen wird zur ursprünglichen Vollkommenheit. Das wichtigste Mittel dieser göttlichen Pädagogik ist die Menschwerdung Christi, die uns
die Adoption zu Söhnen Gottes ermöglicht. Da uns keine physische
Verwandtschaft mit Gott möglich ist, ergibt sich die Kindschaft aus
der Gottebenbildlichkeit, die in uns durch Christus erneuert wird.
Durch Taufe und volle Annahme des väterlichen Willens werden wir
selbst zum Bild des Bildes – denn Christus ist das Urbild des Vaters –
und so zu Söhnen Gottes, des Vaters. Dieser Vorgang gilt in gewisser
Weise für die gesamte Kreatur; denn auch die Gestirne sind eingekör-
perte Geistwesen. Deshalb umfaßt der Vatertitel in Origenes' Theologie zugleich die metaphysischen und die heilsgeschichtlichen, die kosmischen und die speziell christologischen Dimensionen.[12]
Erstaunlich an dem System des Origenes, in dem gewissermaßen alles
stimmt und zwischen Gut und Böse durch die Allversöhnungslehre
vermittelt wird, ist nur, daß es zu einer Zeit entstand, als das Christentum noch verfolgt war und seine Glaubenslehre in einer feind-
seligen Spannung zu den Anschauungen gerade der Philosophen stand,
die Stimmigkeit also in der Realität gerade nicht eingelöst wurde.
Hätte nicht gerade diese Theologie sich vorzüglich in ein christiani-
siertes Reich eingefügt, in welchem es, als Abbild der Gottheit, einen

»pater patriae« (Vater des Vaterlandes) als höchsten Herrscher gab? Man kann Linien ausziehen und Verbindungen zeigen zwischen Origenes und jener Theologie, die hundert Jahre später die konstantinische Wende legitimieren sollte.[13] Aber vorherrschend im Jahrhundert Konstantins wurde gerade nicht die problemlose Rezeption der origenistischen Theologie, was in vieler Hinsicht eine ungute Anpassung bedeutet hätte, sondern *ein heftiger Streit um die Vaterschaft Gottes.* Wenn ich sage: ein heftiger Streit um die Vaterschaft Gottes, so ist das nur eine ungewohnte Ausdrucksweise, um die große Auseinandersetzung zu kennzeichnen, die als *trinitarischer* oder *arianischer Streit* in die Geschichte eingegangen ist und in den Konzilien von Nizäa (325) und Konstantinopel (381) seine Höhepunkte fand. Die Hauptstreitpunkte pflegt man allerdings meist etwas anders zu umschreiben, etwa so: Es ging in dieser Auseinandersetzung um die wahre und vollkommene Gottheit des Sohnes, um die Wesenseinheit bzw. Wesensgleichheit von Vater und Sohn und um die entsprechende Göttlichkeit auch des Heiligen Geistes. Damit ist aber unausweichlich auch die Frage gestellt, wie die Vaterschaft Gottes hinsichtlich des Sohnes verstanden werden müsse, ob der Vater eher – nach Analogie seiner Schöpfertätigkeit – im Sohn eine Person geringeren Wesens hervorgebracht habe, oder ob man, der physischen Vaterschaft entsprechend, von einer Gleichheit, ja Einheit des Wesens der beiden reden dürfe. Und die Konsequenz für die Sohnschaft der Menschen durch Christus läßt sich so ausdrücken: Da wir ohnehin nicht wesenhaft Söhne Gottes sein können, ist unser Sohnschaftsmittler entweder auch eher ein Wesen wie wir, also eine Art höchstes Geschöpf dem Vater gegenüber, oder er ist ebenso göttlich wie der Vater, durch seine Menschwerdung aber Mittler der Erlösung, die uns an seiner physischen Gotthaftigkeit teilhaben läßt. »Wie soll uns einer erlösen, der selbst nicht der göttlichen Vollkommenheit teilhaftig ist? Also muß der Sohn wahrer Gott vom wahren Gott sein.« So argumentierten die Vertreter derjenigen Lehre, die schließlich den Sieg errang. Das waren etwa Athanasius von Alexandrien (gest. 373), später Basilius der Gr., Bischof in Cäsarea in Kappadozien (gest. 379), und Ambrosius, der Mailänder Bischof (gest. 397). Demgegenüber konnten allerdings die Gegner, also die Arianer, darauf hinweisen, daß eine solche Gotteslehre zum Tritheismus oder zu einer unzulässigen Teilung des göttlichen Wesens in zwei oder drei Teilgötter führen müsse.
Wir verzichten auf eine Schilderung all der verwickelten theologischen und politischen Vorgänge, die schließlich zu einer *Lösung* führten, welche allgemeine Geltung erlangte und die Dreiheit in der Gottheit mit der Einheit ausglich. Das Grundschema ist: *ein* göttliches Wesen (physis, usia) und in der Einheit dieser Gottheit *drei* Personen (oder Hypostasen) die sich nur dadurch unterscheiden, daß der Vater der Ursprung des Sohnes und der Geist aus dem Vater durch den Sohn

innerhalb der einen Gottheit hervorgegangen ist, ohne daß eine Wesensminderung bzw. -vermehrung irgendwelcher Art angenommen werden dürfte, geschweige denn ein zeitlicher Hervorgang. Diese Lösung bedeutete nun aber für die *Anrufung Gottes als des Vaters* eine Komplikation, die natürlich nicht beabsichtigt war und auch nicht überall und nicht gleich empfunden wurde. Aber sie läßt sich doch relativ leicht verstehen: Die kompromißlose Gleichordnung der drei Personen als volle *eine* Gottheit hatte unweigerlich zur Folge, daß die Wirkungen Gottes auf die Geschöpfe als Wirkungen der Gottheit im ganzen, also der gesamten Trinität, angesehen werden mußten. Die Rede vom »Vater« mußte sich nun vornehmlich auf den innertrinitarischen Bereich beziehen. Man konnte zwar weiterhin den Vater anrufen, aber eine alte Formel wie »Ehre sei dem Vater *durch* den Sohn *im* Heiligen Geist«, war nun angesichts der vollendeten Dreieinigkeitslehre nicht mehr von so einleuchtender dogmatischer Klarheit, daß man ihr nicht andere vorgezogen hätte, etwa die Anrufung oder Lobpreisung aller drei Personen »auf einer Ebene«, etwa so: »Ehre sei dem Vater *mit* dem Sohn und *mit* dem Heiligen Geist«. Die ältere Vermittlungsformel konnte ja auch von Arianern mitgesprochen werden und spiegelte einen veralteten Stand der theologischen Diskussion wider.[14] Die Anrufung Gottes des Vaters erlitt also von der Dogmatisierung der Trinitätslehre her eine gewisse Einschränkung. Diese Einschränkung zeigte sich zunächst im griechischen Bereich weniger als im lateinischen, weil die Einheit der Gottheit bei den griechischen Vätern nach wie vor doch mehr in Gott-Vater begründet gesehen wurde. Demgegenüber entwickelten sich die Dinge im Westen etwas anders.

Mit dem lateinischen Westen ist konkret gemeint: *Augustin* (354–430), nicht deshalb, weil es neben und vor ihm nichts gegeben hätte, sondern einfach deshalb, *weil er für die spätere abendländische Trinitätslehre maßgebend wurde.* Ein Kennzeichen seiner Trinitätstheologie ist nun eben, daß noch mehr als bei den griechischen Vätern des 4. Jahrhunderts das Vatersein Gottes zurücktritt zugunsten eines Dualismus zwischen »immanenter« Trinität einerseits und »heilsökonomischem« Wirken Gottes andrerseits. Unter Ökonomie ist hier die in der Geschichte sich entfaltende Heilsveranstaltung oder Haushalterschaft (oikonomia) Gottes zu verstehen. Man kann von der Trinitätsanschauung der vorkonstantinischen Zeit sagen, sie sei von der Heilsökonomie her entworfen. Damit wird eben ausgedrückt, daß die Wirksamkeit des Vaters *durch* den Sohn *im* Geist stets bewußt und in allen Formulierungen noch spürbar bleibt, also das geschichtliche Wirken von der göttlichen Dreiheit nicht getrennt, sondern beides auf einander bezogen wird. Und eben diese gegenseitige Bezogenheit tritt nun schon im 4. Jahrhundert stärker zurück und wird bei Augustin noch einmal undeutlicher als zuvor. Oder mit anderen Worten: die innertrinitarischen, eben gott-immanenten Bezüge erfahren eine Betrachtung, die sich weitgehend löst von der Reflexion auf die heilsgeschichtliche Funktion des Sohnes, der Mensch wurde, und des Geistes, der die Kirche durch die Zeiten begleitet. Die ökonomische Trinitätsanschauung tritt hinter der immanenten zurück.

Ich verzichte auf die z. T. subtilen Begriffsunterscheidungen der augustinischen Trinitätslehre und weise nur auf eine interessante Erscheinung hin: Augustin hat stärker als die meisten seiner Vorgänger nach Analogien zur Trinität in der geschaffenen Welt gesucht. Diejenigen Entsprechungen nun, die er vor allem breit erklärt, sind alles Entsprechungen, die er im Innern des menschlichen Geistes findet, d. h. Analogien der Selbstreflexion, z. B. mens – notitia – amor, also: der Geist selbst, seine Kenntnis und sein Lieben, wobei das reinste Gottesbild gerade dann gegeben ist, wenn der Geist sich selbst erkennt und sich selbst liebt. Das heißt: Idealbild der Trinität ist nicht der aus sich heraustretende, sondern der sich in sich selbst entfaltende Geist des Menschen, wozu allerdings für Augustin gehört: der sich durch sein Inneres zu Gott erhebende, ihn erkennende, ihn liebende Mensch, der damit seine innere Dreiheit auf die göttliche Dreiheit ausrichtet.[15]

Was besagt das alles für den Glauben an Gott, den Vater, und das Verhältnis zu ihm? Nun, zunächst positiv: durch die Aktivierung der Reflexion über die innertrinitarischen Beziehungen erfährt die Vater-Sohn-Relation eine Belebung. Der Heilige Geist wird nun ausdrücklich als die gegenseitige Liebe von Vater und Sohn definiert, dient also der Verstärkung der innergöttlichen Personalität des Vaters (und Sohnes), und derselbe Geist ist ja auch auf Erden das Liebes- und Einheitsband der Kirche. Weiter wird die Analogie aber nicht in kirchlicher Beziehung ausgebaut, etwa so, daß der Bischof nun den Vater und der Sakramentsempfänger den Sohn abbilden würde. Solche Vergleiche muß Augustin schon deshalb ablehnen, weil sie die Vorstellung von drei bzw. zwei Einzelpersonen hervorrufen und dadurch eben das hindern könnten, woran ihm so viel liegt: die volle Einheit und Geschlossenheit der Trinität. Man hat versucht, gerade in dieser strengen Geistigkeit, in dieser Lösung der Trinitätsanalogien von allen zwischenmenschlichen Dimensionen eine Steigerung des patriarchalischen Gottesbildes zu sehen.[16] Das trifft jedoch nicht zu:

Man kann Augustins Gottesbeziehung an einer seiner Schriften besonders deutlich studieren, nämlich an seinen *Bekenntnissen*, die über weite Strecken nichts als ein großes Gebet sind. Wenn irgendwo, dann muß hier deutlich werden, wie der ganz persönliche Verkehr Augustins mit Gott sich in bestimmten Anreden ausdrückt und ob Gott als Vater für ihn eine bestimmte Bedeutung hat. Dies um so mehr, als die Confessiones seinen eigenen Lebensweg schildern, genauer: diesen vor Gott bekennen, und dabei durchaus die erzieherische Wirksamkeit Gottes an ihm, dem sündigen und ständig neu in die Irre gegangenen

Menschen, zeigen. Immer wieder klingt das Motiv der liebevollen, also heilenden Strafe an, zu welchem ja traditionell das Vaterbild paßt, und zudem sind die Gebete oder das eine große Gebet der Confessiones *kein* Christusgebet. Mit ganz wenigen Ausnahmen wendet sich Augustin an Gott-Vater, was sich – unabhängig von der jeweiligen Anrede – aus denjenigen Stellen entnehmen läßt, wo sein, d. h. des göttlichen Du, ewiges Wort, sein Sohn oder ähnliche Zusätze erscheinen.[17]

Aber wie wird diese Person in den Confessiones angeredet? Bei dem Umfang des Werks und der enormen Zahl von Anrufungen erstaunt es nicht, daß die Vateranrede auch vorkommt – oder vielmehr: es muß einen erstaunen, daß dies überhaupt ausdrücklich gesagt zu werden braucht, und zwar, wie eben geschehen, so, daß die Vateranrede »*auch*« vorkomme«. Tatsächlich sind es einige ganz wenige Stellen, an denen »pater« gesagt wird, und dabei fast jedesmal wegen der Bezugnahme auf die Geschichte vom verlorenen Sohn, mit dem Augustin sich während seiner Jahre des Suchens begreiflicherweise vergleicht.[18] Die Hauptanreden für Gott in den Confessiones sind aber »deus« (Gott) und »dominus« (Herr), sehr oft mit »meus« (mein), gelegentlich mit »noster« (unser) verbunden, und sehr häufig kombiniert, also etwa: »domine deus meus«, oder ähnlich. Nun erstaunt das den Kenner zunächst noch keineswegs, da ja Augustin bekanntlich in seinen Bekenntnissen die Sprache der lateinischen Psalmenübersetzung aufnimmt. Die Gottestitel »deus« (meus) und »dominus« entstammen aber dem alttestamentlichen Gebet, das ja die Vateranrede nicht kennt.

Diese Gottesanrufungen sind gleichsam der rote Faden, an den sich alle anderen Gebetsanreden ankristallisieren. Welche treten hinzu? Der biblischen oder christlichen Tradition sind weitere Attribute entnommen wie »mein Helfer«, »Schöpfer aller Dinge«, «meine Hoffnung«, »Licht und Freude« u. dgl. Aber am intensivsten, am eigenwilligsten und geradezu sprachschöpferisch wird Augustin da, wo er Gott Begriffe zulegt, die aus einem Gemisch biblischer, philosophischer und oft rhetorischer oder dichterischer Metaphorik gewonnen sind. Um eins der bekanntesten Beispiele zu nennen: O aeterna veritas et vera caritas et cara aeternitas – tu es deus meus ... (O ewige Wahrheit und wahre Liebe und liebe Ewigkeit – Du bist mein Gott, VII, 10,16). Oder: vera tu et summa suavitas, ... omni voluptate dulcior, ... omni luce clarior. (Du wahre und höchste Süßigkeit, ... süßer als alle Lust, ... heller als alles Licht, IX,1,1). Man könnte die Reihe lange fortsetzen: In solchen Gottesattributen kommt die ganze Erfahrung seines Gottsuchens und Gottfindens zum Ausdruck. Daß dies seinen originellsten Ausdruck gerade in *solchen* Begriffen findet und eben *nicht* im Vaterbegriff, ist doch wohl kein Zufall. Natürlich will ich nun nicht sagen, es handle sich um weibliche Begriffe, und Augustin habe in Gott seine wahre Mutter erlebt. Typisch ist nicht eins der beiden Geschlechter, sondern die Auswechselbarkeit des Geschlechts, die indirekt zeigt, was Augustins höchstes Sehnsuchtsziel ist: die »beatitudo« (Glückseligkeit) selbst, das vollkommene Sein, oder, um eine seiner Formulierungen zu wählen: aeternitas delectat superius (»die Ewigkeit erfreut, lockt von oben«, VIII,10,24). Das delectari, das affektive Hingerissenwerden von der überwältigenden Seinsfülle Gottes, das ist es, was ihm immer neue Formulierungen eingibt und die Väterlichkeit Gottes in den Hintergrund treten läßt, mit anderen Worten: eher die »patria« (Heimat) als der »pater« (Vater) inspiriert ihn zu neuen Wortschöpfungen.

Die *Muttergestalt* erscheint bekanntlich *in Augustins Biographie* und deshalb auch in den Bekenntnissen als seine physische Mutter, die durch ihre unermüdlichen Gebete an seinem Weg zu Gott mitgewirkt hat. Sie ist es, die ihn Gott als Vater anrufen lehrte, wörtlich: »damit Du mir Vater seiest, mein Gott, eher als jener« (nämlich der irdische Vater, I, 11,17). Und anderswo sagt er geradezu: »Ich bin Dein Knecht und der Sohn Deiner Magd« (IX,1,1). »Sohn« Gottes nennt er sich nicht, obschon er es theologisch könnte, nämlich als durch Gnade adoptierter Sohn.[19]

Gott – unser Vater durch Christus, dieser Gedanke ist also offensichtlich bei Augustin nicht sehr verbreitet und genießt weder in seiner Theologie noch in seiner Gebetspraxis eine große Beliebtheit. Und mit Augustin fällt auch für die Folgezeit eine nicht unbedeutende Entscheidung. Um nur eine Ausstrahlung zu nennen: In der mittelalterlichen Scholastik bleibt die Tendenz vorherrschend, eine immanente Trinitätslehre und eine gleichsam untrinitarische Gotteslehre nebeneinanderzustellen. Dieser bis in die Neuzeit vor allem in der katholischen Theologie verbreiteten Neigung ist in unserem Jahrhundert vielleicht am nachdrücklichsten Karl Rahner entgegengetreten, der eine Trennung zwischen immanenter und ökonomischer Trinitätslehre ablehnt. Seine These lautet geradezu: Die »ökonomische« Trinität *ist* die »immanente« Trinität und umgekehrt.[20] In der von Rahner stark beeinflußten (katholischen) Dogmatik MYSTERIUM SALUTIS wird dementsprechend die Christologie mit dem Kapitel eröffnet: »Das Christusereignis als Tat des Vaters«.[21] Diese moderne Strömung geht Hand in Hand mit der Annäherung der katholischen Theologie an die griechischen Kirchenväter und ihrer Distanzierung von der Scholastik, damit aber in beschränktem Maße auch von Augustin.

Das bisher Gesagte war ein Versuch, im Rahmen der offiziellen kirchlichen Lehrentwicklung den Aspekt der Vaterschaft Gottes hervorzuheben. Damit ist freilich noch nicht alles gesagt, was zu diesem Thema in der Alten Kirche virulent wurde. Einmal haben wir die Ketzerei weitgehend ausgeklammert, wobei für unsere Frage praktisch nur die Gnosis bedeutsam sein dürfte, ebenso wurde die liturgische Gebetspraxis mit ihren eigenen Traditionen bisher vernachlässigt, und schließlich spielen noch weitere Metaphern im antiken Christentum eine gewisse Rolle, ohne deshalb zum Dogma zu werden wie die Trinitätslehre, vor allem die Überzeugung von der Kirche als Mutter. Die gnostische Linie und die ecclesia-mater-Linie führen zurück in allgemeine religionsgeschichtliche Hintergründe, die man mit »geistliche Brautschaft, hieros gamos, mysterium coniunctionis« usw. beschreiben kann.

Zunächst ein paar Bemerkungen zur *Gebetstradition:* Was das Beten außerhalb der Liturgie betrifft, so gibt es da nicht viel Interessantes zu sagen. Natürlich findet sich noch und noch die Anrede »Gott und Vater«, »Vater unseres Herrn Jesu Christi« und dgl. mehr, obschon auch sie viel weniger oft auftritt als etwa die einfache Herren-Anrede und natürlich das einfache »Gott« oder »Gott« mit Attributen versehen. Auch wundert es nicht, wenn im Zug der sich ausbildenden Trinitätslehre der »Vater« im Gebet öfter in dieser, also sozusagen der innertrinitarischen Relation zum Sohn genannt wird. Das im Herrengebet, also im Vater Unser, angelegte Element, nämlich die Aktivierung der in Christus vermittelten Vaterschaft Gottes für die Menschen, kommt im ganzen recht selten zum Ausdruck und wird meist nur im Rahmen der Vater-Unser-*Auslegungen* abgehandelt. Dort, aber fast *nur* dort, kommen natürlich die vielfachen Aspekte der Vater-Anrede zum Zug. Daß sie das Gebetsleben selbst bereichert hätten, kann man nicht sagen.[22]

Demgegenüber ist hinzuweisen auf einen ausgeprägten Sitz im Leben für das Vater-Gebet, nämlich die *Liturgie,* und zwar nicht die Liturgie im allgemeinen Sinne, sondern speziell die eucharistische Liturgie. Die Bindung an Traditionen ist hier besonders ausgeprägt und deshalb die Bewahrung alter Gebetsformeln leicht möglich. Außerdem legt sich die Vateranrede nahe, weil die Abendmahlselemente, also Brot und Wein, in irgend einer Weise ja Christus sind oder repräsentieren und deshalb der, dem das eucharistische Opfer dargebracht wird, eher der Vater als der Sohn oder eben: der Vater *durch* den Sohn ist. Es gibt in diesem Zusammenhang sogar kirchenrechtliche Bestimmungen wie etwa diejenige des Konzils von Hippo (393): »Wenn beim Altar gedient wird, soll das Gebet stets an den Vater gerichtet werden«.[23] Dies bedeutet natürlich nicht, daß auch die Vater-*Anrede* immer mit dabei sein muß, aber ein völliges Abweichen davon ist hier nicht leicht möglich. Das älteste uns erhaltene eucharistische Gebet ist für die überragende Rolle der Vater-Anrufung zugleich das beste Beispiel:

Über dem Kelch:
»Wir sagen Dir Dank, unser Vater,
für den heiligen Weinstock Davids, Deines Knechtes (oder: Sohnes),
den Du uns kundgetan hast
durch Jesus, Deinen Knecht (oder: Sohn).
Dir sei Ehre in Ewigkeit.«
Über das zu brechende Brot:

»Wir sagen Dir Dank, unser Vater,
für das Leben und die Erkenntnis,
die Du uns kundgetan hast
durch Jesus, Deinen Knecht (oder: Sohn)«[24]

Elemente dieses Gebets wirkten noch lange nach, ohne freilich in die mittelalterlichen Formulare der östlichen oder westlichen Messen eingegangen zu sein. Immerhin finden sich auch in der römisch-katholischen Messe noch reichlich Gebete, die an Gott-Vater gerichtet sind, auch einzelne alte, prägnante Formeln. Aber man wird doch festhalten müssen, daß auch im liturgischen Rahmen sich aufs ganze gesehen keine reiche Vater-Gebets-Theologie entfaltet hat.

Vom Gebiet der strengen und offiziellen Formelsprache machen wir nun noch einen Sprung hinüber zum *Gebrauch des Vaternamens* für Gott, *in der christlichen Gnosis.* Unter der Gnosis versteht man eine in den ersten Jahrhunderten im christlichen wie nichtchristlichen Bereich sich ausbreitende Religiosität, als deren Grundstimmung man die des Verlorenseins in dieser Welt bezeichnen kann. Die christliche Gnosis hat vielerlei Ausprägungen erlangt, von denen manche eindeutig häretisch, manche relativ orthodox im späteren Sinne waren, und viele irgendwo im Zwielicht zwischen Rechtgläubigkeit und Ketzerei sich ansiedelten. Vielen war gemeinsam, daß sie den Schöpfer der sichtbaren Welt, also den alttestamentlichen Gott, für schlecht oder mindestens für minderwertig hielten – daher die Fremdheit und Schlechtigkeit dieser Welt, in die sich der Gnostiker geworfen weiß. Der wahre Kern, der Lichtfunke, das Pneuma, oder wie immer der eigentliche Wesenskern des Menschen genannt wird, dieser Kern jedenfalls stammt aus dem Lichtreich, in dem der gute, der wahre Gott wohnt, der nichts oder nur wenig mit dem Weltschöpfer zu tun hat. Und nun kommt es darauf an, daß die Menschen ihre wahre Heimat erkennen und sich innerlich ganz lösen von dieser Welt und von den Gesetzen des jüdischen Gottes, den die Christen der katholisch-orthodoxen Großkirche mit dem wahren Gott Jesu fälschlicherweise identifizieren. Nur so viel zum Rahmen des gnostischen Selbstbewußtseins und Weltgefühls, das von Hans Jonas meisterhaft von der Existenzphilosophie des 20. Jahrhunderts her interpretiert worden ist.[25] Auch mit der antiautoritären Protestwelle der späten Sechzigerjahre kann man manche Züge der Gnosis in Verbindung bringen. Besonders dem Weltenschöpfer und Weltenlenker gegenüber ist der Gnostiker gewissermaßen antiautoritär eingestellt. Seine Gesetze gilt es zu verachten, seinen Zorn zu ertragen und seinen erschlichenen Autoritätsanspruch zu durchschauen, um schließlich *gegen* seinen Willen zur Erlösung zu gelangen – wie es der Erlöser vorgelebt hat.

Im Unterschied zur heutigen antiautoritären Tendenz verbindet sich die gnostische nun aber gerade nicht mit der Abwertung des Vaternamens für Gott. Für die meisten Gnostiker ist der Vatertitel dem guten, liebenden, jenseitigen Gott vorbehalten, und der Demiurg, eben der Hersteller dieser unteren Welt, verdient den Vatertitel nicht. Möglicherweise allerdings hat er ihn sich angemaßt und rühmt sich gar dieses Vorzugs, aber der Gnostiker weiß, daß er es da mit einer Karikatur des unbekannten Vaters zu tun hat, d. h. dessen, der dieser Welt und ihrem Regenten unbekannt, ihm, dem Gnostiker aber bekannt und Ziel seiner Sehnsucht ist. Die innige Sohn-Vater-Beziehung wird in der christlichen Gnosis auch vom Verhältnis Jesu zu Gott angenommen, bleibt aber eben, anders als in der sich ausbildenden Orthodoxie, in keiner Weise beschränkt auf die innertrinitarische Sphäre, sondern ist weit geöffnet zu den Menschen. Freilich ist dies nur möglich, weil die Unterscheidung von gottheitlicher Sphäre und geschaffenen Menschen in der Gnosis nur beschränkt gilt: das wahre Selbst des Gnostikers gehört zur göttlichen Welt, zum Pleroma, zum Lichtreich des Vaters. Und eben dies dürfte auch der Grund dafür sein, daß der Vatertitel hier eine solche Aufwertung erlangt hat: die *gegen* diese Welt behauptete innerste Wesensverwandtschaft des Menschen mit dem jenseitigen Gott ist in einem solchen Titel, der eine physische Beziehung andeutet, besonders gut zu fassen, so wie ja auch die Gottheit Christi in der orthodoxen Trinitätslehre gerade durch die physische Bedeutung des Vaterbegriffs besonders deutlich gekennzeichnet wird. Aber natürlich reicht dies allein zur Füllung des Titels nicht aus: der Vater verkörpert eben deswegen und darüber hinaus Heimat, Geborgenheit, Liebe, Geistigkeit, Ruhe, kurz: Erfüllung, die dem Menschen in dieser Welt verwehrt ist. Erlösung ist Rückkehr aus der Entfremdung zur Ganzheit und Ungespaltenheit des eigenen wahren Wesens.[26]

Ganzheit heißt in der Gnosis nicht bloß Wiedergewinnung einer gefährdeten oder verlorenen Identität, sondern kann auch *Wiedervereinigung mit dem verlorenen Seelenteil* bedeuten: Besonders in der valentinianischen Gnosis ist die Vorstellung verbreitet, daß der einzelne Gnostiker nicht bloß sein Innerstes befreien werde aus dieser Welt, sondern zudem, daß dieses sich wiedervereinigen werde mit seinem engelgleichen Partner im Jenseits. Es ist also die Vorstellung vom Seelenbräutigam, die z. B. durch ein eigenes Sakrament der Valentinianer, genannt »Brautgemach«, gepflegt wird. Diese Vorstellung von der heiligen Brautschaft ist von der nicht-gnostischen Kirche übernommen worden und hat eine lange Nachgeschichte in der Mystik und im Mönchtum erlebt. Derjenige alttestamentliche Text, an dem sich solche Brautmystik immer neu entfalten konnte, war das Hohelied, also das Hochzeitslied des Alten Testaments. Dabei ist in aller Regel unterschieden worden zwischen dem Seelenbräutigam, nämlich Christus, und Gott dem Vater. Bei Origenes etwa, der die Vorstellung in der Kirche heimisch gemacht hat, soll die geistliche

Brautschaft der Seele mit dem Logos-Sohn weiter zur Schau des Vaters führen.

Weniger klar unterschieden sind Vater und Sohn in einer verwandten Tradition, nämlich in der Vorstellung von der *Brautschaft und Mutterschaft der Kirche*. Dieses Bild wird im neutestamentlichen Epheserbrief (5,22–32) erstmals breit ausgestaltet, allerdings eindeutig im Sinne von Christus/Kirche = Mann/Frau. Diese Metaphorik ist aber nicht streng durchgehalten, und wir finden auch die Gleichung: Gott/Kirche = Vater/Mutter. Dies schon im 2. Jahrhundert, vor allem aber dann im dritten, aus welchem der berühmte Ausspruch Cyprians stammt: Niemand kann Gott zum Vater haben, der nicht die Kirche zur Mutter hat.[27] Im selben Atemzug kann Cyprian die Kirche auch sponsa (Braut) Christi nennen. Natürlich tendiert dieses Bild mehr in die Richtung der Treue und Reinheit der Menschen, welche die Kirche bilden, und jenes mehr in Richtung auf die Kirche als Mutterschoß, aus dem die Gläubigen hervorgehen. Die variable Metaphorik wird nicht als störend empfunden und vom gemeinten Sinn, nicht vom Bild her verstanden. Sie schwankt auch zwischen der Kirche als Gemeinschaft der Gläubigen und der Kirche als einem quasi selbständigen Wesen, das gar präexistent bei Gott gedacht werden kann.[28] Eine Verbindung der Trinitätsanschauung mit der ecclesia-mater-Anschauung erfolgt freilich in der Regel nur so, daß die Kirche irgendwie mit dem Heiligen Geist verbunden wird, wie es ja auch im Glaubensbekenntnis der Fall ist. In frühen Formen allerdings kann an der dritten Stelle nach dem Vater und Sohn (bzw. Gott und Logos) die Weisheit erscheinen und diese wiederum gelegentlich mit der ideellen Kirche identifiziert werden.[29] Diese Vorstellung verbindet sich jedoch – mindestens außerhalb der Gnosis – nicht so mit dem ecclesia-mater-Gedanken, daß die an sich mögliche Kombination: 1. Vater = Gott – 2. Mutter = Kirche bzw. Geist – 3. Sohn = Christus hergestellt würde. Das Bekenntnis zur »Gottesmutter« *Maria* schließlich, seit dem 5. Jahrhundert dogmatisch fixiert (Ephesus 431), hat mit der Vaterschaft Gottes so wenig zu tun, daß man es eher als indirektes Zeugnis für deren Verblassen werten könnte. Die Vateranrede hat sich zu jener Zeit – wenigstens in der Hauptsache – längst von Gott weg und auf die geistlichen Väter in der Kirche verlagert.[30]

II. Geistliche Väter und Hausväter in der christlichen Antike

Mein zweiter Beitrag gilt den irdischen Vätern. Schon die Tatsache, daß die irdischen Väter an zweiter Stelle kommen, ist nicht ohne Bedeutung, und die in der Überschrift gewählte Reihenfolge der zwei Vaterkategorien – erst geistliche, dann natürliche Väter – ist ebenfalls bewußt gewählt. Zwei Worte Jesu mögen die damit angedeutete Problematik erhellen:

»Meint ihr, daß ich gekommen sei, Frieden auf der Erde zu schaffen? Nein, sage ich euch, sondern Entzweiung.
Es werden entzweit sein der Vater mit dem Sohn und der Sohn mit dem Vater, die Mutter mit der Tochter und die Tochter mit der Mutter ...«
(*Lukas* 14,26)

»Wenn jemand zu mir kommt und nicht seinen Vater und seine Mutter und sein Weib und seine Kinder und seine Brüder und seine Schwestern und dazu auch sein Leben haßt, kann er nicht mein Jünger sein.« (*Lukas* 12,51.53)

Ist dies unmißverständlich von den physischen Eltern und Angehörigen gesagt, so wendet sich ein anderes Wort Jesu auch gegen die geistige oder geistliche Vaterschaft:

»Ihr dagegen sollt euch nicht Rabbi nennen lassen; denn einer ist euer Meister, ihr alle aber seid Brüder.
Nennet auch niemand auf Erden euren Vater; denn einer ist euer Vater, der himmlische.« (*Matthäus* 23,8 f.)

Diese Zitate mögen zeigen, wie sehr das Christentum schon ganz am Anfang in der natürlichen Vaterschaft etwas im Konfliktfall gleichsam Abwählbares erblickte und auch die geistige Vaterschaft mindestens in die Sphäre des Relativierbaren rückte.

Der Gedanke einer *geistigen oder geistlichen Vaterschaft* taucht dennoch früh im Urchristentum auf. Schöpfer dieser Vorstellung im christlichen Bereich ist, soweit erkennbar, *Paulus.* Er ließ sich allerdings schwerlich von seinen Gemeinden als »Vater« anreden, benützt aber das Bild von der geistigen Vaterschaft so oft und so eindrücklich, daß mit der kanonischen Geltung seiner Briefe auch der Gedankenkomplex leichten Eingang ins frühe Christentum fand. Solche Vaterschaft entsteht durch die vom Apostel vermittelte Bekehrung zum Christentum. Auf Individuen angewendet wird die Vorstellung etwa im Philemonbrief, wo Paulus den entlaufenen Sklaven Onesimus, nachdem er ihn im Gefängnis zum christlichen Glauben bekehrt hat, seinem Herrn, dem Philomen, mit den Worten empfiehlt: »Ich bitte dich für mein Kind, das ich in meinen Fesseln gezeugt habe...« (Vers 10). Das hindert Paulus nicht, kurz darauf denselben Onesimus auch als »Bruder« zu bezeichnen (Vers 16); denn die geistliche Zeugung hat keine bleibende hierarchische Stufung zur Folge. Gegenüber den Ge-

meinden kommt die Metapher noch fast stärker zum Zug, etwa 1.
Kor. 4,15: »Wenn ihr zehntausend Zuchtmeister (paidagogoi) in Christus habt, so doch nicht viele Väter; denn in Christus Jesus habe *ich*
euch durch das Evangelium gezeugt.« Die Verwendung des Gedankens in seinen Briefen zeigt, daß Paulus sich über die Zeugung hinaus
weiterhin zur Fürsorge an den Gemeinden verpflichtet fühlt (etwa
Gal. 4,19). Es versteht sich, daß eine solche Zeugung nicht vom persönlichen Genie des geistlichen Vaters her verstanden werden darf,
sondern, wie es Paulus ausdrücklich sagt: »in Christus durch das
Evangelium« (1. Kor. 4,15) ist er Vater der Gläubigen geworden.[1]
Diese Gedanken sind nicht Erfindungen des Paulus, sondern christliche
Aneignung von Vorstellungen, die sowohl im Judentum als auch in
der hellenistischen Umwelt des Christentums durchaus bekannt und
vertraut waren. Paulus selbst redet ja von Abraham als dem Vater
»unser aller« (Röm. 4,16). Damit knüpft er an die jüdische Vorstellung an, nach der Abraham, Isaak und Jakob Inbegriff jener Väter sind,
die die normative Tradition verkörpern.[2] Doch sprengt Paulus die
Bindung an die Volksabstammung und nennt Abraham den Vater
aller Gläubigen, auch der Unbeschnittenen. Solche Wendungen behält
die spätere Kirche, die ja die alttestamentlichen Väter auch für die
ihrigen hält, durchaus bei. Diese Verwendung des Vatertitels, also für
die Garanten der Überlieferung, ist allerdings zu unterscheiden von
derjenigen, die Paulus für sich selbst in Anspruch nimmt. Näher liegt
da die Auffassung vom Weisheits- und vom Thora-, also Gesetzes-
Lehrer als Vater seines Schülers. Auch dies ist eine im damaligen Judentum weit verbreitete Anschauung, die uns aber ebenso in den Phlisophenschulen und Mysterienvereinen begegnet.[3] Es ist stets die Übermittlung der Weisheit, des Gesetzes oder des religiösen Heilsgutes, was
die Vaterschaft konstituiert. Denn wie der leibliche Vater ein Kind
zum Leben erzeugt, so zeugt der geistige Vater die Menschen zum
wahren Leben. Für Paulus kommt darin die sehr intensive und herzliche Verbundenheit mit seinen Gemeinden zum Ausdruck, die auch
sonst seine Briefe als Leitmotiv durchzieht. Das Selbstverständnis als
Vater scheint bei Paulus nicht Metapher für seine apostolische Autorität zu sein, auf die er sonst durchaus pochen kann, und hat somit gerade nicht den Sinn, eine wie immer begründete Gehorsamsforderung
zu unterstreichen. Selbstverständlich entfällt damit auch jede institutionelle Bindung der Vaterterminologie. Es bleibt bei einer metaphorischen Redeweise, die der Verbundenheit im einen Leib Christi,
im einen heiligen Geist, Ausdruck gibt.
Wo taucht dann aber zum ersten Mal der *Vatertitel* für einen kirchlichen Amtsträger auf? Nicht nur bei Paulus, auch sonst im Neuen
Testament finden wir ihn nicht. Er fehlt auch noch bei Ignatius, obschon nach ihm der Bischof Gott-Vater abbildet (s. o. S. 56 f.). Dennoch
bahnt er sich in den Schriften der sog. Apostolischen Väter an. Im

Martyrium des Bischofs Polykarp, das dieser Schriftengruppe zuge-
zählt wird und um 160 verfaßt sein dürfte, schreit die Volksmenge:
»Dieser ist der Lehrer (didaskalos) Asiens und der Vater der Christen« (12,2), und es gibt aus jener Zeit auch schon ein Zeugnis dafür,
daß man gewisse Schwierigkeiten angesichts des (eingangs zitierten)
strikten Verbots Jesu in Matthäus 23,8 f. spürte, freilich nicht so, daß
man sich hätte davon abhalten lassen, dem Vermittler des unver-
fälschten Gottesworts den Vatertitel zu geben.[4] Eine besondere Betonung des *bischöflichen* Vaters ist aber bis etwa zum Jahre 200 kaum
festzustellen. Es galt ganz allgemein der Lehrer als Vater dessen,
den er lehrte, und da die Bischöfe über die reine Lehre zu wachen
haben, legte sich die Bezeichnung hier nur besonders nahe.[5]
Das dritte Jahrhundert brachte eine stärkere Betonung des bischöflichen Vatertitels. Die zunehmenden Amtsbefugnisse, d. h. die immer
umfassendere Regierungsgewalt des Bischofs, ließ seine Rolle der des
souveränen römischen Familienvaters ähnlicher werden und über die
reine Lehrfunktion weit hinauswachsen. Klassisches Beispiel für einen
solchen Bischof, der zugleich einem Vater der Christen-Familie, also
der Kirche, und einem römischen Magistraten vergleichbar war, ist
Cyprian von Karthago (gest. 258), für den der bischöfliche Vatertitel
oft und ausgeprägt bezeugt ist. Hier muß nun aber gleich noch auf
eine terminologische Besonderheit hingewiesen werden: Zugleich mit
der Ausbreitung der Vateranrede für den Bischof entwickelte sich die
Bevorzugung nicht der Anrede »pater«, sondern »papa« oder griechisch »papas«. Es handelt sich hier offensichtlich um eine Bildung der
christlichen Sondersprache; denn diese Anrede ist außerhalb des christlichen Bereichs nicht als Titel einer würdigen Amtsperson, sondern als
ausgesprochen familiäre Anrede, etwa im Sinne von »Väterchen« oder
eben unseres »Papa«, bezeugt.
Wie es zu dieser Adaption an die christliche Bischofstitulatur kam,
kann nur erschlossen werden: Zur Zeit, als die Gemeinden noch klein
und leicht überschaubar, also familienähnlich, waren, kam die Anrede
auf, wuchs aber bald über die vertrauliche Bedeutung hinaus und
wurde zu einem Würdeprädikat, das bei Cyprian mit Attributen versehen wurde wie: beatissimus et gloriosissimus papa.[6] Trotz des Vor-
dringens dieses Titels blieb auch für den Bischof der gewöhnliche
Vatertitel erhalten, so daß etwa noch Augustin einmal als »pater«,
einmal als »papa« angeredet wurde – freilich mit der Differenz, daß
»papa« unmißverständlicher Amtstitel, »pater« etwas unbestimmter
war und mit »episcopus« ergänzt wurde.[7]
Warum der gewöhnliche Vatertitel nicht ganz eindeutig war, versteht man leicht, wenn man beachtet, wie im 4. Jahrhundert *eine neue
Form geistlicher Vaterschaft* hervortritt, die stärker jene Motive aufnimmt, die wir in einem Ausdruck wie »unser Vater Abraham« festgestellt haben: es sind die alten Garanten der echten Überlieferung

gemeint. Diese Wortverwendung hatte sich seit dem 2. Jahrhundert vorbereitet.[8] Mit dem Ausbruch der großen dogmatischen Streitigkeiten im 4. Jahrhundert, in denen eine Entscheidung mit der Bibel allein schwierig wurde, hob deshalb ein Streit um die Meinung der Väter an. Jede Partei berief sich auf den Konsens der Väter oder bestimmte Vätersprüche und glaubte in ihnen die unverdorbene Überlieferung seit der apostolischen Zeit in der Hand zu haben. Die Reihe der Väter verlief von den gegenwärtigen oder kürzlich verstorbenen Bischöfen über die früheren bischöflichen Schriftsteller bis zu den Aposteln, evtl. bis zu den alttestamentlichen Vätern zurück und war im großen ganzen nichts anderes als die apostolische Sukzession hinsichtlich ihres Lehrgehalts. Die *Konzils*väter spielten dabei mit der Zeit natürlich eine besonders große Rolle, weil man sich je später desto mehr auf ergangene Konzilsverlautbarungen berufen konnte. Man »folgte« in allem den »heiligen Vätern« und warf seinen Gegnern Abfall von der »opinio patrum« vor, wobei man unter »Vätern« aus naheliegenden Gründen im großen ganzen Bischöfe verstand.[9]

Diese Tendenz führte mit einer gewissen inneren Notwendigkeit zur Ausbildung einer eigenen Gelehrsamkeit, die in der Sammlung, Sichtung und Interpretation der Väterzeugnisse bestand. Deshalb erfuhr der Begriff im 5. Jahrhundert eine Ausweitung und bekam mehr und mehr den Sinn des autoritativen Kirchen*schriftstellers*, also nicht nur des Bischofs. Dies erforderte aber sofort wieder eine weitere Präzisierung; denn die Fülle der nunmehr verfügbaren Vätersprüche wurde keineswegs mehr als eindeutig empfunden. So bestimmte der südfranzösische Priester und Mönch Vinzenz von Lerinum (gest. vor 450), bei dem diese Begriffserweiterung vollzogen ist, daß nur jene Väter als Zeugen der reinen Lehre zu gelten hätten, die stetig in der Gemeinschaft der katholischen Kirche geblieben seien. Überhaupt könnten nicht Väterzeugnisse an sich genügen, sondern das sei für orthodox zu halten, was überall, immer und von allen in der Kirche geglaubt worden sei.[10] Hier ist der Ansatz für eine ganze Wissenschaft gegeben, die in der Neuzeit (17. Jahrhundert) den Namen »theologia patristica« (heute »Patristik«) erhielt und neben die »theologia biblica« u. a. trat. Sie hatte den Väterbeweis für die Dogmatik zu leisten, eine Sache, die auch für die Theologie der Reformationskirchen Bedeutung erlangte.[11] Bis heute gilt in der römisch-katholischen Kirche als Kirchenvater, wer 1. zum kirchlichen Altertum gehört, 2. die orthodoxe Lehre vertreten, 3. sich durch ein heiliges Leben ausgezeichnet und 4. die Approbation durch die Kirche erfahren hat. Origenes ist also kein Kirchenvater, weil einige seiner Sätze später verurteilt wurden, während andrerseits ein Mann wie Augustin zudem den Ehrentitel des Kirchen*lehrers* erhalten hat.[12] Bezeichnend für die Entwicklung im Westen dürfte sein, daß, wie erwähnt, seit dem 5. Jahrhundert das *reine* Väterargument eine Relativierung erfuhr durch die

Rückfrage nach der *kirchlichen* Wertung der einzelnen Autoritäten. Die Unmittelbarkeit des Väterbeweises, die Präsenz der Kirchenväter ist in der orthodoxen Kirche des Ostens zweifellos größer geblieben und nie hinter dem höchsten kirchlichen Lehramt zurückgetreten.

Eben zu diesem Amt ist nun noch eine Bemerkung nachzutragen: Der Titel »papa« hat sich bekanntlich mit der Zeit zum einzigartigen Ehrentitel des römischen Bischofs entwickelt. Dabei ist hier nur noch von Interesse, wann und wie die Einengung erfolgte, nicht so sehr, *daß* dieser Würdenträger den Titel überhaupt erhielt. Die Beschränkung ist eine Eigentümlichkeit der westlichen Kirche und ging Hand in Hand mit der Durchsetzung der päpstlichen Primatsansprüche. Seit dem 6. Jahrhundert war in der lateinischen Kirche der römische Bischof praktisch der einzige papa. Im Osten dagegen, wo ursprünglich der Titel vorzüglich dem Bischof Alexandriens gegeben wurde, breitete sich später sein Gebrauch so weit aus, daß wir heute von einem orthodoxen »Popen« reden und damit den gewöhnlichen Priester meinen.[13]

Noch ist nicht alles Nötige zur geistlichen Vaterschaft gesagt: Der dritte Strang neben der Entwicklung zum Bischof und zu den Kirchenvätern verläuft zum »Abt« hin, d. h. zum *Mönchtum*. Es läge nahe, hier eine einfache Parallele zu sehen und etwa zu sagen: Wenn schon der Vorsteher einer Diözese einen Vatertitel erhält, dann ist es ja klar, daß man ihn auch einem Klosterleiter geben muß. Mag auch die mittelalterliche Entwicklung besonders im Westen dieser Assoziation einigermaßen recht geben, so trifft sie doch für die Ursprünge des Mönchtums keinesfalls zu. Der Titel selbst ist ja schon merkwürdig: Warum heißen die Mönchsväter so oft und so früh Abbas, Abba, koptisch: Apa, warum beschränkt sich andrerseits der Papa-Titel so stark auf Amtsträger, so daß es kaum Mischungen gibt? M. W. ist das Werden dieser Titulatur so wenig erhellt bzw. nur erschließbar wie das Entstehen des papa-Titels für den Bischof. Es handelt sich um den semitischen, also hebräisch-aramäisch-syrischen Vaternamen, der im griechischen Neuen Testament nur als Ruf zum göttlichen Vater erscheint (Gal. 4,6; Röm. 8,15), sonst aber auf Menschen nicht angewandt wird. Als dann die ersten Anachoreten, also Einsiedler, in Ägypten und Syrien in den letzten Jahrzehnten des 3. Jahrhunderts auftauchten, war für sie der Abba-Titel bereits fest im Gebrauch. Ihre Muttersprache war ja auch nicht das Griechische. Die Anrede für den geistlichen Vater, die, wie gesagt, seit dem 2. Jahrhundert im Christentum gebraucht wurde, hat sich also in ihrer semitischen und von da entlehnten koptischen (d. h. ägyptischen) Form von Anfang an mit dem Mönchtum verbunden und ist an ihm gleichsam haften geblieben – interessanterweise nicht im späteren orthodoxen Christen-

tum des Ostens, wo der Einfluß des Basilius seit dem 4. Jahrhundert korrigierend wirkte (Abt neugriechisch = Hegumenos).[14]
Die Urform des Abtes ist also der Einsiedler in der Wüste. *Seine Vaterfunktion übt er ausschließlich durch seine göttliche Inspiration aus*, die die Menschen, die geistlichen Söhne, anzieht. Man geht hinaus zu einem Abba und bittet ihn um einen Spruch, um ein lebenschaffendes, weisunggebendes, offenbarendes »Apophthegma«, wie denn die Sammlungen solcher Aussprüche auch »Apophtegmata Patrum« heißen. Je und je wurden die Wüstenväter gebeten: »Abba, sag mir ein Wort, daß ich gerettet werde!« Die Worte, die bei solchen Gelegenheiten gesprochen, *gegeben* wurden, waren oft einfach Bibelsprüche, und auf Rückfragen mochte dann wohl auch einiges zusätzlich erläutert werden; oder der Abba durchschaute den Frager und traf ihn mit einem Wort in sein Gewissen. So wurde der Frager zum geistlichen Leben neu geboren und entschloß sich vielleicht, selbst Mönch und Jünger eines Abba zu werden. Das Ziel dieser Jünger war, vollkommene Selbstverleugnung in der Nachfolge Jesu zu erlernen und zu leben. Dazu sollte die bedingungslose Unterwerfung unter den Willen eines Abba dienen, mit der Überzeugung: Durch Gehorsam unter einem geistbegabten Seelenführer kann man den Himmel gewinnen. Zwar wird vom einzelnen sein Abba frei ausgewählt, dann aber ist die »Selbstwegwerfung« Bedingung des Gelingens. Und erst der, der diese harte und entbehrungsvolle Schule totaler Demut durchlaufen hat, kann nun seinerseits ein Vater für andere werden. Diese Vaterschaft hat also mit Institutionen gar nichts zu tun, ist aber andrerseits viel bedingungsloser vom Gehorsamgedanken beherrscht als der bischöfliche Vater-Gedanke (etwa: monatelanges Begießen einer verwelkten bzw. verfaulten Blume).[15]
Dies ist jedoch kein *gemeinsamer* Gehorsam, und die Vaterschaft bleibt im großen ganzen eine individuelle. Erst das *koinobitische Mönchtum* (koinos bios = gemeinsames Leben) seit Pachomius (erste Gründungen etwa seit 320) weitet den Abbas-Titel auf die Gemeinschaft aus. Aber auch da ist nicht in erster Linie an die regierende Tätigkeit eines Vaters gedacht, sondern an eine Ausweitung der charismatischen Vaterschaft der Wüsteneremiten: Pachom ist Lehrer und Vorbild; er ist auch der Gesetzgeber seiner Gemeinschaft; denn die Regel ist von Gott selbst gegeben und ist die verbindliche Aktualisierung der Heiligen Schrift, weshalb Pachom auch eingereiht wird in die Abfolge der biblischen Väter, des Mose, der Propheten, der Apostel. Und so wird er denn als Mittler zwischen den Mönchen und Gott gesehen und gilt nach seinem Hinscheiden als Fürsprecher im Himmel. So wird Pachomius geradezu zum »Vater« schlechthin, von dem mit dem Titel »unser Vater« geredet wird, und man fragt sich, wo denn hier der göttliche Vater im Himmel geblieben sei. Im Himmel ist ja »unser Vater Pachom«, der vor Gott *für* seine treue, evtl. auch *gegen*

seine untreue Klostergemeinschaft Zeugnis ablegt.[16] Gerade in dieser Übersteigerung kommt aber indirekt ein wichtiges Element mit zum Zug: die irdische Mönchsgemeinschaft ist ans Evangelium, an *die Regel als Vermächtnis des verstorbenen Vaters* und nicht einfach an den irdischen Abt gebunden. Alle sind sie einer Norm untergeordnet, und Obere wie Untere müssen stets neu auf diese Norm hin geprüft werden und erforderlichenfalls Buße tun.

Und dies bleibt nun auch beim *benediktinischen Abbas* so: Er ist nicht einfach der unumschränkt herrschende Hausherr, sondern der fürsorgende Hirte und Seelenführer, Lehrer und Stellvertreter Christi auf Erden, der für die ganze Gemeinschaft Rechenschaft ablegen muß. Es gibt daneben auch den gegenseitigen Gehorsam der Brüder untereinander, und es gibt die Möglichkeit, bei unausführbar scheinenden Befehlen sich vertrauensvoll an den Abt zu wenden. Der sklavische Gehorsam der Wüstenmönche ist hier also einer stärkeren Mitverantwortung gewichen. Dennoch ist ganz unzweideutig klar: Durch die Unterordnung unter den Abt erlangt der Mönch das Heil. Wie Christus dem Vater, so wird der Mönch dem Abt gehorsam.[17]

Es kann kein Zweifel daran bestehen, daß seit dem 4. Jahrhundert im *Mönchtum jene Verwirklichung des Vater-Sohn-Verhältnisses* gefunden wurde, welche außerhalb wie innerhalb der Kirche sonst nicht mehr oder nur sehr viel schwerer gefunden werden konnte. Zugleich mit dem geglückten Autoritätsgefüge war unter den Mönchen auch die wahre Gemeinschaft gegeben, von der immer wieder gesagt wurde, sie erneuere die ideale Lebens- und Gütergemeinschaft der Urchristenheit. Das alles gilt auch für Augustin, der ja auch einer der Mönchsväter des Abendlandes geworden ist. Zwar muß der (bei ihm nicht abbas genannte) praepositus (Vorgesetzte) sich nicht durch potestas dominans (beherrschende Macht), sondern durch caritas serviens (dienende Liebe) bewähren, aber dennoch gilt uneingeschränkt: »Dem Vorgesetzten ist wie einem Vater zu gehorchen.«[18]

Damit sind wir bei dem Mann angelangt, der ein besonders problematisches Verhältnis zu seinem leiblichen Vater hatte, und damit ist der Punkt erreicht, wo wir nochmals neu ansetzen und nach den Hausvätern im Christentum der Antike fragen können.

Generell kann über die christliche *Erziehung im Elternhaus* und über die Rolle des Vaters gesagt werden: *Der leibliche Vater soll zum geistlichen Vater werden und beide Pflichten ganz erfüllen.* Das bringt zugleich eine Mehrung und Verschärfung seiner Vaterpflichten mit sich, aber auch eine Relativierung. Die Relativierung ergibt sich von selbst dann, wenn das heranwachsende oder erwachsene Kind Gott mehr gehorcht als den Menschen, z. B. zum Märtyrer wird oder den Asketenstand wählt und sein Erbe verschenkt oder durch Übernahme eines kirchlichen, besonders des Bischofs-Amtes aus der Familientradition ausscheidet. Dieselbe Relativierung trifft auch die Kinder in ih-

ren Pflichten gegenüber Vater und Mutter: Das Gebot der Eltern-
ehrung gilt zwar im Prinzip ebenso wie die patria potestas, aber nur
so weit, als der Gehorsam gegenüber dem göttlichen Vater nicht ge-
schmälert wird. Besonders kraß sind selbstverständlich alle jene Fälle,
wo Heiden und Christen in einer Familie bzw. Hausgemeinschaft gemischt sind und sich aus eben diesem Grundsatz Konflikte ergeben
müssen.
Wenn etwa christliche Sklaven auf Kinder heidnischer Eltern Einfluß
zu nehmen anfangen, dann wird das Christentum zu einer Religion
des Aufruhrs im Hause, wie es uns der Christengegner Kelsos aus
dem späten 2. Jahrhundert schildert.[19]
Aber lassen wir dieses Problem auf sich beruhen, weil es nicht den
Normalfall darstellt. Als Normalfall ist anzusehen, daß das Haus,
also wohl meist einschließlich der evtl. vorhandenen Sklaven und
sonstiger Personen, als ganzes eine religiöse Einheit bildet, auch wenn
einzelne Glieder indifferent bleiben. Ja, noch mehr: das christliche
Haus ist für die ersten Jahrhunderte des Christentums überhaupt die
einzige christliche Erziehungsstätte der Kinder. Die Kirche hat im
Altertum keine christlichen Schulen und keinen besonderen Katechu-
menenunterricht für Kinder eingerichtet. Die Kinder der Christen besuchten die normalen, also stark heidnisch ausgerichteten Schulen auch
nach der Konstantinischen Wende. Deshalb war vor *und* nach der Anerkennung des Christentums die Familie der einzige Ort religiöser
Erziehung. Das besagt aber: *der Vater war im Hause der Bischof,*
ihm und der Mutter war praktisch die alleinige Verantwortung dafür
übertragen, daß die Kinder christlich erzogen wurden. Wir wissen
zwar, daß die Kinder zum Gottesdienst, also auch zur Eucharistie,
mitgenommen wurden. So wichtig dies für die religiöse Sozialisation
gewesen sein mag: ohne eine kindgemäße Erklärung dieser Dinge
dürfte das doch wohl kaum genügt haben.
Darum werden schon im Neuen Testament die Väter bzw. Eltern er-
mahnt, ihre Kinder in der »Zucht und Vermahnung zum Herrn«
(Eph. 6,4: paideia und nuthesia) zu erziehen, und ähnliche Anweisungen wiederholen sich dann immer und immer wieder. Aber wie hat
das konkret ausgesehen? In erster Linie ist hier anzunehmen, daß die
üblichen religiösen Verrichtungen im Hause von den Kindern mit-
vollzogen wurden, also das tägliche Gebet, Schriftlesungen, Fasten,
Spenden von Almosen und Armenspeisungen, Besuche bei Gefange-
nen. *In all dem unterrichteten die Eltern hauptsächlich als Vorbilder
und durch die Atmosphäre, die im Haus herrschte. Und was sonst?*
Man wird wohl annehmen müssen, daß hier nicht nur unsere Quellen
wenig aussagen, sondern daß eben überhaupt wenig getan wurde.
Das dürfte damit zusammenhängen, daß das Altertum dazu neigte,
die Kinder als kleine Erwachsene zu behandeln, und sich deshalb so
etwas wie ein besonderes Programm der religiösen Kindererziehung

nicht ohne weiteres nahelegte. Es gibt ganz wenige Schriften aus der Alten Kirche, die sich mit dem Thema beschäftigten, und eigentlich nur eine einzige, die programmatisch wenigstens in ihrer zweiten Hälfte genau dieses Thema behandelt. Es ist Johannes Chrysostomos' Schrift »Über Hoffart und Kindererziehung«.[20] In dieser Schrift wird das Thema mit großer Sorgfalt und Ausführlichkeit behandelt, und es treten Motive auf, die wir einzeln auch sonst antreffen:

Zunächst und vor allem: Der Vater muß sich persönlich um das Kind bemühen. Er hat vielleicht Sklaven, denen er manche Belange überläßt, aber da ist Vorsicht geboten. Sie könnten einen schlechten Einfluß ausüben. Also müssen die Eltern selber gerade die religiöse Erziehung besorgen oder sich einen qualifizierten Pädagogen leisten. Selbst wenn der Vater an seinen eigenen christlichen Qualitäten zweifelt, muß er alles dazu tun, einen Christen aus seinem Kind zu machen. Eventuell ist ihm das sogar ein Ansporn für sein eigenes Tugendleben. Selbstverständlich ist die Mutter nicht ausgeschlossen, doch wird angenommen, daß sie sich auf dieselbe Weise eher der Erziehung der Mädchen widmet. Was die Erziehungsmaßnahmen im einzelnen betrifft, so werden zahllose Ratschläge gegeben, wie man die unerwünschten Triebregungen und Vergnügungen wie z. B. Gaumen- oder Theaterfreuden gar nicht erst aufkommen lassen oder eindämmen könnte. Die Abschirmung des Kindes von unerwünschten Reizen spielt eine hervorragende Rolle. Sehr eingehend schildert Chrysostomos auch das Erzählen biblischer Geschichten mit wörtlicher Paraphrase etwa der Geschichte von Kain und Abel, deren moralische Wirkung er für besonders stark hält. Bei solchen Erzählungen, so wünscht er ausdrücklich, sollen Vater *und* Mutter anwesend sein. Was er sich vorstellt, ist also eine richtige Hauskatechese. Freilich dürfte vieles nur in einem vornehmen Hause so durchführbar gewesen sein, und wie die entsprechende Erziehung bei armen Leuten aussah, wissen wir nicht. Die vielen lehrhaften Gespräche zwischen Vater und Sohn, die Chrysostomos vorschlägt, waren ja wohl nur einem halbwegs gebildeten Manne möglich, und Bildung war im Altertum meist eine Sache des Geldes.[21]

Über diese speziell religiösen Belange hinaus ist zum Bild und zur Ethik der Familienväter nicht viel zu sagen, was nicht in der hellenistischen und jüdischen Moral der Zeit auch schon gesagt wird. Von unmäßiger Strenge wird immer wieder abgeraten, schon Eph. 6,4: »Reizt eure Kinder nicht zum Zorn« (parorgizein)! Auch Chrysostomos will Strafen und Belohnungen sorgfältig abgestuft wissen und rät dringend vor öfterem Prügeln ab. Natürlich weiß man andrerseits, daß zu große Schonung nur Schaden anrichtet. Auch scheint für Chrysostomos Furcht ein durchaus legitimes Erziehungsmittel zu sein. Aber die Tendenz ist eigentlich fast immer, die Kinder anzureizen, anzutreiben, zu ermuntern und *so* zu fördern, d. h. so weit wie möglich Zwang und Gewaltanwendung zu vermeiden. Abgesehen davon ist in jeder Hinsicht, also auch im Äußeren, den christlichen Eltern die Fürsorge für ihre Kinder aufgetragen. Vernachlässigung der Kinder ist eine schwere Sünde vor Gott, und Kindsaussetzungen, Abtreibung usw. sind unbedingt verboten. Nur das betonte Streben und Erziehen auf Ruhm und Geld hin, ebenso Spaß an Mode und Vergnügungen werden abgelehnt.

Ein Einwirken der Kirche auf die Kindererziehung ist, wie gesagt, zunächst nur im Zusammenhang mit der Teilnahme am allgemeinen Gemeindegottesdienst festzustellen. Hier eröffnet sich nun freilich mit dem Aufkommen des *Mönchtums* eine weitere Möglichkeit: Schon bei den Wüstenermiten müssen gelegentlich Kinder aufgenommen worden sein, und die Klöster entwickelten sich fast ausnahmslos zu Erziehungsstätten. Dies freilich nicht in der Form einer regelrechten Klosterschule, aber doch so, daß Kinder aufgenommen wurden und am Leben der Mönche teilnahmen. Da auch ein Teil der Mönche noch Schreiben und Lesen lernen mußte, war die Einordnung der Kinder in die Klostergemeinschaft zugleich eine Art Schule, aber natürlich wegen der Schriftlesungen und Gottesdienste auch eine sehr intensive Form religiöser Unterweisung. Für Waisenkinder und Kinder aus ärmeren Bevölkerungsschichten dürfte die Klostererziehung zudem den fast einzigen Weg zur höheren Bildung und zu einer differenzierteren religiösen Erziehung gebahnt haben.[22]
Wenn zum Schluß wie im ersten Teil (s. o. S. 62 ff.) noch gesondert auf *Augustin* eingegangen wird, so nicht deshalb, weil seine Ethik oder seine Predigt an Eltern und Kinder sich besonders stark abheben würde von dem, was die griechischen und lateinischen Väter vor ihm und gleichzeitig mit ihm sagten, sondern weil seine Biographie und der theoretische Hintergrund seiner pädagogischen Anschauungen von Interesse sind.
Bei Chrysostomos dürfte die Überzeugung vom freien Willen und der positiven Formbarkeit des Menschen eine wichtige theologische Vorraussetzung der ausführlichen Erziehungsanweisungen sein. Augustin dagegen ist ein Vertreter der strengen Prädestinationslehre, der strengen Erbsünden- und entsprechend der unbedingten Gnadenlehre. Gerade die Confessiones illustrieren ja einen Weg, der von seiner Seite aus lauter Irrungen, von Gott aber aus lauter Güte bestand und nur darum zum guten Ende führte. Dies Wirken Gottes in seinem Leben erweist sich nun bei näherem Zusehen keineswegs als eine *direkte* erzieherische Wirkung auf den jungen Augustin, sondern – über gut dreißig Jahre hinweg – als ein verborgenes, ihm selbst unbewußtes Wirken. Auch die vielen Strafen Gottes, von denen Augustin spricht, erwähnt er nicht im Sinne von *damals* erfolgreichen Erziehungsmaßnahmen Gottes, sondern im Sinne von Leiden, deren wah-

ren Sinn er erst viel, viel später einsehen lernte. Auf weite Strecken ist also das Tun Gottes entweder ein Zufügen von unbegreiflichen Leiden oder, und dies dürfte entscheidend sein: ein Aufleuchtenlassen der Wahrheit im Inneren, ein inneres Bewegtwerden des Willens auf das wahre Gute hin.

Eine ähnliche Zweischichtigkeit findet sich in Augustins Erziehungstheorie: Das Herrschenmüssen über andere Menschen, also auch das Vatersein und Erziehen, ist eine Folge des Sündenfalls und eine schwere Last – denn Strafe muß sein. Auch die Prügelpädagogik, die er selbst erfahren hat und schwer beklagt, verurteilt Augustin eigentlich nie. Sie gehört zum Elend der sündenbeladenen Adamskinder.[23] Diesem Motiv tritt nun aber ein anderes zur Seite, nämlich eine »Lerntheorie«, die vor allem in dem Dialog »De magistro« festgehalten ist: Der Lehrer lehrt eigentlich gar nicht; denn das Lernen des Schülers kann ja nur Wiedererinnerung sein, und die ganze Aktivität des Lehrers ist unter dem Stichwort: admonere (erinnern, mahnen), nicht docere (lehren) zusammenzufassen wie die des Schülers unter intus invenire (innen finden), nicht discere (lernen)! Lernbar ist eigentlich nur, was wir aus äußerer Beobachtung oder aus innerer Erfahrung selbst wissen. Wir haben es in Augustins Erkenntnislehre also wie in seiner Gnadenlehre mit einer Dualität von innen und außen zu tun, die – mutatis mutandis – ja auch in der Trinitätslehre zu beobachten war (s. o. S. 62 f.). Und diese Dualität schließt doch wohl jene pädagogische Motivation nahezu aus, die immer dann möglich wird, wenn an die direkte Einwirkung auf ein freies Subjekt mit noch formbarer Seele – nach dem Bild von der Wachstafel – geglaubt wird. Der Dialog »De magistro« gibt Gelegenheit, auch auf Augustins biographische Vaterbeziehungen einzugehen; denn der Dialogpartner ist sein eigener Sohn, der aus seinem 15jährigen Konkubinat hervorgegangen und offenbar von überragender Intelligenz war. Aus Andeutungen kann man entnehmen, daß sich Augustin durchaus als christlicher Vater ihm gegenüber bewährt hat und erforderlichenfalls mit der nötigen eigenen Autorität aufzutreten wußte.[24] Dennoch ist es nicht von ungefähr, daß der Sohn sehr bald zum Glied der asketischen Männer-Gemeinschaft wurde, in der Augustin seit seiner Mailänder Zeit lebte. Die männlichen Partner waren für Augustin die wichtigsten Mitmenschen – abgesehen von seiner Mutter –, und er hat wie keiner die Freundschaft gepriesen und Freundschaften durchlebt und durchlitten. Augustin hat auch später eigentlich immer mit Freunden bzw. christlichen Brüdern zusammengelebt und ist so ja auch zu einem Gründer der Klerikerklöster, der späteren Chorherren-Stifte, geworden. In solcher Gemeinschaft konnte er sich als souveräner philosophisch-theologischer Dialogführer, d. h. als partnerschaftlicher geistlicher Vater erweisen. In dieser Rolle fand er ohne Zweifel die Erfüllung seines Daseins, soweit es die mehr private Lebenswelt betrifft. Sein individuelles Leben mündet offensichtlich in jenen breiten Strom ein, den wir vorher beschrieben haben, eben in die religiöse Vater- und Bruderschaft, die alle Bande zur leiblichen Familie nebensächlich werden läßt, aber ein neues Vatersein ermöglicht.

Wie ist Augustins Entwicklung *bis* zu diesem Punkt *hin* zu beurteilen? Die psychoanalytische Deutung von Kligerman[25] versucht, vom Ödipuskomplex aus die wichtigsten Entwicklungsschritte zu begreifen: Da war auf der einen Seite der das Heidentum und die Männlichkeit repräsentierende Vater, den der Knabe durchaus bewunderte und liebte, und auf der anderen Seite die eher bigotte, dem Sexualleben und Heidentum ihres Mannes abgeneigte, aber zärtlich-besitzergreifende Mutter, die in ihrem Sohn das zu erlangen hoffte, was ihr Mann ihr nicht bieten konnte. Augustins Übertritt zum Manichäismus, sein Konkubinat und schließlich die für die zurückbleibende Mutter überraschende heimliche Abreise nach Rom – all das waren nach Kligerman Versuche des Heranwachsenden, sich von dem Zugriff der Mutter zu lösen, ja, ihr Schmerzen zuzufügen und so die eigene Virilität zu verwirklichen; dies um so mehr, als der Vater ja früh starb und Augustin nun erst recht, aber auf ambivalente Weise an seine Stelle treten konnte. Ambivalent – denn die Abstoßung und Kränkung der Mutter erweckte in Augustin Schuldgefühle, ja schwere Krankheiten. Deshalb kapitulierte er schließlich, als sie nach Mailand nachgereist kam, als sie die Auflösung des Konkubinats erzwang und zur Haushälterin und quasi-Mutter jener Männergemeinschaft wurde. Seine Bekehrung erscheint dann als Identifikation mit dem mütterlichen Element und als Wiedergewinnung des Vaters in Gott. Dies sind nur die Grundlinien der problematischen Rekonstruktion, deren Durchführung im einzelnen viele richtige Beobachtungen enthält.

Zu dieser Deutung nur einige Beobachtungen: Unverkennbar ist die Ambivalenz, also das Angezogen- und Abgestoßenwerden im Verhältnis zur Mutter, ebenso übrigens auch im Verhältnis zum weiblichen Geschlecht überhaupt: Von der Pubertät bis zur Bekehrung ist Augustin an Frauen gebunden und will sich doch von dieser sinnlichen Fessel – wie er das auffaßt – lösen. Geistige Gemeinschaft findet er nur mit Männern, abgesehen eben von der Mutter. Freilich ist sie ihm unterlegen und wird nach seiner Bekehrung mehr zu einer Jüngerin, während gleichzeitig Augustins Bindung an andere Frauen ganz aufhört. All das deutet, wie schon gesagt, auf eine erfolgreiche Identitätsgewinnung in der Vaterrolle hin. Nichts legt m. E. die Identifikation mit der Mutter bzw. Weiblichkeit nahe. Gott ist ja, wie wir gesehen haben, für Agustin gerade *nicht* primär der Vater oder der Seelenbräutigam. Auch sonst sind die Vaterbeziehungen Augustins relativ schwach. Ich würde anders als Kligerman schon diejenige des Kindes Augustin zu seinem Vater nicht hoch einschätzen, und geistliche Väter hat Augustin kaum gehabt: den berühmten Manichäerbischof Faustus erwartet er zwar sehnlich, aber die Begegnung bringt ihm eine Enttäuschung und schließlich die Abwendung vom Manichäismus; Ambrosius wird dann allerdings so etwas wie ein geistlicher Vater Augustins, aber bezeichnenderweise wagt er sich nicht recht an ihn heran und scheint nie in ein engeres persönliches Verhältnis zu ihm gelangt zu sein.[26] Zu dieser relativen Schwäche der Vaterbeziehungen Augustins paßt vorzüglich, daß er selbst als leiblicher und geistiger Vater, wie gesagt, immer eher das partnerschaftlich-freundschaftliche Element als die formale Autorität oder die Überlegenheit betont.[27]

Ein Zusammenhang zwischen dem Vordringen der geistlichen Vaterschaft in den ersten Jahrhunderten des Christentums mit dem Zurücktreten der göttlichen Paternität läßt sich nicht beweisen. Dennoch scheint mir diese gegenläufige Entwicklung unverkennbar. Dabei treten – typisch für den Westen – das formale Element der Traditions- und Amtsvaterschaft und die mehr partnerschaftliche Seelsorger- und Lehrerfunktion spürbar auseinander. Darin liegen Chance und Last des Vaterbildes im späteren Abendland beschlossen.

Friedrich Heyer

Vatertum im orthodoxen Äthiopien

Vater in der Familie

In der traditionellen äthiopischen Gesellschaft ist die Vaterposition mit archaischen Zügen ausgestattet. Sie läßt sich ganz nur im Kontext des vom Mann dominierten Sippen- und Öffentlichkeitslebens verstehen.

Schon vor der Geburt eines Kindes markiert der Vater sein Vatertum, indem er, sobald die Wehen einsetzen, der Gebärenden den Gürtel, der ihren sackartigen Umhang rafft, losbindet. Ist eine Geburt zu erwarten, so wird schon Wochen zuvor im Hause eine Speise vorbereitet, die nur bei diesem Anlaß gegessen wird: Ganfo, ein süßer Weizen- oder Gerstenbrei, mit Pfeffer und Butter gemischt, mit dem Messer zu schneiden. Am Tage der Geburt wird dies Ganfo gekocht. Es ist Aufgabe des Vaters, alsdann bei der Nachbarschaft umherzugehen, die Geburt seines Kindes anzuzeigen und die Besucher zum Ganfo-Essen aufzubieten. Was durch das Ganfo-Essen, das an ein Kultmahl erinnert, bewirkt oder verhindert werden soll, ist dem Äthiopier heute nicht mehr bewußt.

An dem Tage, an dem der Priester den Tukul aufsucht und mit Weihwasserbesprengung ähnlich der jüdischen Sitte reinigt (etwa eine Woche nach der Geburt), gibt der Vater dem Kind seinen säkularen Namen, etwa Girma oder Getatchew. Die Reinigung findet so statt: Der Priester taucht sein Handkreuz in ein Wassergefäß, durchzieht damit das Wasser in allen vier Himmelsrichtungen und besprengt die Wände.[1] Die Kinder empfangen bei der Taufe – 40 Tage nach der Geburt, sofern es sich um Knaben handelt, sonst 80 Tage – ihren wahren, geheimgehaltenen christlichen Namen, etwa Walda Istefanos. Da Menschen, die magische Praktiken kennen, nur unter Benutzung des Taufnamens Zauber gegen den Namensträger ausüben können, hält der Äthiopier seinen Taufnamen geheim. Der säkulare Name, der in Gebrauch genommen wird, eignet sich nicht für die Verwendung in der magischen Praxis Übelwollender.

Weil der Vater die Erziehungsgewalt innehat, wird er von den Kindern gefürchtet. Die Kinder gewinnen dabei ihre Mutter zur Bundesgenossin. Oft wiederholen sich die Szenen, daß das Kind, bei dem die Mutter etwas Strafwürdiges entdeckt, damit in Schrecken versetzt wird, daß die Mutter ankündigt: »Ich werde es dem Vater erzählen.« Dann jammert das Kind: »Bitte erzähle es nicht.« Die körperliche Züchtigung durch den Vater, wenn die Mutter das Kind verklagt, ist hart.

Mutter und Kinder speisen nicht mit dem Vater zusammen, wohl aber oft männliche Gäste, die zum Mahl geladen sind. Dann haben die Kinder mit Kerzen in der Hand bis zum Ende der Mahlzeit an der Wand zu stehen. Der Vater reißt von dem pfannkuchenartigen Injera-Brot, über dem er einen trinitarischen Segen gesprochen hat, für jeden Gast einen Lappen ab und reicht den Gästen diese Brotfetzen zu. Als Zeichen der Zärtlichkeit gibt der Vater den Kindern ein »Gusha«, einmal oder auch dreimal. Das ist auch ein Stück Injera, in Wat (gepfefferte Fleischsoße) getaucht und zusammengerollt, das den Kindern von der väterlichen Hand in den Mund geschoben wird. Den Kindern Gusha spenden ist ein symbolischer Akt, in dem das Vater-Kind-Verhältnis seinen Ausdruck findet.

Wird ein Knabe 7 Jahre alt, so nimmt ihn der Vater zum ersten Mal mit durch den rechts vom Altar gelegenen Männereingang zur Kirche. Bis dahin nimmt die Mutter die Kleinkinder zum Fraueneingang mit in das Gotteshaus und bringt sie zur Kommunion. Handelt es sich um Säuglinge – und bis zum Alter von 2 Jahren wird das Kind gesäugt – so wird die Mutter, kaum daß die Priesterhand das Sakrament in den Kindermund gestrichen hat, die Brust aus dem Shamma holen und dem Kind zu trinken geben. So mischt sich das Blut Christi mit der Muttermilch.

Die größeren Kinder haben nach dem Sakramentsempfang einen Schluck geweihtes Wasser zu trinken, das ihnen der Diakon aus dem Sewoa zureicht, und dann den Mund mit dem vorgehaltenen Shamma zu schließen.

Die Verheiratung der Kinder erfolgt durch die Entscheidung des Vaters. Diese Tradition scheint in der jetzigen Übergangsperiode, wo dies Vaterrecht von der nachwachsenden Generation bestritten wird, die häufigsten Konflikte zu verursachen. Der Generationsgegensatz verschärft sich besonders dann, wenn der Sohn eine höhere Bildung genossen hat und mit einer bildungslosen Frau verkoppelt wird, die ihm der Vater bestimmt. Oft halten die Söhne diese ihre erste Frau wie eine Dienstmagd und scheiden sich bald, was leicht möglich ist, sofern eine sakramentale Eheschließung (Bequrban) vermieden blieb. Bei der Wahl der zweiten Frau ist der Sohn vom Vater unabhängig. Der Mann sendet eine Ehefrau, die ihm schlecht erscheint, weg, indem er dem Sprichwort folgt: »Wenn ein lockerer Zahn nicht vollends ausgerissen wird, hört er nicht auf zu schmerzen.«

Für den voraussehbaren Fall der Scheidung hat freilich der Bräutigam dem Brautvater einen Geldbetrag oder einen anderen Vermögenswert zu hinterlegen, der nach der Scheidung der Frau für ihre Subsistenz zur Verfügung steht.

Daß die Frau nicht nur eherechtlich dem Mann nicht gleichgestellt ist, geht auch aus folgendem hervor: Nur der Mann ist vertragsfähig. Nur er kann vor Gericht schwören. Höchstens als Zeugin kann eine Frau dienen, wenn sie sich zum Fraueneingang der Kirche führen und dort vereidigen läßt.

Ein Vater ist lebenslang zu ehren. Kinder haben bei der Begegnung mit ihm das Knie zu küssen, in dörflichen Gebieten auch seine Füße. Es ist der Vater, der den Kindern, wenn er es vermag, ein neues Kleid schenkt. Dann ziehen die Kinder das Kleid an, präsentieren sich und küssen des Vaters Knie.

Ein äthiopisches Sprichtwort sagt:

Abat salle agit
Tsahai salle rut

zu deutsch: »Lebt dein Vater noch, so hast du Glück. Wie als ob die Sonne scheint, kannst du tüchtig laufen.«

Faktisch geht vom Vater keine die Familie zusammenhaltende Kraft aus. Eine Familienauffassung, wie sie sich in Deutschland von der lutherischen Lehre vom Hausstand und vom häuslichen Amt des Vaters ableitet oder von der durch Johann Michael Sailer begründeten katholischen Familienseelsorge, darf man nicht unreflektiert in die äthiopischen Familienverhältnisse hineininterpretieren. Auch von einer Auffassung der Familie, wie sie sich in der russischen Orthodoxie findet, ist in äthiopischen Verhältnissen keine Spur anzutreffen. Wenn sich in der kirchenfeindlichen Atmosphäre der Sowjetunion die Tradierungskraft der Familie erweist, die den christlichen Glauben an die folgende Generation zu vermitteln vermag, so ist der äthiopischen Familie eine gleiche Tradierungskraft nicht zuzutrauen. Individualistisch, wie Äthiopier sind, lebt jeder für sich selbst seinen Glauben. Mann und Frau und Kind pflegen nicht gemeinsamen Kirchgang. Jeder geht, wenn es ihn treibt, für sich selbst. Außer in dem singulären Akt der sakramentalen Trauung werden Mann und Frau nie gemeinsam das Sakrament nehmen. Der lesekundige Vater, der womöglich nicht nur auf dem Kirchenhof, sondern auch zuhause kirchliche Bücher liest, wird dieselben nicht im analphabetischen Familienkreis zu dessen Erbauung vorlesen. Es gibt keine mit Tischgebet eingeleitete Kollektivmahlzeit der Familie noch andere die Familie zusammenfassende Frömmigkeitsakte. Treten bei der Kindererziehung kritische Lagen ein, so schickt der Vater das Kind zum Beichtvater, statt selbst das Problem zu lösen. Beim Confessor ist die religiöse Unterweisung der Kinder monopolisiert. Nicht der Vater hat die Aufgabe wahrzunehmen, kleine Kinder in den orthodoxen Glauben einzuführen.

Da sich der Vater oft von der Familie scheidet oder wegwandert und bald verschollen ist oder womöglich früh stirbt, laufen überall in Äthiopien Kinder herum, die fremde Männer anbetteln: »Mein Vater ist weggegangen« – oder: »Mein Vater ist tot. Willst du nicht mein Vater sein?«

Es gibt äthiopische Heilige, deren Heiligkeit im Gegenspiel zum Vater erworben ist – Beispiel der hl. Merauwi, aber auch solche, an die die Heiligkeit durch Praktiken des Vaters an das Kind vermittelt ist – Beispiel die hl. Walatta Petros.

Die Geschichte des hl. Merauwi[2] ist eine phantasievolle und im äthiopischen Volk viel erzählte Heiligenvita, eine Übertragung der Alexioslegende in einer typisch äthiopischen Abwandlung, recht unterschieden von der byzantinischen Version. Der Heilige, vorgestellt als Sohn des Kaisers Theodosius (der aber mehr Phantasiegestalt ist als identisch mit Theodosius II.), erblickt das Licht der Welt, nachdem die zunächst kinderlose Ehe der Eltern nach einer Wallfahrt zu den heiligen Stätten fruchtbar geworden war. Kaum waren die Studien abgeschlossen, bestimmten die Eltern den Sohn für die Ehe, die sie vom Patriarchen einsegnen ließen. Doch noch in der Hochzeitsnacht vertauscht Merauwi das brokatene Hochzeitsgewand mit Lumpen, nimmt Abschied von seinem Weib und flieht zu Schiff in ein asketisches Leben. »Das Reich meines Vaters und alles, was er besitzt auf Erden, ist doch vergänglich.«

Damit ist der Vater-Sohn-Konflikt grundgelegt. Als der Vater sich am Morgen beim Betreten des Hochzeitshauses in seiner Erwartung, einen glücklichen Sohn anzutreffen, enttäuscht sieht, die Kaiserin nicht weniger, da »fielen sie auf ihr Angesicht, zerrissen ihre Kleider, streuten Asche auf ihr Haupt und zerkratzten ihre Gesichter mit den Nägeln«. Jetzt spielt Theodosius seine kaiserliche Macht aus. 500 seiner Sklaven kleidet er in Seide, gürtet sie mit goldenen Gürteln und sendet sie je zwei und zwei in alle Länder der Erde, dort Almosen zu verteilen und Nachrichten über den Sohn einzuziehen, »das Licht meiner Augen«. Wer den Sohn finde, dem werde er die Hälfte seines Reiches geben. »Bis ich Kunde von meinem Sohn habe, werde ich nicht mehr auf meinen kaiserlichen Thron steigen, meine Augen werden sich nicht zum Schlafe schließen und meine Gedanken werden vor Schmerz keine Ruhe finden.«

Das im monophysitischen Glauben mit Äthiopien verbundene Armenien ist Schauplatz der asketischen Mühe des Merauwi. Als nach 5 Jahren zwei Sklaven seines Vaters dieses Land erreichen und Merauwi treffen, wünscht er sich, um unerkannt zu bleiben, den Aussatz, und wird damit auf der Stelle so unkenntlich, daß die kaiserlichen Boten ihm Almosen darreichen, ohne ihn zu erkennen. (Der hl. Merauwi gilt darum als Patron der Aussätzigen. Die Kirchen in den äthiopischen Lepraheimen sind ihm gewidmet.)

Als die Armenier den Heiligen so zu verehren begannen, daß er fürchten mußte, daß »seine Geschichte zu seinem Vater gelange und dieser komme, ihn zu ergreifen«, wich er aus Armenien. Ein Wind, den Gott schickt, treibt das Fluchtschiff gegen den Willen der Seeleute nach Konstantinopel, der Residenz des Vaters. »Denn der Herr hörte die Seufzer und Gebete des Theodosius.« Als der Sohn gewahr wird, wo er anlangte, hebt er die Arme zum Gebet: »Ich verherrliche Dich, Allerheiligster, daß Du mich durch Deinen Willen dahin geführt hast, wohin ich nicht wollte, und mich ins Land meines Vaters hast zurückkehren lassen. Aber jetzt, oh Herr Jesus Christus, enthülle nicht vor den anderen die Geheimnisse, die ich mit Dir habe, bis Du meine Seele von mir nimmst. Ich werde an den Hof meines Vaters gehen und ich werde von niemand anderem Almosen annehmen als von den Überbleibseln, die vom Tisch meines Vaters stammen.« »Und er sah seinen Vater, als dieser aus dem Hause kam und vorüberging. Er näherte sich ihm, warf sich vor seinem Vater in den Staub und sprach, ich bin ein armer elender Fremdling und Gott hat mich bei dir anlangen lassen, jetzt verlange ich danach, daß du an mir um Christi willen gute Werke tuest . . .« Beim Klang dieser Stimme fühlte sich Kaiser Theodosius an den geliebten Sohn erinnert, brach in Tränen aus, bestimmte zwei Sklaven, die ihn stets an diesen Bettler gemahnen sollten, und ließ ihm einen Unterschlupf bei der Pforte herrichten, damit er ihn beim Ein- und Ausgehen stets sehe.

Der hl. Merauwi, 15 Jahre lang in dieser Weise hausend, gab die ihm zuteil werdenden Spenden insgeheim anderen Bettlern, nahm nur sonntags Speise zu sich, beachtete die Stundengebete und erduldete Quälereien von seiten der Sklaven seines Vaters. Vor seinem Tode aber schrieb er seine Lebensgeschichte nieder, die er denn auch, tot hingestreckt, in der Hand hielt, bis der kaiserliche Vater, vom Patriarchen begleitet, sie fand. (In anderer Version wird Merauwi an seinem Evangelium erkannt, das ihm die Eltern einst gegeben.) In der Schlußszene wälzt sich Theodosius in der Asche: »Oh mein geliebter Sohn, Licht meiner Augen, den ich zum Erben meines Reiches ernannt. Du hast meine Freude ausgelöscht . . . Und schließlich, obwohl du mich als deinen Vater wiedererkanntest, hast du verlassen im Umkreis deines Vaters gelebt . . .«

Eigentümlich verschlüsselt wird in der Merauwi-Legende eine Vater-Sohn-Distanz und -Unablösbarkeit analysiert, deren hervorstechendes Merkmal es ist, daß sowohl Sohn wie Vater die Beziehung zum anderen mit Gott verrechnet.

Als ob es ein Kontrastbild zur Vita des hl. Merauwi wäre, kommt im Falle der hl. Walatta Petros[3] die Gottesbezogenheit der Heiligen in einer Art von Transmission vom Vater zur Tochter. Vom Vater, dem äthiopischen Adligen Bahr Segged, gehen schon vorgeburtliche Wirkungen aus. Höher könnte man die Frömmigkeit dieses Mannes nicht rühmen, als daß man berichtete, daß er das zweiwöchige Augustfasten vor der Assumptio Marias stets auf der Tana-Insel Riema begangen habe, unter Gebeten im Wasser stehend. Stets habe er dann das Fest mit einer Armenspeisung begangen, dabei auch von göttlichen Wundern unterstüzt. Denn als Bahr Segged einmal Mangel hatte, das Fest auszurichten, fand er in einem Fisch Gold genug. Bei der Eucharistie war es ihm gegeben, zu sehen, daß sich die Hostie in ein weißes Lamm verwandelte. Als ein Mönch in einer Vision über dem Schoß seiner Ehefrau eine Sonne stehen sah und diese Vision als Verheißung einer ungewöhnlichen Tochter deutete, beging Bahr Segged zweimal ein siebentägiges suba'e, d. h. jene strenge Form äthiopischer Reträten, bis ihm die gleiche Vision zuteil wurde.

Die Tochter, die geboren wurde – Wallata Petros –, wuchs zur verehrtesten der heiligen Frauen Äthiopiens heran. Ganz ungewöhnlich, daß Walatta als Mädchen in den Kirchenwissenschaften unterrichtet wurde, und als sie im Heiratsalter einem Adligen in die Ehe gegeben wurde, dem Malke'a Krestos – Haupt des Hofrats des Kaisers Susenyos (1607–1632), der unter Jesuiteneinfluß das Reich zur Union mit der römischen Kirche, »zur Religion der Europäer«, führte –, nutzte Walatta Petros die Abwesenheit ihres Gatten zum Kriegszuge, davonzufliehen und den Nonnenstand zu wählen. Jedesmal, wenn sie schwanger gewesen war, hatte sie den Herrn gebeten, daß der, den sie gebären werde, ein Ihm geweihtes Leben wählen oder sogleich sterben solle. Alle drei Söhne waren gestorben.

Niemand widerstand den Unionsversuchen des Kaisers mehr als diese Nonne, die im Land herumzog und Mönche und Priester ermahnte, dem »Glauben des Dioskoros« treu zu bleiben.[4] Alle Verfolgung, die sie vom Kaiser zu erdulden hatte, ertrug sie.

Von dieser Heiligen nun berichtet die Vita, daß schon der Name, der ihr in der Taufe gegeben war – Walatta Petros – determinierend für ihr Leben gewesen sei. Die Funktion des Namenspatrons, Fels zu sein, auf dem die Kirche gebaut ist, sei vom Apostel auf die Nonne übergegangen. So wirke der Namenspatron wie ein Vater: »Denn der Sohn des Königs wird König, der Sohn des Priesters wird Priester. Wie Petrus Haupt der Apostel war, so mußte Walatta Petros Haupt der Gläubigen werden.«

Aber auch das Verhalten des leiblichen Vaters, der die Tochter – ganz ungewöhnlich – mehr als seine Söhne liebte, bestimmt das Leben der künftigen Heiligen. »Als sie noch im zarten Kindesalter war, da sie weder Vaters Namen noch Mutters Namen kannte, setzte er sie auf den Stuhl oder auf das Bett, nahm sein Schwert und vollzog vor ihr turniermäßige Übungen, hob die Füße und tanzte für sie wie die Soldaten vor dem König tanzen. Und er sang Hymnen (Qene-Gedichte) auf ihren Namen und sagte ihr: Ich werde für dich sterben, ich dein Vater, oh gesegnetes Mädchen, das der Herr erwählt hat, Gesegnete und Geheiligte! Und so tat er jeden Tag, nicht etwa in Völlerei und Betrunkenheit, sondern im Status von Hunger und Durst, denn er war trunken von Liebe zu ihr und wußte, welches das von ihr ausgehende Geheimnis sei.«

Nimmt Vater und Sohn gleicherweise das Mönchtum an, so wird dies zu einem besonderen Moment an ihrem Verhältnis. So wird Samuel von Dabra Wagag, kaum siebenjährig, vom Vater dem Mönchsführer Takla Haimanot übergeben. Der Vater selbst läßt sich, nachdem er so der väterlichen Sorgepflicht hinreichend nachgekommen, als Mönch einkleiden. Später wird der Sohn, zum Klostergründer geworden, die Reliquie seines Vaters zur Kirche seines Klosters überführen. Das Vater-Sohn-Verhältnis spiegelt sich in dem Bericht, bei seiner Geburt habe Samuel eucharistisches Brot in der Hand gehalten, das davon herrührte, daß die Mutter vor der Geburt kommuniziert hatte, und habe dem Vater die Kommunion gereicht.[5]

Was der Hl. Geist bei den Heiligen hervortreibt und uns extravagant erscheint, muß im orthodoxen Kontext folgendermaßen interpretiert werden: Das Wunderhafte im Leben des Heiligen beweist nur, »daß die Norm des Menschlichen zu ihm zurückgekehrt ist« (Vladimir Losskij). So zeigen die von der äthiopischen Hagiographie legendenhaft berichteten Extravaganzen im Vater-Sohn-Verhältnis (eigentümlich chiffriert) nur, was das orthodoxe Volk Äthiopiens hier als Norm annimmt.

Auslegung des vierten Gebots

Fragt man nach der theologischen Basierung der Vaterehrfurcht im orthodoxen Äthiopien, so wird man auf das vierte Gebot verwiesen. Der Dekalog ist ein Grundtext, denn es wird tradiert, die Zehn-Gebote-Tafel vom Sinai sei vom Salomonsproß Menilek, dem Begründer der äthiopischen Dynastie, beim Zug aus Jerusalem nach Aksum transferiert worden.[6] Dieser urtümliche »Tabot«, der noch heute in Aksum, vor jedermanns Blick verborgen, aufbewahrt wird und auf dessen Rückseite Christus bei seinen Lebzeiten die sechs Gebote der nova lex nach Matth. 25 eingeritzt haben soll, wird tausendfach nachgebildet, bischöflich geweiht und bildet dann das Sanctissimum der Kirchen. Jede der über 13 000 Kirchen in den äthiopischen Bergen besitzt einen Tabot, der Christus, seiner Mutter oder einem der Heiligen oder einem Engel gewidmet ist. Das vierte Gebot nimmt an der zentralen Stellung des gesamten Dekalogs teil.

Wenn Mamher Menkir aus der Gelehrtenschule des Ayelle in Gondar das Tergum, d. h. die traditionelle Auslegung des vierten Gebots (Ehre Vater und Mutter, auf daß Du lange lebest im Lande, das Dir der Herr, Dein Gott gibt), liefert, dann muß er – der Auslegungsmethode entsprechend – erklären, daß sich für dieses Gebot mehrere Auslegungen finden. Er zählt sie auf:

1. Hier wird der Respekt gefordert, wie ihn das Kind seinem leiblichen Vater erweisen muß, damit es das Orit (das entspricht der jüdischen Thora) erfüllt.

2. In Zusammenschau mit dem Brief des Apostels Paulus an die Epheser (Kap. 6) bedeutet das 4. Gebot eine Hilfsanweisung an die Kinder. Der Sinn des Textes ist: Hilf Deinem Vater, wenn er alt ist und sich nicht mehr selber helfen kann!

3. Einige Ausleger meinen, das 4. Gebot gelte nicht nur den leiblichen Vätern. Auch die geistlichen Väter seien in analoger Weise zu ehren. Ihnen ist der gleiche Respekt zu zollen, z. B. dem Beichtvater (Nefs Abat) oder dem Bischof (abun).

Richtet man die Rückfrage an Mamher Menkir, ob denn auch die Vertreter der weltlichen Obrigkeit im 4. Gebot miteinbegriffen seien – etwa in Zusammenschau des 4. Gebots mit Röm. 13, so lehnt der orthodoxe Kirchenlehrer eine solche Ausweitung des Gebots entschieden ab. Eher könne man eine Linie zu Gott-Vater, der ersten Hypostase der Trinität, ausziehen. Bei den Kirchenvätern fände sich der Gedanke, Gott sei der reale Vater.

Hier muß freilich angemerkt werden, daß für den äthiopischen Frommen die Beziehung zu einem isolierten »Gott-Vater« deutlich zurücktritt zu Gunsten einem Bezogensein zur heiligen Trinität. Das christliche Bewußtsein, in die Geborgenheit eingekehrt zu sein, wird als ein »Wohnen im Haus der Trinität« beschrieben: »Frohlocke über die Dreieinigkeit, o Christenmensch, denn gebaut ist dir das Haus ihrer Dreieinigkeit. Darum kehre darin auch ein im Vertrauen auf die Dreieinigkeit. Nähre dich dort von dem Lamm des Evangeliums.« Ein andermal wird die Metapher des Hauses durch die des Kleides ersetzt: »Wir Christen haben das Linnen Seiner Dreieinigkeit zum Gewand.« So steht denn beim frommen Äthiopier am Anfang jedes Aktes die Anrufung: »Im Namen des Vaters und des Sohnes und des Heiligen Geistes, des einen Gottes, Amen.« Wenn der Bauer pflügt, wenn er sich sein Gesicht wäscht, wenn es donnert, wenn die Frau den Brotteig ansetzt oder der Mann das Injera-Brot anreißt, wird er diese Formel sprechen.[7] Daß dem so ist und die abendländische Beziehung zu einem Gott-Vater unentwickelt geblieben ist, liegt an der harten Konfrontation des äthiopischen Christentums mit dem Islam. Man setzte sich trinitätsgläubig dem streng monotheistischen muslimischen Gottesbegriff entgegen.

Spirituelle Vaterschaft

An Ersatzvaterschaften, die als spirituell begründete Beziehung aufgefaßt werden, kann man in Äthiopien nicht weniger als vier institutionalisierte Typen aufzählen: Den Paten (Krstena abat), den »supporter« (Eredit), der einen Knaben während der Schulzeit materiell unterstützt, den Kirchenlehrer, dem man sich als Schüler anvertraut (Mamher), und vor allem den Beichtvater (Nefs abat).

1. Der Pate tritt bei der Taufe, die bei Knaben am 40. Tage, bei Mädchen am 80. Tag nach der Geburt stattzufinden hat, in sein Amt. Die 40-Tage-Frist ist bei der Knabentaufe damit begründet, daß Adam erst 40 Tage nach der Schöpfung ins Paradies eingeführt sei. Eva sei ihm 40 Tage später nachgefolgt. Wird ein aus dem Heidentum bekehrter Erwachsener getauft, so läßt man ihn in Richtung auf den Sonnenuntergang die Abschwörungsformel sprechen und wendet ihn dann zum Glaubensbekenntnis nach Osten um. Bei der Taufe muß für jeden Knaben ein Mann, für jedes Mädchen eine Frau die Patenschaft übernehmen. Ist kein Pate zur Stelle, so nimmt einer der an der Taufhandlung mitwirkenden Diakone das Kind während der Sakramentsspendung auf seinen Arm und übergibt es damit dem Tabot, also dem durch die bischöfliche Weihe sakralisierten Abbild der 10-Gebote-Tafel, und damit dem Heiligen, dem der jeweilige Tabot geweiht ist. Handelt es sich etwa um den Tabot des hl. Takla Haymanot, so ist das Kind der väterlichen Obsorge des hl. Takla Haymanot wie einem Paten anvertraut. Aus dem Patenverhältnis ergeben sich Heiratsverbote analog den kanonischen Verboten für die Ehe von Blutsverwandten.[8] Der Pate wird sein Patenkind wie sein leibliches Kind behandeln. Zur Taufe wird er vielleicht ein Silberkreuz schenken, später aber Kühe oder ein Stück Land. (Da mit der Landreform der äthiopischen Militärregierung vom März 1975 Grund und Boden nationalisiert ist, wird dieser Zug des traditionellen Brauchtums verlöschen.) Der Krstena abat hilft beim Aufbringen der Hochzeitskosten.

2. Auf den Straßen Äthiopiens treiben sich heimatlose Knaben herum, meist bildungshungrig. Sie betteln wohlgestelltere Männer an mit der Bitte: Sei du mein Vater! Findet der Knabe einen solchen Eredit, so erhält er von ihm einen Unterschlupf oder einen kleinen monatlichen Geldbetrag, der es ihm ermöglicht, fern vom heimatlichen schulfernen Dorf eine primary oder secondary school zu besuchen. Weil dies in Äthiopien eine feste Institution ist, fand die deutsche »Kindernothilfe« (Duisburg), die für schulbegierige äthiopische Knaben deutsche fosterparents ausfindig macht, die für ihr äthiopisches Kind monatlich 40,– DM zahlen, sofort Verständnis für das von ihr praktizierte System. Schon haben mehr als 2000 äthiopische Knaben einen deutschen Eredit.

3. In eine väterliche Funktion treten auch die traditionellen Kirchenlehrer (Mamheran), die in einem Kloster oder bei einer Debr-Kirche Schultraditionen fortführen oder aus eigenem Impuls eine neue Schule gründen. Der Ruhm solcher Kirchenlehrer verbreitet sich unter den wandernden Scholaren. Die Kirchengelehrten bilden eine Schicht, die

sich von den gewöhnlichen Priestern abhebt. Ihre Schulen stellen eine von der bischöflichen Jurisdiktion freie Institution eigenen Rechtes dar. Die äthiopische Orthodoxie kennt kein Magisterium, das den Bischöfen reserviert wäre. Es war ja auch bis 1951 kein äthiopischer Bischof zur Stelle, nur der vom koptischen Patriarchat in Kairo entsandte Abun. Statt dem Episkopat ist die autoritäre Weitergabe der kirchlichen Lehre den Mamheran anvertraut, von denen gesagt wird, daß sie den Heiligen Geist empfingen und an die Stelle der Apostel gestellt seien.[9] Das traditionelle Schulwesen schafft sich seine eigene kommunitäre Struktur. Jeder Gelehrte kann seinen Platz in einem Gelehrtenstammbaum angeben, der bis zum Anfänger seiner Kunst in Äthiopien zurückreicht. Die Aufstellung solcher Gelehrtenketten entstammt womöglich der jüdischen Tradition. Die Rabbinen hatten feste Begriffe geprägt (Masar und Kibbel), die ausdrücken sollten, daß ihr Lehrgut von Mose bis zu Hillel und Schamai und von diesen bis zu ihnen selbst unverfälscht weitergegeben sei. In Äthiopien verbürgen die Sukzessionslisten der Gelehrten die unverfälschte Übergabe des Lehrguts und die legitime Übertragung des Lehrmandats. Man bedenke, welch hohe Bedeutung solche Sukzessionsketten einheimischer Gelehrter in einer orthodox geprägten Kirche wie der äthiopischen besitzen müssen, die keine nationalen Bischofslisten mit Weihesukzession ihr eigen nennt.

Die traditionellen Kirchenschulen (Temerhert bet) rekrutieren ihre Scholaren aus herbeiwandernden Knaben, die im Alter von 10–12 Jahren aus ihrem Elternhaus fortlaufen. *Es gibt in Äthiopien ein jugendliches Ausreißertum als sakrale Institution.* Ein Knabe, der sich berufen fühlt, verläßt eines nachts sein zuhause, um nie wieder die Beziehung zu Vater und Mutter aufzunehmen.[10] Mit dem Bergziegenfellumhang als vaganter Scholar kenntlich, wandert der Knabe tausend Meilen bis zu einem berühmten Lehrer und richtet sich bei ihm in einer primitiven Strohhütte ein. Hier lebt er womöglich 15 Jahre lang vom Bettel im benachbarten Dorf. Der aus dem Elternhaus ausgeschiedene Knabe gibt seinen Vatersnamen, den sonst jeder Äthiopier als Zweitnamen führt, auf und nimmt dafür den Namen seines Lehrers an. Ein Beispiel dafür: Der Qene-Dichter Astabereket Gettu empfing den Namen Gettu von seinem geistlichen Vater. Hier setzt sich eine Tradition fort, die schon bei Basilius dem Großen (Regulae fusius tractatae 32) anzutreffen ist.

Für die Scholaren gab es im traditionellen Äthiopien eine soziale Aufstiegschance. Man mußte nicht aus den sozial privilegierten Schichten stammen, um Kirchenwissenschaften studieren zu können und als Gelehrter berühmt zu werden.

Oft stehen die leiblichen Väter gegen die Fluchtabsichten ihrer Knaben. Sofern ein minderjähriger Flüchtling sich in einem Kloster als Mönch einreihen lassen wollte, gab es auch immer ein Vaterrecht, den

Minderjährigen aus dem Kloster zurückzufordern. Den hl. Filmona holte sein leiblicher Vater aus dem Kloster, in das er sich begeben hatte. Bei einer zweiten Flucht ins Kloster Debra Maryam fragte der Abt den Ankömmling nach seinem Vater, offensichtlich, um das Vaterrecht über den Minderjährigen zu respektieren. Aber auf die Auskunft: »Hier habe ich keinen Vater außer Gott selbst«, sah man von Maßnahmen ab. Auch die Heiligenlegende des Basalota Mikael berichtet von einer gewaltsamen Rückführung des flüchtigen Knaben durch die Hand des Vaters.

Die Beharrlichkeit der Scholaren im Auswendiglernen der Hymnen oder des Tergum der biblischen und patristischen Schriften unter der Führung ihrer väterlichen Lehrer ist erstaunlich. In einer Yared-Homilie wird berichtet, wie es dem jungen Yared (dem Schöpfer der äthiopischen Hymnik) als Tamari schwerfiel, die Psalmen auswendig zu lernen. Sein Lehrer, aba Gedewon züchtigte ihn darum. Yared ließ es an der nötigen Zähigkeit fehlen und floh in die Einöde. An dem Baum, unter dessen Schatten er sich niederließ, sah er eine Raupe hochklettern, die, sobald sie die halbe Höhe erreicht hatte, wieder zur Erde herabfiel. Doch die Raupe suchte sich keineswegs einen anderen Baum, sondern versuchte es immer wieder an dem gleichen, bis sie endlich als Ergebnis ihrer Ausdauer die Baumhöhe erreichte und sich an des Baumes Früchten gütlich tat. Das Beispiel der Raupe brachte Yared zur Umkehr zu seinem geistlichen Lehrer. Und siehe da, an einem Tage lernte er die 150 Psalmen, das Hohelied, das Marienlob und das Tergum der 81 Heiligen Bücher.[11] Da der Unterricht des Lehrers nicht klassenweise erfolgt – die Institution der Schulklasse entstammt ja dem französischen 17. Jahrhundert und wurde erst mit der modernen Regierungsschule in Äthiopien eingeführt – kommt der Einzelunterricht, den der Lehrer seinem geistlichen Sohne angedeihen läßt, dem Vater-Sohn-Verhältnis zu Gute.

Nach kleinen Anfängen in einer Hofschule Kaiser Menileks 1906 hat sich die Regierungsschule mehr und mehr rivalisierend neben die traditionellen Kirchenschulen geschoben, heute mit annähernd gleicher Schülerzahl. Da mit dem Abschluß in einer Kirchenschule kein Recht des Zugangs zu modernen Berufen gegeben ist, schien es, als ob die Kirchenschulen und damit das darin herrschende Verhältnis der geistlichen Väter zu geistlichen Söhnen dem Verfall preisgegeben seien. Doch seitdem die Regierungsschule das Unterrichtsfach Religion (Morals) gestrichen hat und der marxistischen Indoktrinierung dient, gewinnt die Kirchenschule eine gewisse Zählebigkeit zurück.

4. Am deutlichsten ist das spirituelle Vaterverhältnis des orthodoxen Äthiopiers zu dem Seelenvater (Nefs abat) ausgeprägt, den sich der Mann im Augenblick seiner Verehelichung unter der örtlichen Priesterschaft für seine ganze Familie aussucht. Vor dem Nefs abat legt man seine Beichte ab. Unbekanntem würde ein Priester die Beichte

oder die Kommunion verweigern. Meist sind schwere Krankheiten Anlaß zur Beichte, denn periodische Beichtverpflichtungen bestehen nicht. Der Confessor fuhrt sein Beichtkind zu den Gräbern im inneren Kirchenhof, die mit Steinen belegt sind, damit die Hyänen nicht die Gräber aufscharren. Vor der Absolution erfolgt die Aufforderung, dem Confessor Geld zur Verteilung an die Armen zu geben und eine gewisse Zeit, womöglich zwei Wochen, zu fasten. Ist die Sünde schwerwiegend, so wird der Nefs abat die Weisung geben, sich hundertmal zu prosternieren oder ein Suba'e (eine Bußretraite) in der verdunkelten Hütte zu halten. Dem Beichtkind wird dabei bedeutet, daß diese Satisfaktionen nicht die Absolution bewirken. Der Priester sagt: »Hoffe nicht, daß durch diese Bußstrafe deine Sünde ausgelöscht sei.« Die Freisprechung erfolgt dann unter Vater-unser- und Lossprechungsgebeten. Der Absolvierte küßt das Handkreuz des Priesters. Gern wählt man sich einen asketischen Priester als seinen Beichtvater. Denn ihm wird das Charisma zugesprochen, unerkannte Sünden aufdecken zu können. Am Sterbebett eines Heiligen fragten die Jünger flehentlich: »Vater! Wer wird uns jetzt die heimlich von uns vollendeten Sünden aufdecken und tadeln, damit wir zum Bringen guter Frucht geändert werden?«[12]

Ein Confessor soll möglichst nicht mehr als 7 Beichtkinder haben. Das ist ein Grund, warum sich die Gläubigen der Ausdünnung der Priesterzahl – rund 200 000 für 15 Millionen Gläubige – widersetzen. Der Nefs abat hat Geburts- und Todesdaten seiner Beichtkinder im Kopfe und weiß die Seelenmessen auf den 40. Tag oder auf ein Jahr nach dem Todesfall zu placieren.

Aber nicht vom Seelenvater allein, sondern von einem jeglichen Priester, der dem orthodoxen Äthiopier begegnet, erwartet er väterliche Akte. Beim Abschluß der Liturgie geht der zelebrierende Priester zu jedem einzelnen, ihn durch Handauflegung zu segnen. Dabei streift die priesterliche Hand so das Gesicht des Gläubigen, daß dieser die innere Handfläche küssen könne. Begegnet man einem Priester unterwegs, so wird man zu ihm eilen, mit der Stirn sein Handkreuz berühren und seine Hand küssen. Der Segen, der dabei erbeten wird, wird mit unterschiedlichen Formeln ausgesprochen. Einem Diakon gegenüber – Diakon wird man bereits im Alter von 10–12 Jahren und bleibt in dieser Funktion bis zum 17. oder 18. Lebensjahr – lautet das priesterliche Segenswort: »Die Gnade des hl. Paulus möge auf dir ruhen.« Für Männer lautet die Formel: »Möge Gott dich segnen und sein Angesicht über dir leuchten lassen.« Jungen Mädchen wird gesagt: »Gott schenke die einen gütigen Mann.«[13]

Rainer Specht

Über Funktionen des Vaters nach Thomas von Aquino

Das Mittelalter ist nicht weniger reich an theoretischen Verzweigungen als Antike und Neuzeit; und wenn im Folgenden nur über einen einzigen Autor berichtet wird, so darf dieser Bericht nicht als repräsentativ für eine ganze Epoche gelten. Es handelt sich um eine einzelne Ausprägung mittelalterlicher Philosophie unter vielen. Der Autor, auf den ich mich berufen werde, wird 1224 unter der Regierung Friedrichs II. von Hohenstaufen im Norden des Königreiches Neapel, nicht weit von Montecassino, als Sohn des Grafen von Aquino geboren. Nach seinem Studium an Friedrichs Universität Neapel tritt er mit zwanzig Jahren gegen den Widerstand seiner Brüder in den gerade eine Generation alten Predigerorden ein. Er studiert unter Albert dem Großen (1193–1280), und zwar zunächst ab 1245 in Paris, danach von 1248 bis 1252 in Köln. Albert erweist seinem Schüler Thomas von Aquino nach dessen Tod, als 1277 in Paris etwa zwanzig seiner Thesen als häretisch verurteilt werden, noch den Freundschaftsdienst einer vehementen Verteidigung an Ort und Stelle. 1254 eröffnet Thomas seine eigene literarische Laufbahn mit der Abfassung eines Sentenzenkommentars; es ist dasselbe Jahr, in dem Konrad IV. stirbt und das Interregnum beginnt. 1259 setzt mit der Lehrtätigkeit in Italien die Abfassung der Summa contra Gentes ein; 1267, ein Jahr nach dem Tode Manfreds von Hohenstaufen, die der 1273 provisorisch abgeschlossenen Summa Theologiae, beides Werke, die unter dem Gesichtspunkt der Emanation des Seienden und seiner Rückkehr zum Ursprung konzipiert sind. 1268, im Jahr der Hinrichtung Konradins, wird Thomas Universitätslehrer in Paris; und 1272, ein Jahr vor der Thronbesteigung Rudolfs von Habsburg, wird er Universitätslehrer in Neapel. 1274 stirbt der Fünfzigjährige, der einer der besten Kenner der griechischen Überlieferung im Westen ist, auf dem Weg zum Zweiten Konzil von Lyon, das die Vereinigung der griechischen Kirche mit der römischen betreiben soll.
Es ist die Leistung von Albert und Thomas (wenn man einen von vielen Menschen getragenen Prozeß so simplifizierend skizzieren darf), gegen dezidierte innerkirchliche Widerstände die endgültige Öffnung des christlichen Westens auch für die den entsprechenden christlichen Ansätzen überlegene naturwissenschaftliche und metaphysische Aristoteles-Tradition erzwungen und zugleich diese Tradition an griechischen Quellen überprüft zu haben. Bei dem Wort »Aristoteles-Tradition« muß man sich klar machen, daß der Islam von der Spätantike ein Aristotelesverständnis übernahm und tradierte, das

von einem prinzipiellen Konsens zwischen Aristoteles und Platon ausging. Deswegen sind Texte von Thomas, die heutige Leser als neuplatonisch empfinden, für seine eigenen Zeitgenossen normale aristotelische Texte. Es ist nicht selbstverständlich, daß man sachlich zwischen Aristoteles und Proklus unterscheidet, obgleich Thomas in einer philologischen Glanzleistung klar macht, daß man es sollte. Man dürfte das, was ich hier simplifizierend als Leistung Thomas' und Alberts bezeichnet habe, als Überwindung der zivilisatorischen Lücke zwischen Islam und westlicher Christenheit umschreiben und damit auf seine welthistorische Bedeutung hinweisen. Doch spielt wohl abgesehen von aller Pragmatik bei den beteiligten Autoren zunächst die Überzeugung eine Rolle, daß ein vernunftbegabtes Wesen zu erkennen hat, und zwar so gut, wie es überhaupt möglich ist: »Das Ziel ... des Menschen ist, zur Betrachtung der Wahrheit zu gelangen.«[1]

Die Vorgeschichte der Theorien Thomas von Aquinos ist verwickelt: er schöpft aus griechischen, lateinischen, arabischen und jüdischen Quellen verschiedener Epochen. Auch die Wirkungsgeschichte ist, v. a. was die ersten Jahrhunderte betrifft, noch immer dunkel. Sie wird verhältnismäßig überschaubar bei der Thomas-Renaissance im Kreis um Francisco de Vitoria zu Salamanca, die die philosophische Landschaft Europas nachhaltig verändert hat, und sie wird es noch mehr bei der Thomas-Renaissance im vergangenen Jahrhundert, deren Höhepunkt Leos XIII. folgenreiche Enzyklika »Aeterni Patris« bildet. Deren Behauptung, daß die römische Theologie alsbald und nahezu kontinuierlich thomistisch gewesen sei, ist sicher nicht zutreffend. Thomas hat in den ersten Jahrhunderten nach seinem Tode selbst innerhalb seines Ordens nicht unbedingt als oberster Gipfel der Wissenschaftsentwicklung gegolten. Das wurde bereits durch die Schriften Durands von St. Pourçain ganz deutlich, es zeigt sich auch neuerdings wieder bei den Werken Dietrichs von Freiberg. Nichtsdestoweniger galt Thomas immer als einer der nicht zahlreichen großen Autoren, über deren Meinungen man zu sprechen hat. Bei der Beurteilung der Wirkungsgeschichte darf man nicht verkennen, daß Thomas von Aquinos Physik, die für die Gestaltung seiner Lehren maßgeblich war und die zunächst zu den modernsten Physiken gehörte, die man im 13. Jahrhundert haben konnte, zwischen dem 14. und 17. Jahrhundert zunehmend unrezipierbar wurde und daß der Thomismus, der nach der europäischen Rezeption moderner Physiken noch übrig blieb, ein stark reduzierter und mit neueren Elementen unterschiedlichster Provenienz restaurierter Thomismus war.

Nach dieser Vorbemerkung beginne ich mit einer Banalität, an die ich nur der Vorsicht halber erinnere: Die Welt, in der Thomas von Aquino lebt, die er beschreibt und analysiert, ist nicht die Welt, die wir mit unseren Kindern bewohnen. Das ist leicht einzusehen. Sie ist kein durch kosmische Katastrophen entstandenes Wirrsal aus auseinanderstrebenden Sonnensystemen, innerhalb dessen sich unter speziellen Bedingungen und in extrem langen Zeiträumen in einer Entwicklung ohne erkennbares Wozu vorübergehend Lebewesen und Intelligenzen gebildet haben. Die Welt von Thomas ist ein übersichtliches konzentrisches System ineinanderliegender Sphären, das von Gott umschlossen wird und in dessen Innerstem die Erde als der Ort des Menschen liegt. Zu seinem Besten ist die Welt gemacht. Die Sphären werden von Engeln bewegt; keine hundert Jahre später macht die Impetus-Dynamik die Sphärengeister funktionslos und öffnet wieder den Weg zu einer Himmelmechanik. Bei Thomas bewegt sich (wie bei Aristoteles oder bei Dante) die äußerste Sphäre um Gott wie etwas Liebendes um das Geliebte und teilt ihre Bewegung sukzessiv den unteren und weniger edlen Sphären mit, so daß sie alle gleichermaßen um die Erde als den Ort des Menschen kreisen. Für Thomas ist (wie für Dante) der Satz »L'amor che muove il Sole e le altre stelle« (»Die Liebe, die die Sonne und die anderen Sterne bewegt«) ein normaler physikalischer Satz. Die Ablösung dieses Satzes ist bedeutungsvoll. An die Stelle der Schulphysik treten zunächst Physiken, die lediglich Trägheitsbewegung anerkennen. Entsprechend hat es bei ihnen zu heißen, daß nicht die Liebe, sondern die Trägheit die Sonne und die anderen Sterne bewegt. Man kann die Bedeutung solcher Grundwandlungen nur schwer überschätzen.

Die Bewegung der Sphären und der an ihnen befestigten Himmelskörper ist auch nach Thomas vollkommen, d. h. gleichförmig, zirkulär und von Natur unvergänglich; sie ist wegen ihrer Regelmäßigkeit mathematisch abbildbar. Der Mond, der die Vollkommenheit von Sternbewegungen mit der Vergänglichkeit seiner Phasen vereinigt, ist die Scheidemarke zwischen dem Himmel und der Erde, auf der die Bewegungen unvollkommen, d. h. im Prinzip weder gleichförmig noch zirkulär noch unvergänglich sind. Wegen ihrer Unregelmäßigkeit kann man sie nicht mathematisch darstellen; mathematisch darstellen kann man auf der Erde an Körpern nur das, was sich gerade nicht bewegt, und zwar in der Statik. Daraus folgt nicht, als hätte erst die Neuzeit die Bewegungen unterhalb des Mondes auf ein vernünftiges Prinzip gebracht. Sie werden auch vorher nicht an einem irrationalen Prinzip orientiert, sondern an einem vernünftigen, und zwar an dem des Wohlergehens der Geschöpfe, vorab des Menschen, das Gott nach Art des verständigen Hausvaters im Auge hat. Keine hundert Jahre später wird in Oxford und Paris mit der Entwicklung arithmetischer und geometrischer Instrumente zur Berechnung des Entstehens und Vergehens auch irdischer Qualitäten (»$v = bt$«, »$s = \frac{1}{2} bt^2$«) die Schwelle zwischen Himmel und Erde zur Disposition gestellt, und zwar, wie die Entwicklung zeigt, mit dem Erfolg nicht der Erhöhung der Erde, sondern der Degradierung des Himmels. Daß die Bewegung auf der Erde durch die himmlischen Sphären vermittelt wird, ist für Thomas einer der Gründe dafür, daß man anhand von Gestirnsbewegungen Vermutungen über irdische Entwicklungen aufstellen kann. Dieses System der Himmelssphären, das den Menschen vielfach behütet und schützt, ist nicht von selbst entstanden. Gott hat es mit Klugheit und Güte so geschaffen, wie er es haben wollte. Weil er es geschaffen hat, trägt es gleichsam seine Handschrift und gibt ihn indirekt zu erkennen. Darauf beruht das Prinzip der Entsprechung oder Analogie des Seienden zu seinem Ursprung. Wenn man in Gedanken aus der Weltkugel einen Kugelsektor ausschneidet, dann sieht man schichtweise und nach Rängen geordnet die verschiedenen Stufen des Seienden von der obersten Region des Himmels bis zur Erde, von den reinsten Geistern über die Menschen als Brücke zwischen Geistern und Körpern und über die Lebewesen Tiere und Pflanzen bis hin zur unbelebten Natur. Je weiter man sich in dieser Hierarchie von Gott als dem Ursprung entfernt, d. h. je mehr man sich den unbelebten Körpern nähert, desto schwächer und undeutlicher wird die Entsprechung des Seienden zu Gott bzw. die Abbildung des wohnhaften Seins durch die Dinge. Wenn man also wissen möchte, was Vaterschaft wirklich ist, dann empfiehlt es sich, nach Möglichkeit nicht auf irdische Väter zu schauen, sondern das innere Auge auf Gott zu richten, sofern er ein Vater ist.[2]

Klar ist, daß Vaterschaft mit Zeugen zusammenhängt; das ist das Erste.[3] Das Gezeugte nennt Thomas »Emanation«.[4] Emanationen oder Zeugungen von Geschöpfen bilden je nach ihrer Stufe das göttliche Emanieren oder Zeugen ab. Emanationen unbelebter Körper sind völlig äußerlich – ein Körper wird von einem ihm äußeren Körper durch äußere Tätigkeit in einen anderen Körper verwandelt: Feuer zeugt durch Erhitzen Asche aus Holz. Über den leblosen Körpern stehen die Lebewesen, zunächst die Pflanzen, bei denen es bereits eine innere Art der Zeugung gibt, weil sie in sich Samen erzeugen. Aber der Same kommt zu Anfang als Erdsaft von außen und geht am Ende wieder nach außen, denn die Pflanze stößt ihn ab. Tiere zeigen bei der Reproduktion ihrer Arten im Prinzip dieselbe Emanationsbewegung von außen nach innen und wieder nach außen. Sie verfügen aber als Sinneswesen außerdem noch über eine andere Art der Zeugung oder Emanation, die zwar von außen anhebt, aber nicht am Ende wieder nach außen geht, sondern im Organismus verbleibt und ihm immer innerlicher wird. Zwar sendet das sinnlich Wahrnehmbare sein Bild und seine Form von außen in die Sinnesorgane hinein, aber das Lebewesen gibt sie nicht wieder fort, sondern nimmt sie zuerst in sein sinnliches Koordinierungszentrum und dann ins Gedächtnis auf. Die Verwendung derselben Termini für kognitive Akte und für geschlechtliche Akte klingt sonderbar, wir sprechen aber in Wirklichkeit nicht anders, denn »Informieren« ist auch ein Ausdruck für Zeugungstätigkeit, und »Konzipieren« ist der übliche Ausdruck für das Empfangen der Mutter. Unvollkommen ist an der kognitiven Emanation der Tiere nach Thomas noch der Umstand, daß sie durch Einwirkung von außen, nämlich durch Tätigkeit der Objekte, entsteht. Doch folgt auf die Stufe des animalischen Lebens der Intellekt, »*supremus et perfectus gradus vitae*« – nicht Widersacher, sondern intensivste Gestalt und Vollendung von Leben. Er reflektiert, d. h. er zeugt aus seinem eigenen Innern eine Emanation, die eben in seinem Innern verbleibt: die Selbsterkenntnis. Auch hier gibt es Stufen der Vollkommenheit. Der menschliche Intellekt ist nicht völlig selbstgenugsam, sondern er vermag erst zu reflektieren, nachdem er sinnliche Erkenntnis von äußeren Dingen gehabt hat. Bei der Reflexion von Engeln bedarf es einer solchen Bedingung nicht, doch bleibt bei ihnen unerachtet der Innerlichkeit ihrer Selbsterkenntnis die Entzweiung, daß ihr Sein und ihr Begriff von sich selbst, das Zeugende und das Gezeugte, nicht miteinander identisch sind. Erst in Gott sind Erkennen und Sein, d. h. Substanz, Intellekt und Selbsterkenntnis, miteinander identisch: der Vater zeugt erkennend den Sohn, der desselben Wesens ist. Das ist die äußerste Vollkommenheit von Leben. Gottes Emanation kommt nicht von außen und geht nicht nach außen wie ein Korn oder Tierkind, sondern Gottes Kind bleibt als Gottes Selbst in Gott, und Gott bleibt in ihm.[5]

Das Vergängliche ist ein Abbild des Ewigen.[6] Deshalb ist sublunare Vaterschaft nicht dasselbe wie göttliche Vaterschaft, sondern nur ihr Abbild.[7] »Vaterschaft« bezeichnet das Erzeugen von Ähnlichem durch Lebendiges. Der menschliche Vater ist ein wirklicher Vater, denn er ist lebendig und zeugt ein lebendiges Kind, das ihm ähnlich ist. Aber er zeugt nicht in vollkommener Weise, sondern *ahmt die göttliche Zeugung im Rahmen der Möglichkeiten nach*, die es auf der Stufe der Lebenswesen gibt. Seine körperliche Emanation ist nicht ganz innerlich, sondern geht von außen nach innen und wieder nach außen. Das bedeutet zweierlei. Erstens ist das Kind des Vaters nicht Stoff von seinem Stoff, sondern es ist aus dem Blut der Mutter gebildet; und selbst der Same, der vom Vater stammt, ist zunächst als Nahrung von außen in ihn hineingekommen. Auf der anderen Seite bleibt im Kind die Wirkung von etwas, das der Vater aus seinem Innersten hervorbringt: die *Wirkung der Samkraft*, von der ich sprechen werde. Deswegen ist der menschliche Vater dem Kind schon der organischen Bildung nach zugleich verwandt und fremd. Zweitens ist dieses zugleich verwandte und fremde Kind nicht in ihm, sondern immer außerhalb seiner: er hat es nie im Schoß, auch wächst es immer weiter von ihm fort, und zwar in einer Skala der Möglichkeiten, die von räumlicher Entfernung bis zu Entfremdung und Entzweiung reicht.

Vergleicht man die biologische Rolle des Vaters mit der der Mutter, so hat der Vater den höheren Rang.[8] Erstens ist er im körperlichen

Sinn ein vollkommeneres Individuum seiner Art als die Mutter, denn er ist kräftiger, größer und mutiger, auch hat er Teile, die der Mutter schlechthin fehlen. Diese ist offensichtlich ein Mann, der nicht fertig geworden ist.[9] Die lateinischen Übersetzungen gehen bei der Wiedergabe dieser aristotelischen Mitteilung sehr weit, denn sie pflegen in »mas occasionatum« einen Term zu benutzen, mit dem im lateinischen Averroes geschädigte Organe gekennzeichnet werden.[10] Das Mißgeschick des Weiblichwerdens kann unterschiedliche Gründe haben. Bisweilen ist die Samkraft zu schwach, um ihr Werk zu Ende zu führen, dann liegt es am Vater; bisweilen mißglückt es nur des Föhnes wegen, dann liegt es an den Gestirnen. Wie jedes Übel in der Welt entsteht auch dieses um eines Guten willen. Was hier, individuell gesehen, mißlungen ist, das ist in Hinsicht auf die Gesamtnatur ein großer Gewinn, denn es ermöglicht erst die Reproduktion der menschlichen Art: »Jeder Mangel liegt in der Absicht der Gesamtnatur«.[11] Die Zurückführung des Entstehens weiblicher Organismen auf ein Mißgeschick überdauert auch in der Wissenschaft das Mittelalter, wie an der cartesischen Embryologie zu sehen ist. – Zweitens kommt bei der Reproduktion der Art vom Vater das aktive Prinzip, die Samkraft, während von der Mutter als passives Prinzip das Konzeptionsblut kommt, das im Fall einer Nichtkonzeption als Menstruationsblut verloren geht. Weil Tätiges edler als Leidendes und weil die Form vollkommener als die Materie ist, steht der Vater, physisch gesehen, im Range über der Mutter.[12] Die Tendenz, der Mutter bei der Reproduktion der Art die passive Rolle zuzuschreiben, wird in der Neuzeit eher noch stärker, wie ein Exkurs in die Präformationslehren des 17. und 18. Jahrhunderts zeigen könnte.

Die tätige Samkraft, die der Vater bei der Zeugung mit dem Blut der Mutter in Berührung bringt, ist von ähnlicher Beschaffenheit wie Luft. Der Same ist nur deshalb schaumig, weil er diese Samkraft transportiert, die in der Kraft und im Auftrag des Vaters wirkt. Sie ist, physikalisch gesehen, eine aktive Qualität, d. h. sie ist im Vater, kann aber auch von ihm ausgehen und draußen etwas ihm Ähnliches bewirken – ähnlich, wie Hitze im Feuer ist, aber auch vom Feuer ausgehen und draußen etwas diesem Feuer Ähnliches bewirken kann. Die Samkraft, die vom Vater ausgegangen ist, bearbeitet und gestaltet das unförmige mütterliche Blut so lange, bis es den Organisationsgrad einer Pflanze erreicht. Dann hat sie die Aufgabe erfüllt, die sie erfüllen kann, und geht zugrunde. An ihrer Stelle entsteht eine vegetative Seele, die der Ernährung und Reproduktion fähig ist. Diese gestaltet ihrerseits den pflanzenartigen Organismus, den sie vorgefunden hat, so lange, bis er den Organisationsgrad eines Tieres gewinnt; danach vergeht sie ebenfalls und wird abgelöst von einer sensitiven Seele, die nicht allein ernähren und reproduzieren, sondern außerdem sinnlich wahrnehmen, Leidenschaften haben und den Leib bewegen kann. Diese vervollkommnet wiederum den tierischen Organismus so lange, bis er den Organisationsgrad eines menschlichen Individuums besitzt. Danach ist ihre Kraft erschöpft, auch sie vergeht, und mit ihr vergeht das letzte Seelenartige, das vom Vater stammt.[13] Allein die Samkraft kam unmittelbar von ihm. Die vegetative und sensitive Seele verursachte er nur indirekt wie eine *causa causae*. Was danach an Seelenartigem entsteht, ist nicht einmal indirekt vom Vater gezeugt; in dieser Hinsicht bricht seine Zeugung unmittelbar vor der Menschwerdung ab. Deswegen ist es im Rahmen dieser Theorie nur unter Vorbehalt richtig, daß der Mensch den Menschen zeugt. Ein Hund zeugt einen Hund, ein Mensch zeugt ein Lebewesen, aber ein menschliches Kind ist mehr als ein Lebewesen, es ist eine Vereinigung von Organismus und Geist.

So ist der menschliche Vater, biologisch gesehen, zwar höheren Ranges als die menschliche Mutter. Aber der Organismus, den er zeugt, stammt nur zum Teil aus ihm und trennt sich auch von ihm. *Ferner ist der Vater Erzeuger allein in Hinsicht auf den Leib; die Seele des Kindes zeugt er nicht.* Diese Theorie hat u. a. die Eigentümlichkeit, biologische Rechtfertigungen für Ansprüche des Vaters an die Seele des Kindes, d. h. an seine Überzeugungen und Entscheidungen, zu unterbinden und zugleich die Gründe für Ansprüche des Vaters an das Kind aufgrund des Blutes gering zu halten. Das dürfte viele Ursachen haben, auch solche, die man heute nicht gern mag. Es hat jedoch u. a. die Wirkung, daß beim Vaterschaftsverhältnis als ganzem das biologische Faktum nur eine untergeordnete Rolle spielt; »›Vater‹ ist ein angemessenerer Name für die Person des Vaters als ›Erzeuger‹ oder ›Zeugendes‹«[14] – ein Satz, der nicht nur auf die Trinitätslehre bezogen werden kann. Gegenüber der Person des Vaters besitzt hier die Person des Kindes ein großes Gewicht. Das Kind ist nicht Naturwesen, sondern Vernunftwesen. Je mehr die Tätigkeit des Vaters die Vernunft des Kindes betrifft, indem sie in Hausvater- und Lehrertätigkeit und schließlich in Freundschaft übergeht, desto stärker tritt das natürliche Verhältnis leiblicher Zeugung in den Hintergrund. Es ist nicht notwendige Bedingung dafür, daß jemand Hausvater, Lehrer oder Freund sein kann – der Intellekt macht allgemein. Dagegen gewinnt die Einsicht und Entscheidung des Kindes zunehmend an Bedeutung. Naturgegenstände sind passiv, man kann sie ohne Rücksicht bis an die Grenzen des Materials nach Belieben formen. So formte die Samkraft den embryonalen Leib. Intellekte aber sind nicht Naturgegenstände, sie bleiben stets aktiv und werden nie rein leidend. Deswegen formt nach Thomas, genau genommen, auch nicht der Vater den Intellekt des Kindes, sondern der Intellekt des Kindes formt mit Hilfe des Vaters sich selbst. Ich nenne einige Stadien dieses Weges.

Sobald die auf die Samkraft folgenden niederen Seelen dem ungeborenen Leib den Organisationsgrad eines Menschen vermittelt haben, vergehen sie. Denn Gott nimmt das Vorhandensein der menschlichen Gestalt zum Anlaß, dem Fetus eine menschliche Seele einzugießen, die er eigens ad hoc geschaffen hat und die zugleich alle vegetativen und animalischen Funktionen im menschlichen Organismus ausüben kann. Des näheren greift Gott an diesem Punkte ein, weil nun die Macht der menschlichen Vaterschaft versagt. *Ein leiblicher Prozeß als das Niedere kann nicht die Ursache einer geistigen Substanz als des Edleren sein.* Dies folgt aus der Anwendung des klassischen westlichen Axioms »Perfectum prius imperfecto«, »Das Vollkommene kommt vor dem Unvollkommenen«, das bis ins 18. Jahrhundert fast unangefochten gültig blieb und dessen Abschaffung beträchtliche Konsequenzen zeitigte: *nun durfte auch das Untere nach oben kommen.* Nicht die Disposition »menschliche Gestalt«, die auf dem Wege über die Samkraft vom Vater kommt, ist also nach Thomas die adäquate Ursache der Seele, sondern Gott. Die organische Disposition erfüllt nur die Funktion eines Reizes oder Veranlassers, eines zuverlässigen Auslösers der göttlichen Tätigkeit. Weil Gott sich freiwillig gebunden hat, jeden menschlichen Fetus zu beseelen, sobald er mit dem erforderlichen Alter die erforderliche Gestalt erreicht, bekommen Eltern Gott gewissermaßen in die Hand, ja selbst succubische und incubische Dämonen bekommen ihn durch die von ihnen vermittelten Zeugungen in die Hand. Doch verliert Gott dadurch seine Freiheit nicht, denn er hat zunächst mit freier Überlegung gewünscht, daß es in dieser Welt ein unablässiges Entstehen und Vergehen vernunftbegabter Lebewesen gibt, das auf andere Weise nicht erreicht werden kann. Wo also menschliche Gestalt ist, da ist mit natürlicher Sicherheit auch menschliche Seele; wo keine menschliche Gestalt ist, da ist mit natürlicher Sicherheit auch keine menschliche Seele – eine These, die noch in der Neuzeit auch über die Ersäufung von Monstren hinaus erstaunliche Folgen zeitigte und die mit demselben terminologischen Instrumentarium Gassendianer wie Cartesianer weitervertraten (ein Hinweis auf ihre Wichtigkeit). Als Anlaß der speziellen Präzisierung bei Thomas von Aquino nennt man Schwierigkeiten mit der franziskanischen Lehre von der Vielheit der Formen im Menschen, v. a. aber den Wunsch, an Alexander von Aphrodisias geschulten Intellektlehren aus dem Bereiche des Islam zu begegnen, die mit dem jedenfalls für das Mittelalter religiös und politisch zentralen christlichen Dogma von der persönlichen Unsterblichkeit aller Menschen schwer vereinbar waren. Diese Intellektlehren führten sich gewöhnlich auf Alfarabi oder Averroes zurück und hatten, grob gesagt, gemeinsam, daß nach ihnen nicht jeder Mensch seinen eigenen tätigen Intellekt[15] besitzt, sondern daß der als selbständige himmlische Entität verstandene tätige Intellekt in die menschlichen Seelen jeweils mehr oder minder stark hineinstrahlt, aber dadurch so wenig individualisiert wird wie das

Licht, wenn es auf menschliche Individuen hinabscheint. Allein der gemeinsame Intellekt, nicht die einzelne Seele, galt als göttlich und unvergänglich. Die Seelenentstehungslehre Thomas von Aquinos ist ein Versuch, für die Auslegung von Aristoteles' Seelenlehre eine Alternative zu bieten, die rechtgläubig ist; die beim Menschen nur ein einziges substantielles Prinzip des Leiblichen und des Seelischen unterstellt und die dadurch noch über Aristoteles hinaus die Würde des menschlichen Leibes behauptet; und bei der zugleich durch Unterstellung unmittelbarer göttlicher Tätigkeit bei der Entstehung der menschlichen Seele der aristotelische Grundsatz gewahrt bleibt, daß der Geist von außen hereinkommt und etwas Göttliches ist.[16]

Wenn die menschliche Seele einen Vater hat, dann ist es Gott. Daß Gott der Vater des Menschen ist, muß in diesem Werk nicht als eine primär erbauliche, sondern als eine primär physikalische Aussage angesehen werden. Auf den leiblichen Vater geht nur die auslösende Disposition des Leibes zurück.[17] Das Moment der partiellen Fremdheit von Vater und Kind, das schon bei der Behandlung der Leibentstehung zur Geltung kam, wird durch diese These verstärkt: der Vater gibt dem Kinde nur im Zusammenwirken mit Gott und der Mutter das Sein. Mit dieser Einschränkung muß man die übliche Aufzählung der Funktionen des Vaters bei Thomas interpretieren: er gibt dem Kinde Sein, Ernährung und Erziehung. Die Ernährung des Kindes fällt unter die ökonomische Hausvaterfunktion. Diese ist (nach dem Vorgang der von Thomas kommentierten »Politik« des Aristoteles)[18] vierteilt, und zwar in die Gewalt des Hausvaters über die Gattin, über die Kinder, über die Sklaven und über das der Familie gehörende Gut. Hinsichtlich der Gewalt des Vaters über die Kinder äußert Thomas[19] in Erinnerung an Aristoteles[20] etwas über die Interpretation, die dieses hausväterliche Gewaltverhältnis erfahren muß: »Insofern jedoch ein jeder als Mensch betrachtet wird, ist er etwas für sich Bestehendes und von anderen unterschieden. Und deshalb gibt es [für ihn] ... auf eine bestimmte Weise auch Gerechtigkeit. Daher gibt es bestimmte Gesetze über das, was dem Vater gegenüber dem Sohne zusteht.« Hier findet sich dieselbe Betonung der Eigenständigkeit des Kindes als einer vernünftigen oder potentiell vernünftigen Person, die uns auch bisher bei Thomas begegnet ist.

Außer Ernährung brauchen Kinder auch Erziehung. Während andere Lebewesen, erläutert Thomas, ihre Klugheit von der Natur erhalten, muß der Mensch seine Klugheit durch Vernunfttätigkeit und Erfahrung erwerben, und dazu braucht er sehr viel Zeit. Diese Zeit wird durch Erziehung verkürzt und erleichtert: die Eltern als bereits Erfahrene helfen dem Kind, die Klugheit zu erwerben, die ein vernünftiges Wesen braucht. Weil aber bei Kindern die Leidenschaften heftig sind und oft der Hochschätzung der Klugheit entgegenstehen, benötigen Kinder nicht nur Belehrung, sondern auch Repression: *indigent non solum instructione, sed etiam repressione.* Beides können die Eltern nicht gleichermaßen vermitteln. Es können sich schwierige Aufgaben stellen, denen nur der Vater gewachsen ist: er hat die Vernunft vollkommener zum Unterweisen und die Kraft vermögender zum Züchtigen.[21] Man kann es dahingestellt sein lassen, ob Thomas dies für eine naturgesetzliche Aussage gehalten hat. Vergegenwärtigt man sich, wie extreme körperliche Anforderungen noch zur Zeit unserer Urgroßeltern an Mütter gestellt worden sind, dann fällt es leicht, dem Autor zumindest unter diesem Gesichtspunkt Glauben zu schenken. Die väterliche Strafgewalt ist ein Ausfluß der *patria potestas*, deren Ausübung wegen der fundamentalen Wichtigkeit des Hauswesens für das Gemeinwesen auch von öffentlicher (»politischer«) Bedeutung ist, von ihrer religiösen Bedeutung ganz zu schweigen. Zwar ist das Haus nicht autark, aber abgesehen davon ist die väterliche Gewalt ein Abbild der öffentlichen; auch hier bildet das Niedrigere unter den Bedingungen seiner Stufe das Höhere ab.[22] Die *patria potestas* ist dem Vater deshalb zuzubilligen, weil er mit Schutz- und Sorgepflichten belastet ist, denen er nur genügen kann, wenn er Anspruch auf Gehorsam hat.[23] Im Rahmen dieser seiner Gewalt hat der Vater das Recht zu körperlicher Züchtigung nach verständigem Ermessen, allerdings unter der Bedingung, daß keine irreparable Verletzung entsteht, zu deren Beibringung allein das gemeine Wesen berechtigt ist. Moralisch gesehen gilt körperliche Bestrafung der Kinder nur dann als vertretbar, wenn sie nicht aus Zorn oder Rachegefühlen, sondern zum Zweck der Beugung und Witzigung vollzogen wird – *causa correctionis et disciplinae.*[24] Dies ist eine der vielen ethischen Regeln des Mittelalters, die abstrakt und unpraktikabel sind, wenn man sie in Analogie zu Strafgesetznormen auslegt; die aber nützlich und hilfreich werden, wenn man in ihnen sprichwortähnliche Faustregeln und Orientierungen sieht. Die herangezogene Stelle lautet auf Deutsch etwa so: »Zorn ist Begierde nach Rache. Daher wird Zorn vornehmlich dann geweckt, wenn jemand sich zu Unrecht verletzt glaubt ... Wenn es also den Vätern untersagt wird, ihre Kinder zum Zorne zu reizen, so ist ihnen damit nicht verboten, die Kinder der Witzigung (disciplina) wegen zu schlagen, sondern lediglich, sie ohne Maß mit Schlägen zu plagen. Wenn aber den Herren nahegelegt wird, sie sollten nicht zu heftig drohen, so kann man das in doppelter Weise verstehen. Einmal so, daß sie mit Drohungen sparsam sind, und das gehört zu maßvoller Erziehung. Andererseits so, daß jemand nicht immer wahr macht, was er angedroht hat; und das bedeutet, daß er das Urteil, mit dem er die Strafe angedroht hat, bisweilen durch barmherziges Erlassen mildert.«

Erziehung hat aber bei Thomas nicht primär sozialisierende Funktionen. Sie dient v. a. der Hinführung zur Wahrheit, zum Einschätzen der Dinge so, wie sie sind. Wir beginnen seit einigen Jahren zu lernen, daß zwischen beidem nur vordergründig ein Widerstreit besteht; jedoch die ideologische Nuance bleibt. Soweit der Vater dem Kind die Wahrheit erschließt, geht seine Tätigkeit in die des Lehrers über. Schon bei den häuslichen Funktionen des Vaters – Versorgung und väterliche Gewalt – tritt die biologische Vaterschaft in den Hintergrund. Der Hausvater ernährt, unterweist und züchtigt nicht nur seine Kinder, sondern auch die Verwandten und das Gesinde im Haus; auch kann nicht nur der leibliche Vater der Kinder des Hauses Hausvater sein. Aber Lehre ist nicht einmal an den Hausbereich gebunden, in dem die leiblichen Kinder neben anderen Hausgenossen leben. Denn die Personen, die der Lehrer lehrt, sind nicht dadurch bestimmt, daß sie seine Hausgenossen sind, sondern dadurch, daß sie seiner Lehre anvertraut werden oder sich ihr anvertrauen. Wir gelangen hier in einen Bereich von noch größerer Allgemeinheit, den Bereich des Intellektes, der auf einer höheren Stufe steht als der des organischen Lebens. Die Entsprechung des Lehrers zur göttlichen Vaterschaft ist zu erkennen, doch wird sie von Analogien zur sublunaren Vaterschaft mehrfach durchkreuzt. Zunächst hat der Lehrer als geistiger Vater gegenüber dem geistigen Kind eine geistige Sorgepflicht, ähnlich wie der leibliche Vater gegenüber dem leiblichen Kind eine leibliche. Ferner kann man sagen, falls ein geistlicher Lehrer seinen geistlichen Schüler zur geistlichen Bekehrung führt, daß er ihn geistlich zeugt, denn er verursacht (wie auch immer) seine Wiedergeburt.[25] Aber auch in allgemeinerer Hinsicht ist der Lehrer ein Vater des Schülers,[26] denn der Lehrer bringt im Geist des Schülers Erkenntnisse hervor, d. h. er zeugt etwas, und zwar nichts Leibliches, sondern etwas Intellektartiges – ähnlich wie Gott als Vater etwas Intellektartiges zeugt. Gemessen daran ist allerdings das sublunare Zeugen des Lehrers unvollkommen. Der Lehrer zeugt etwas, das nicht mit ihm identisch ist – ähnlich wie der leibliche Vater seinem Kind zugleich verwandt und fremd ist. Er zeugt nicht immanent, sondern außerhalb seiner selbst – ähnlich wie dem leiblichen Vater sein Kind immer äußerlich ist. Und der Lehrer ist nicht die wirkliche Ursache, sondern nur der Auslöser des Geistigen, das er zeugt – ähnlich wie der leibliche Vater nicht die wirkliche Ursache, sondern nur der Auslöser der geistigen Seele ist, die er zeugt. Das geht aus einer Beschreibung der Tätigkeit des Lehrers hervor.

Der Lehrer flößt dem Intellekt des Schülers nicht unmittelbar Erkenntnis ein, sondern nur mittelbar. In Wirklichkeit erzeugt der Schüler seine Erkenntnis selbst. *Der Lehrer kommt der Vernunft des Schülers von außen her zur Hilfe, veranlaßt sie dazu, selbst tätig zu werden und in sich selbst Erkenntnis zu erzeugen – ähnlich, wie ein Arzt nach Thomas' Meinung die Natur nicht wiederherstellt, sondern sie durch seine Kunst veranlaßt, sich selbst wiederherzustellen.*[27] Diese mittelalterliche Lerntheorie ist weit davon entfernt, grober Indoktrination das Wort zu reden, sie hebt im Gegenteil die Selbsttätigkeit und das Eigengewicht des Schülers gegenüber dem Lehrer ähnlich stark hervor wie die biologische Vaterlehre die Eigenständigkeit des Kindes gegenüber dem Vater. Das geschieht nicht zufällig, sondern ist theoriebedingt. In der Natur entsteht alles von selbst nach einem vorgezeichneten Weg. Tätigkeiten des Intellektes dagegen entstehen weder von selbst noch nach vorgezeichneten Wegen: sie entstehen nur dann, wenn der Wille es will, und nur so, wie der Wille es will. Deswegen hängt der Lernerfolg letztlich vom Schüler und nicht vom Lehrer ab. *Der Schüler ist beim Lernen nicht rezeptiv wie formbare Materie.* Er hat einen tätigen Intellekt sowie Verfügung über die obersten Axiome und ist allein in Hinsicht auf den Erfahrungsstoff rezeptiv.[28] Daher kann er im Prinzip alles das, was er mit Hilfe des Lehrers lernt, auch ohne Hilfe des Lehrers finden.[29] Der Lehrer hilft ihm lediglich, es schneller und leichter zu finden, indem er ihn mit Kunst in Findesituationen führt: »*docens hoc modo incipit docere sicut inveniens incipit invenire*«. Physikalisch gesprochen: der Lehrer weckt den Verstand zum Wissen in der Weise des Bewegers, der am Gegenstand seiner Tätigkeit eine Form so ansetzt, daß eine Potenz in den Akt übergeht.[30]

Während die zeugende Tätigkeit des Vaters der Entstehung eines vernünftigen Wesens diente, dient die hausväterliche und lehrende Tätigkeit des Vaters der Entlastung, dem Schutz und der Fähigmachung dieses Wesens. Mithin erweist der Vater dem Kind als Erzeuger, als Hausvater und als Lehrer Gutes, er will sein Wohl. Deshalb hat auch das Kind das Wohl des Vaters zu wollen.[31] Gegenseitiges Wohlwollen bezeichnet man aber als »Freundschaft«; das Wort steht für eine Art von Liebe, bei der man füreinander Gutes will.[32] Zwischen Eltern und Kindern, über deren Freundschaft schon Aristoteles geschrieben hat,[33] sind unterschiedliche Arten von Freundschaft möglich, weil es unterschiedlich edle Güter gibt, die sie füreinander wollen können. Weil die vernünftige Seele einer intensiveren Form von Leben entspricht als der organische Leib, ist das Gute der Seele edler als das Gute des Leibes und ist Freundschaft zwischen Eltern und Kindern, die etwas Gutes für den Geist will und bewirkt, vollkommener als Freundschaft, die etwas Gutes für den Leib will und bewirkt. Auf dieser hohen Stufe menschlicher Vollkommenheit besteht Vaterschaft nicht mehr primär in Reproduktion, Schutz und Hilfe, sondern in einer bestimmten Art von liebender Gemeinschaft zwischen Intelligenzen, deren Urbild die Freundschaft zwischen Gott und Menschen ist.[34] Thomas redet über diesen Punkt sehr knapp. Es gibt die implikationsreichen Stellen, auf die ich mich beziehe, und es gibt Verweise auf das Achte Buch der Nikomachischen Ethik, in dem φιλία und ἀρετή vielfach verschlungen sind. Thomas hat Grund, sich hier so kurz zu fassen. Für die Vaterfunktion ist Freundschaft nicht zentral.

Sie ist nicht die Bedingung von Vaterschaft, aber sie kann ihre Frucht sein. Das bedeutet: Der Vater kann die sachgemäße Erfüllung seiner spezifischen Aufgaben durch freundschaftliches Wohlwollen nicht ersetzen. Es gibt zunächst Dienste am Kind, die er nicht erfüllt, indem er Freund ist, sondern indem er Erzeuger, Hausvater oder Lehrer ist. Aber wenn er diese Dienste erfüllt, bei denen er Erzeuger, Hausvater oder Lehrer ist, dann erhält er möglicherweise das Geschenk der Freundschaft des Kindes, denn es heißt: »*potest consequi quamcumque virtutem*«, »Freundschaft kann sich auf jegliches Tüchtige hin einstellen«.[35] Ob es sie zwischen Kind und Vater gibt, das hängt in jedem Fall auch von der freien Entscheidung des Kindes ab, die durch nichts zu ersetzen ist: »*amicitia non est ad irrationalia.*«[36]
Ich fasse zusammen: Bei Thomas von Aquino ist die Stellung des biologischen Vaters verhältnismäßig schwach. Das Kind entwächst seiner Gewalt bald und zunehmend. Aber es wächst nicht in einen unstrukturierten Freiraum der Willkür hinein. Mit jedem Zoll, den es dem Vater entwächst, wächst es als selbständig Handelndes in ein System von Ordnungen und Pflichten, das ein höherer Vater aufgerichtet hat und das man damals noch »Naturgesetz« nannte.
Nachdem nun die von Thomas erwähnten Stadien der menschlichen Vaterschaft von der Zeugung, Ernährung und Erziehung bis hin zur Freundschaft nachskizziert sind, möchte ich mit drei Hinweisen schließen. Ich habe es meist unterlassen, antike Vorbilder von Thomas-Texten anzuführen, und möchte deshalb wenigstens eine Meinung äußern, ohne sie zu belegen. Ich glaube, wenn es so etwas wie lebendige Antike gibt, dann muß dieses literarische Phänomen, bei dessen Entstehung die ältesten gotischen Kathedralen noch nicht hundert Jahre alt waren, ihr zugerechnet werden. – Mein zweiter Hinweis hängt wahrscheinlich mit dem ersten eng zusammen. Ich habe hier über das Verhältnis von Natur, Sünde und Gnade bei Thomas überhaupt nicht gesprochen und möchte dazu ebenfalls eine unbelegte Meinung äußern. Ich vermute, daß der genannte Gesichtspunkt die von mir berührten Thomas-Thesen über den allgemeinen aquinischen Satz hinaus, daß die Gnade die Natur vervollkommnet, nicht erhellt. Dieser Satz muß äußerst differenziert interpretiert werden, er scheint mir aber zunächst zu bedeuten, daß die Gnade hilfsweise die jeweilige Natur nicht zu irgend einer, sondern zu genau ihrer eigenen, im Schöpfungsplan für sie vorgesehenen und durch die Sünde vereitelten Vollkommenheit verwirklicht, deren Spuren nach wie vor zu erkennen sind. Die außerordentliche Belastung des Vater-Sohn-Verhältnisses durch die ebenfalls von mir nicht berührte Meinung, daß der göttliche Vater seinen eigenen Sohn für andere dahingab, ist nicht speziell ein Problem von Thomas, sondern ein allgemeines Problem von Christen und in geringerer Schärfe auch von Juden.[37] Im Kontext Thomas von Aquinos wird es verortbar durch die Unterstellung physischer

Sohnschaft aller Menschen zu Gott, die sie zu natürlichen Geschwistern des Sohnes macht; durch die Annahme von Freundschaft auch zwischen dem Vater, der dahingibt, und dem Sohn, der dahingegeben wird; und schließlich durch die *Betonung der persönlichen Kompetenz des Kindes bei allen es betreffenden Entscheidungen und Tätigkeiten des Vaters: daß Christus für die Befreiung des Menschengeschlechtes litt, war gerecht »vonseiten Christi selbst, denn er hat aus freien Stücken gelitten«.*[38]

Am Ende möchte ich die Meinung äußern, daß ich alles, was Thomas von Aquino formell über den Vater sagt, für einleuchtend und für schlicht nachvollziehbar halte – sofern überhaupt Erklärungen von solcher Allgemeinheit uneinleuchtend sein können. Ich füge die triviale Bemerkung hinzu, daß demgegenüber der aquinische Begründungszusammenhang fast gänzlich unrezipierbar geworden ist; denn davon ist das Ausmaß der Nachvollziehbarkeit betroffen. Wem stimmt man zu, wenn man einer These von Thomas zuzustimmen glaubt? Thomas spricht nicht primär zu Ihnen oder zu mir, sondern er spricht zu Bewohnern einer Welt, in der der Mensch unter dem schützenden Dach der *machina mundi* auf ähnlichen Wegen wie Engel, Gestirne und irdische Tiere zum Ziel gelangt und in welcher Eltern ihre Kinder von der Angemessenheit empfohlenen Verhaltens nicht nur dadurch überzeugen können, daß sie auf seine Nützlichkeit, seine Sittlichkeit oder seine Menschenwürdigkeit verweisen, sondern außerdem dadurch, daß sie es auf den Wandel von Engeln, Gestirnen und Tieren beziehen. Was hierzu sachlich gesagt werden mußte, das hat in weitem Umfang schon Wilhelm von Ockham, danach die neuzeitliche Wissenschaftsentwicklung und schließlich die Philosophie des 18. Jahrhunderts gesagt. In welchem Maße aber Thesen dieselben bleiben, wenn man sie aus ihrem eigenen Begründungszusammenhang herausnimmt und in heutige Begründungszusammenhänge hinüberholt, das hängt davon ab, *in welchem Umfang die Welten unterschiedlicher Epochen zumindest analog und die Erklärungskontexte unterschiedlicher Epochen zumindest ineinander übersetzbar sein können.* Dieser Frage galt im Grunde die unabgeschlossene Kommensurabilitätsdebatte, die seinerzeit im Zusammenhang mit Kuhns Theorie der wissenschaftlichen Revolutionen entstand. Es gibt nun eine Anzahl fundamentaler Fragen, die die Wissenschaftsgeschichte wahrscheinlich deshalb nicht erledigt hat, weil sie sie – schon aus methodologischen Gründen – nicht erledigen kann. Weil ich von Thomas von Aquino gesprochen habe, darf ich diese Fragen auf eine einzige reduzieren: Ist die klassische Formel »Das Vollkommene ist vor dem Unvollkommenen« oder ist ihre heute erfolgreichere Umkehrung »Erst unvollkommen, danach vollkommen« die angemessene Tiefentheorie? Diese

Frage ist weniger für die Interpretation als für die Zustimmung von Wichtigkeit. Die Antwort auf sie wird vermutlich nicht tautologisch sein. Auch wird sie durch nichts, das im Augenblick greifbar wäre, empirisch präjudiziert. Ich vermute dennoch, daß man erst dann, wenn jemand diese Frage für sich beantwortet hat, sich dazu äußern kann, ob eine These von Thomas in seinem Mund und in Thomas' Mund auf einer hohen Stufe der Abstraktion dasselbe bedeutet.

Die Begründung der ›väterlichen Gesellschaft‹ in der europäischen oeconomia christiana

Zur Rolle des Vaters in der ›Hausväterliteratur‹ des 16. bis 18. Jahrhunderts in Deutschland

Zu den wirkungsreichsten Schriften des Schulphilosophen der deutschen Aufklärung, Christian Wolff, gehören seine 1721 erstmals erschienenen »Vernünfftigen Gedancken von dem gesellschafftlichen Leben der Menschen und insonderheit dem gemeinen Wesen«. Wolffs deutsche ›Politik‹, wie dieser Titel auch genannt wird, handelt von der systematischen Verknüpfung einer Reihe von Gruppenbeziehungen, wie wir heute die von Wolff beschriebenen »Gesellschafften der Menschen« bezeichnen würden, zum »gemeinen Wesen überhaupt«, also zur Gesamtheit der societas civilis. Die bei Wolff ganz und gar utilitaristisch beschriebenen einfachen oder natürlichen Gesellschaften des »Ehestandes«, der »väterlichen Gesellschafft« und der »herrschafftlichen Gesellschafft« münden in die Einheit des ›Hauses‹. Unter der Überschrift »von dem Hause« heißt es daher: »Durch das Haus versteht man eine Gesellschafft, die auf verschiedene Weise aus den vorhergehenden einfachen zusammen gesetzt wird: denn sie kan bestehen aus der ehelichen und väterlichen, aus der ehelichen und herrschafftlichen, aus der väterlichen und herrschafftlichen, oder endlich aus allen dreyen zugleich. Die Manns-Person, welche in der väterlichen Vater, in der herrschafftlichen Herr ist, wird im Hause der Haus-Vater genennet.«[1] Die ›zusammengesetzte Gesellschaft‹ des »gantzen Hauses«,[2] umschließt in ihrem vollkommenen Zustand drei Arten von Rechtsverhältnissen: die »Herrschafft«[3] des Mannes über seine Ehefrau, des Vaters über seine Kinder und des Hausherrn über das Gesinde. Diese drei Rechtsverhältnisse aktualisieren sich in der Rechtsgewalt des Vaters, dessen tradierter sozialer Begriff weit über die Zeit der Wolffschen ›Politik‹ hinaus der des ›Hausvaters‹ war.
Der Gesellschaftsbegriff bei Wolff, der mit dem Leibnizens übereinstimmt und über diesen auf Pufendorf und die mächtige naturrechtliche Tradition zurückgeht,[4] *ist als Rechtsbegriff zu lesen, keinesfalls schon als soziologische Kategorie.* Diese Einschränkung markiert den historischen Abstand, der uns von der Wolffschen Gesellschaftslehre als Summe einer Tradition gesellschaftlichen Ordnung trennt, von der im Licht ihrer gestaltenden Kraft, der Vaterrolle, gesprochen werden soll.
Die Lehre von der ›väterlichen Gesellschafft‹, als die wir in Ansehung

ihrer Zwecke die Wolffsche Gesellschaftslehre insgesamt bezeichnen
können, ist Ökonomik, nichts anderes als Haushaltungslehre. Der Titel des lateinischen Gegenstücks zur deutschsprachigen ›Politik‹, die
1755 von seinem Schüler Hanov fertiggestellte »Oeconomica«[5]
Wolffs, macht das deutlich. Sie wiederholt die Inhalte der deutschsprachigen Gesellschaftslehre und stellt sie darüber hinaus systema-
tisch, der philosophischen Tradition gemäß, zwischen Sittenlehre und
Staatslehre, die organisch auf der Ökonomik aufbaut. Der »Landesvater«, heißt es entsprechend in der deutschen ›Politik‹, wird deshalb
so genannt, »weil regierende Personen sich zu Unterthanen wie Väter
zu den Kindern (verhalten). Und also dienet das Bild des Vaters, die
Beschaffenheit eines Regenten (...) zu finden.«[6]
Christian Wolffs Ökonomik als Sittenlehre der ›väterlichen Gesellschafft‹ signalisiert eine historische Zäsur. Vermutlich zum letztenmal
erscheint hier der Lehrgegenstand Ökonomik in seiner alteuropäischen, auf das aristotelische Verständnis der philosophia practica zu-
rückweisenden Tradition in einem noch geschlossenen, wissenschafts-
systematischen Kontext. Nach Wolff setzt ein Zerfallsprozeß der Einheit dieses Lehrgebäudes praktischer Philosophie ein. Es ist wichtig
zu sehen, daß dieser Prozeß sehr viel mehr als nur wissenschafts-
geschichtliche Konsequenzen hatte: er signalisiert zugleich tiefgreifende
geistes- und gesellschaftsgeschichtliche Wandlungen, die auch uns noch
erreichen. Es kann aufschlußreich sein, diesen Traditionsbruch gerade
in der Ebene der Veränderungen im Begriffsverständnis von Ökonomie zu verfolgen.
Über die Grundsätze der »häuslichen Regierung« handelt auch der
einflußreiche, praxiserfahrene Kameralist Johann H. G. v. Justi in
seiner 1760 erschienenen »Policey-Wissenschaft«. Ganz im Sinne der
Wolffschen Gesellschaftslehre bestimmt er die »Policey-Wissenschaft«
als »diejenige Wissenschaft, welche zum Gegenstand hat, die Wohl-
fahrth der einzelnen Familien mit dem gemeinschaftlichen Besten beständig in einer genauen Uebereinstimmung und Verhältniß zu erhalten.«[7] Zum Zwecke dieser genetischen Verbindung von Haus und
Staat – die Gesellschaft setzt sich aus einzelnen ›Häusern‹ zusammen –
ist es notwendig, die soziale und rechtliche Herrschaft des Hausvaters
zu schützen. »Wenn ein Hausvater in eine bürgerliche Gesellschaft
tritt«, so heißt es bei Justi mit dem Argument des »vernünftigen End-
zweckes« aller staatlichen Ordnung, »so kann man ohne eine unge-
reimte Voraussetzung nicht annehmen, daß er den Willen hat, sich
dadurch der Gewalt und des Ansehens über seine Familie zu begeben
(...). Vielmehr muß man vernünftiger Weise behaupten, daß der
erste und hauptsächlichste Vorbehalt eines jeden Hausvaters bey seinem Eintritt in die bürgerliche Verfassung seine häusliche Gewalt ist.«[8]
Dieses bei Justi noch ohne Einschränkung postulierte Recht des Hausvaters auf die »häusliche Gewalt« wurde in wörtlich aus Justi zitier-

ten Passagen in den Artikel »Haus-Vater« der Krünitzschen »Oeko-
nomischen Encyklopädie« übernommen; nun aber in einem deutlich
problematisierten Zusammenhang.[9] Die Gewalt des Hausvaters ist in
Gefahr, durch die Tendenz des Staates, die Einbindung des Individuums in die alten ständischen Lebensgemeinschaften zu Gunsten
der heraufkommenden Staatsbürgergesellschaft aufzulösen, zurückgedrängt und schließlich kassiert zu werden. Am Fall der reformeri-
schen Bestrebungen des Preußischen Allgemeinen Landrechts von 1794
kann man, wie Reinhart Koselleck gezeigt hat, die Enthierarchisierung
und tendenzielle Einebnung der alten bürgerlichen societates mino-
res – der ›Hausstand‹ wurde im Landrecht als Oberbegriff gestrichen[10] – schrittweise verfolgen. Der bei Justi und Krünitz angelegte
Hinweis auf den historischen Ablauf der immer weniger vermittelten
Auslieferung des Individuums an den Staat hat Teil an jener Bedeu-
tungsveränderung von Ökonomie, der unser Interesse gilt. In Justis
»Policey« ist von Ökonomie oder Ökonomik nicht mehr die Rede.
Sein unter diesem Titel – dem älteren Begriff von ›Polizei‹ allgemein
entsprechend – versammeltes System der Bedingungen für die innere
Wohlfahrt des Staates enthält zwar, wie man sah, Ausführliches über
die Sozial- und Rechtsstruktur des ›ganzen Hauses‹, das aber wird
terminologisch nicht mehr mit Ökonomie in Verbindung gebracht.
Dieser Sachverhalt ist um so symptomatischer, als wir bei Justi immer
davon auszugehen haben, daß die bei ihm beobachtete strenge Wis-
senschaftssystematik auch als entwicklungsgeschichtliches Indiz zu werten ist. »Oeconomische Schriften«[11] bei Justi befassen sich daher auch
nur noch mit der sachbezogenen Arbeit des Hauses als Produktions-
stätte, nicht mehr mit den sittlichen oder rechtlichen Normen seiner
personellen Organisation. Ökonomie meint daher auch bei Justi nur
das, was seit den sechziger Jahren in einer Fülle von Belegen unter
diesem Begriff beschrieben wird: die vielfältigen Sparten der »Stadt-
und Landwirtschaft«. Das »Nahrungsgeschäft« des Stadt- und Land-
haushalts ist nun, mit wachsender Tendenz zur Verwissenschaftlichung
seiner Sachen, ausschließlich der Gegenstand im Lehrgehalt der Ökonomik. Dieser terminologische Befund verweist auf einen sehr weitreichenden Epochenwandel. Im Spiegel der Funktionsveränderung
des Ökonomiebegriffs allein schon in der relativ engen Spanne um
die Mitte des 18. Jahrhunderts zeigt sich, daß die reformerische Tendenz zur Konstitution der modernen Staatsbürgergesellschaft entscheidend von einem historisch faßbaren Traditionsverlust gelenkt worden
ist: der Krise der ›väterlichen Gesellschaft‹ als ein im genauen Wortsinn zu verstehender ökonomischer Prozeß. Justis terminologische
Differenzierung trennt den Bezug zur moralischen Praxis der Gesellschaft von der Möglichkeit dessen ab, was der Ökonomiebegriff jahr-
hundertlang als Begriff sozialer Wirklichkeit decken konnte: die Einheit der von der Rechts- und Sozialgemeinschaft des Hauses ausgehen-

den Sittenlehre mit der Produktionslehre in Form einer der zeitgenös-
sischen dominanten Produktionsbasis entsprechenden Agrarlehre. Von
nun an wird das ›Ökonomische‹ keine andere Wirklichkeit mehr bezeichnen können als die von Produktionsverhältnissen, zunächst die
der agrarischen, schließlich nur noch die der gewerblichen bzw. indu-
striellen Produktion, grundsätzlich außerhalb aller Formen der sittlichen Organisation der Gesellschaft. Denn die Wirtschaftsgesellschaft,
die in der ›bürgerlichen Gesellschaft‹ steckt, wie wir diese seit Hegel
zu verstehen gelernt haben, ist auch das Produkt der Enthierarchisierung, der formalen Gleichordnung jener noch bei Wolff als konstitutiv verstandenen einzelnen Gesellschaften als jeweils sehr differen-
zierte Wechselbeziehungen von sittlichen Pflichten und materiellen
Diensten auf die eine Gesellschaft hin, um deren ›richtige‹ Verhältnisse seither der politische Kampf geführt wird.
Im Horizont der darauf zuführenden politischen und sozialen Bewegungen soll die Geschichte des alten Ökonomieverständnisses als Basis
einer primär von väterlicher Herrschaft ausgehenden Normensetzung
der Gesellschaft näher verfolgt werden. Sicherlich lassen sich eine
Reihe von Erscheinungsformen, eine Fülle von Zeugnissen der ver-
schiedensten Traditionsmedien dieser historischen Lebenspraxis auch
außerhalb der soziologischen Schemata aufweisen. Eine außerordentlich wirkungsreiche, im historischen Interesse noch gar nicht ausge-
schöpfte literarische Tradition dieser ›Ordnung des Lebens‹ ist die
frühneuzeitliche Ökonomieliteratur, die Literatur der ›Hausbücher‹,
der oeconomia christiana, als gesamteuropäische Erscheinung. Ihre
deutsche Tradition wurde bekannt als sogenannte Hausväterliteratur,
die wir etwa (mit ihren Vorläufern) von der Mitte des 16. bis zum
Ende des 18. Jahrhunderts nachweisen können. Um Grundzüge, aber
auch den Wandel in der Auffassung von der Rolle des Vaters in dieser Literatur an Beispielen vorzuführen, muß ein Blick auf die wis-
senschaftsgeschichtliche Begriffsbildung ›Hausväterliteratur‹[12] und deren Rezeption geworfen werden. Seit der Mitte des 19. Jahrhunderts
spricht man in Deutschland von Hausväterliteratur, allerdings nur in
der Agrargeschichte. Für die klassische Volkswirtschaftslehre im 19.
und 20. Jahrhundert ist diese Reihe kein Gegenstand. Roscher kennt
einige der frühen Titel, aber er nennt sie bezeichnenderweise, gewissermaßen als Vorgeschichte der »deutschen Nationalökonomik«, die
»Hausväterliteratur in der Landwirtschaft«.[13] Daß die Geschichte der
Nationalökonomie die frühe Hausbuchliteratur praktisch nicht zur
Kenntnis genommen hat, liegt vor allem daran, daß der einzelwirt-
schaftliche, von einer späteren Kategorie aus gesehen ›private‹ Ökonomiebegriff nicht in das Interesse der Dogmengeschichte der Wirt-
schafts- und Sozialwissenschaften in Deutschland paßte.[14] Erst in
jüngster Zeit richtet sich im historischen Aspekt der Wandlung der
Sozialeinheit ›Haus‹ als Einheit von Produktion, Konsumtion und

Sozialisation zur modernen ›Familie‹ das wissenschaftliche Interesse auch auf die alte Ökonomieliteratur.[15] Dieses Interesse allerdings hätte sich quellenkundlich und argumentativ erheblich weniger artikulieren können, wenn nicht die Arbeiten Otto Brunners zur ›alteuropäischen Ökonomik‹ vorlägen. Ihnen gebührt das Verdienst, die »Lehre von der Ordnung des Hauses«, von ihren antiken Ursprüngen bis in den geistesgeschichtlichen Horizont der Neuzeit heranführend, für die Historie neu entdeckt zu haben.[16] Brunner und Sabine Krüger folgend, sollen die wichtigsten konstitutiven Merkmale dieser Literatur andeutungsweise genannt werden. Die Basis der Lehre von der Regierung des Hauses (= oikos) sind die die Sittenlehre des Hauses beschreibenden Teile des aristotelischen Politik, das 1. und 3. Buch der pseudo-aristotelischen Ökonomik und vor allem, in einer sehr langen Rezeptionsreihe bis in das 18. Jahrhundert, Xenophons Oikonomikos, dessen Übersetzung durch Cicero vor allem die griechische Ökonomik an die Römer weitergegeben hat. Brunner hat immer wieder auf das Ethos der alten Ökonomik hingewiesen, jene, auf der aristotelischen Trennung von Ökonomik und Chrematistik (= Erwerbskunde) beruhende Zwecksetzung des Hauses, das Arbeitsziel der zu ihm gehörenden Gemeinschaft (= Hausvater, Hausmutter, Kinder und Gesinde) primär in der ›Wohlfahrt‹, der Versorgung der Hausgenossen nach ihrem jeweiligen Status zu sehen. Die Produktion für den Markt ist nicht Selbstzweck, sondern steht allemal der »Idee der Nahrung«, der »Idee des standesgemäßen Unterhalts« nach, um hier die vieldiskutierte Kategorie Sombarts zur Charakterisierung der vorkapitalistischen Wirtschaftsgesinnung aufzunehmen.[17] Der neben der philosophischen Tradition zweite bedeutende Quellenbereich, gerade auch für die Ausbildung der deutschen Ökonomien, waren die römischen Agrarschriftsteller (Columella: »De re rustica«, die Sammelhandschriften bzw. späteren Drucke der »Scriptores de re rustica« u. a.) bzw. ihre Renaissance im Humanismus. Diese wiederum hat die Produktion der vielfältigen nationalsprachigen Agrarschriften ausgelöst, die sehr oft Elemente der klassischen Ökonomik kennen, z. B. typische paterfamilias-Kapitel, also die Beschreibung ›väterlicher Herrschaft‹ hier im Aspekt des Landbesitzes und seiner sozialen Organisation durch den Herrn.

Die dritte Quellenschicht, die wir besonders für die deutsche Ökonomieliteratur ausmachen können, ist für diese Reihe die wichtigste geworden: *die theologische Substanz, die in einer spezifisch protestantischen Form in Erscheinung tritt.* Es handelt sich hierbei vor allem, neben vielfältigen Traditionsverhältnissen der genuin christlichen, von der Bibel und den Kirchenvätern ausgehenden Lehre vom Haus, um den Einfluß der vorchristlich nachweisbaren ›Haustafeln‹ in den Apostelbriefen an die Kolosser (3,18–25) und Epheser (5,22–26) und ihre Neuordnung durch Luther für den katechetischen Unterricht. Die lutherische Predigtliteratur hat hier eine eigene Tradition ausgebildet, die Predigten über den christlichen Hausstand, die auf der Auslegung des Kleinen Katechismus vom 1529 aufbauen und damit die Drei-Regimenter-Lehre Luthers propagiert haben: die Einrichtung des status oeconomicus und des status politicus neben dem status ecclesiasticus.[18] Die Heiligung des Haus- und Ehestands als einer neben den anderen Ständen gleichwertigen Stiftung der Ordnung Gottes in der Welt hat ganz wesentlich zur Ausformung der deutschen Hausbuchtradition beigetragen, gerade insofern sie ein grundsätzlich spirituelles Verständnis der Vaterrolle, der Rechtfertigung der von hieraus ausgehenden Herrschaft in der Hierarchie des Hauses in Kraft gesetzt hat.

1529 erscheint in Wittemberg bei Hans Lufft ein schmales Buch des lutherischen Predigers Justus Menius, des ›Reformators von Thüringen‹, das in seinem Programm als repräsentativ für das Leitbild ›Vater‹ in der frühen deutschen Ökonomieliteratur angesehen werden kann. Der Titel verrät die Funktion des Buches als Fürstenspiegel und damit die politischen Implikationen der hier vorgestellten Normen: »An die hochgeborne Furstin/ fraw Sibilla Hertzogin zu Sachsen/ Oeconomia christiana/ das ist/ von christlicher haushaltung Justi Menij. Mit einer schönen Vorrede D. Martini Luther.« Menius' Schrift wird von Luther eingeleitet, der hier die Oeconomia ganz unter den Zweck der Ehe- und Kinderzucht stellt. So soll »dis Christlich büchlin mit vleis einem iglichen hausvater zu lesen« gegeben werden.[19] Das Schema der inhaltlichen Gliederung dieser »Oeconomia christiana«, in der übrigens auch Xenophon und Aristoteles zitiert werden, entspricht dem noch bei Wolf wiedergefundenen Schema der personalen Beziehungen innerhalb des Hauses. Nach einer übergreifenden Belehrung, »Was Ehelich leben sey« und »worauff die haushaltung zu richten sey«, folgen die Darstellungen über das, »Was den Manne yn sonderheit ynn der hausregierung zustehe«, gefolgt von der Beschreibung der Pflichten der Frau, dem Verhältnis des Vaters zu den Kindern und »Wie man das gesinde halten sol«. Nach den Personalbeziehungen, einschließlich der »Freundschafften« (= Nachbarschaft), werden die Sachbeziehungen als sittlich-religiöse Ordnung des Handelns – aber noch nicht, wie in den späteren typischen, entwickelten Hausbüchern für das Haus als Gutsbetrieb in konkreten Arbeitsanleitungen – angesprochen: »Vom Almosen geben/ und rechten gebrauch der güter.«

Diesen Anweisungen ist ein Kapital vorangestellt, das die Überschrift trägt: »Das Gott zweierley Reich verordnet hab/ Geistlich und Leiblich«; und dort heißt es: »Leiblich regiment ist Oeconomia und Politia. Und dis eusserliche und leibliche reich ist auch zweierley/ als nemlich Oeconomia/ das ist haushaltung/ und Politia/ das ist landregierung/ Inn der Oeconomia oder haushaltung ist verfasset/ wie ein jgliches haus christlich und recht wol sol regieret werden (...) denn daran ist kein zweiffel/ aus der Oeconomia oder haushaltung mus die Politia oder landregierung/ als aus einem brunnequell entspringen und herkomen.«[20]

Was hier angesprochen wird, tritt in den berühmten »Georgica Curiosa« oder »Adeliges Land- und Feld-Leben« des niederösterreichischen Freiherrn Wolf Helmhard von Hohberg, die 1682 in zwölf Büchern zum ersten Mal erschienen und, wie Otto Brunner uns gezeigt hat, eine so außerordentliche, die Gattung der alteuropäischen Ökonomik geradezu exemplifizierende Wirkungsgeschichte hatten, thematisch hervor. In der »Zuschrifft« dieses Werkes heißt es: »Es lässet auch dieser Menschenliebende Himmlische Hausherr noch nicht ab/ die große Welt-Oeconomiam noch immerdar mit schönster und richtigster Ordnung unaufhörlich zu bestellen (...) und zu regieren.«[21] Der Hinweis auf die »Welt-Oeconomia« ist als eingrenzende Bestimmung gegenüber dem seit dem Ende des 18. Jahrhundert ungebräuchlich gewordenen Begriff der Oeconomia zu verstehen, der die menschliche Natur Christi, die Lehre von der Entfaltung der Menschwerdung Gottes, beinhaltet. Ihm steht im alten dogmatischen Begriffsgebrauch die Theologia gegenüber, die Lehre von der göttlichen Natur Christi.[22] Der dogmatische Ökonomiebegriff, die oeconomia divina, ist an zwei Bestimmungen gebunden. Sein Inhalt deckt einmal den Akt der Erscheinung Gottes in der Person Christi auf Erden als Verwirklichung des göttlichen Heilsplans (= dispensatio). Zum anderen vollzieht sich diese Verwirklichung – und diese Bestimmung ist als Präfiguration für den irdischen Hausvater auch bei Hohberg gemeint – als die »Austeilung« (= distributio) »derer durch Christum erworbenen Heyls-Güter«, die der ›himmlische Hausherr‹ zum Heil der sündigen Menschheit vornimmt, wie es noch in Zedlers »Universal-Lexicon« unter »Oeconomia Divina« heißt.[23]

Im Gestus der Einteilung der für die Wohlfahrt des Hauses zu leistenden Arbeiten durch den Herrn an jedem Abend vor dem neuen Arbeitstag, wie es die Hausbücher als Pflicht des Hausvaters durchgängig ausweisen, also die im Bild des höchsten Beispiels der dispensatio erinnerte Pflicht der Kinder Gottes in der Welt, und im Gestus der Austeilung der Nahrung des Hauses, der materiellen und der ideellen, konkretisiert sich jener Zentralgedanke, der sich, mehr oder weniger ausgeführt, in repräsentativen Belegen zur Predigtliteratur über den Hausstand und in der alten Ökonomieliteratur findet: *der von der Analogie von himmlischem und irdischem Hausvater.*

In dieser Analogie liegt die eigentliche, weil in die Transzendenz verweisende Begründung für die Rechtsstellung des Hausvaters und für die Geltung seiner Herrschaft über die Hausgenossen im Denken der alten Ökonomieliteratur. Aus diesem Anspruch, das Ethos der Welt-Ökonomie unmittelbar aus dem im Heilsgeschehen tatsächlich bestä-

tigten Plan der göttlichen Ökonomie abzuleiten, hat diese literarische Tradition bis in ihre politischen Intentionen ihr funktionales und inhaltliches Schema bezogen. Zum einen muß ihr Funktionswert in der Staffel abgeleiteter und zugleich aufeinander verweisender Gewalt gesehen werden: Gottvater-Landesvater-Hausvater. Noch in der restlos rationalisierten Begründung der naturrechtlich abgeleiteten Politik bei Wolff wurde ja das Prinzip paternaler Herrschaft in Anspruch genommen. Daß es auch im 18. Jahrhundert nur ein säkularisiertes Prinzip ist, kann gerade die Traditionskette der alten Ökonomik lehren. Unter dem Namen des Geistlichen Franz Philipp Florinus, des 1694 gestorbenen Rektors der Lateinschule in Sulzbach, erscheint 1702 in der ersten Auflage ein traditionaler »Oeconomus prudens et legalis oder der kluge (...) Hauss-Vater«, dem unter demselben Verfassertitel (die Autorschaft ist im einzelnen nicht geklärt) 1719 eine Fortsetzung folgt, in der explizit die Pflichten des christlichen, Gott gehorchenden (= Kap. I) »Fürstlichen Hauss-Vatter in Ansehnung des ganzen Reichs« beschrieben werden.[24]
Zum andern muß die spirituelle Dignität des Ökonomiebegriffs auch als Begründung für die Hierarchie im inhaltlichen Schema der vorgestellten Gegenstände mitgelesen werden. In der festen Ordnung der Inhalte im voll ausgebildeten Typus des Hausbuchs, der mit Johann Colers »Oeconomia ruralis et domestica (...) und Hauß-Buch« seit 1604 anzusetzen ist,[25] tritt die darin mögliche Spiegelfunktion für die sie repräsentierenden gesellschaftlichen Ordnung vollständig zu Tage. Diese Bücher beginnen – als stofflicher Traditionsstrang aus der römischen Agrarliteratur nachweisbar – mit den Kriterien für die Wahl bzw. Übernahme (= Erbschaft, Kauf oder Pachtung) des zu bearbeitenden Landes. Schon dieser Eingang erfolgt in einer personalen Perspektive, der des Herrn, der allein entscheidet. Unmittelbar darauf folgt jenes Kapitel, das wie ein Topos zur alten Ökonomieliteratur gehört: *die Pflichtenlehre des christlichen Hausvaters.*

Ihre – oft im 17. Jahrhundert auch ikonographisch unterstützte – Präsentation in einem solchen Hausbuch soll am Beispiel eines durchaus gewöhnlichen Titels der Reihe vorgeführt werden. Wie eine Summe dessen, was die prominenten Titel des 17. Jahrhunderts, Coler, Böckler,[26] Hohberg vor allem, vorgestellt hatten, liest sich die kompendiöse, vierteilige »Vollständige Hauß- und und Land-Bibliothec« des Andreas Glorez »von Mähren«, die 1700 in Regensburg erschien. Wie viele ihrer Vorgänger und Nachfahren bietet sie ihr Wissen allen Käufern an, »was Stands und Ambts er auch seye«,[27] tatsächlich aber ist auch hier der Adressat doch nur in der Schicht der Eigentümer und der Vögte bzw. Beamten großer agrarischer Haushaltungen zu suchen. Der Verfasser kennt die Autoritäten des »edlen Schatzes« der Ökonomik von Aristoteles über Columella und Crescentiis bis zu

Hohberg. Der Aufbau des ersten Teils, der die prudentia oeconomica des ›ganzen Hauses‹ inventarisiert, zeigt in sich schon die Ordnung der Handlungsnormen. Bevor »Vom Haußhalten« gehandelt wird (1. Buch ff.), wobei nichts anderes gemeint ist, als die Abfolge der vom »Hauß-Herrn« ausgehenden jeweiligen personalen Beziehungen, wird gesagt, wie der zu sein hat, der Herr des Hauses ist. In acht Hinsichten wird das Bild eines »Christlichen Haußhalters« im genauen Wortsinn vorgestellt. Alles, was immer in dieser ›Bibliothek‹ oder in anderen Formen an Erfahrungen der vorangegangenen Väter an den, der jetzt in die intendierte Rolle tritt, herangetragen wird, kann nur unterhalb dessen sein, was in diesem Eingang mahnend aufgerichtet wird. Angesichts dieser gedruckten Ordnung des Bestandes darf man sich an die Hierarchie der Bauprogramme barocker Herrensitze erinnert fühlen, an die bis in die Fassadengliederung wiederholte zentralistische Organisation der Baukörper. Der große Titel eines barocken Sachbuchs kann wie die Schauseite des Hauses, für das es geschrieben wurde, gelesen werden. Daß diese Erinnerung von der Ökonomieliteratur ausgelöst werden mag, hat überdies Gründe: in einigen Titeln, z. B. in dem des erwähnten Architekten G. A. Böckler, gehören Anleitungen zum Bau des Meierhofes und Herrenhauses zum Inhalt.

Das Bild des Hausvaters wird allererst gemessen an »Gott dem himmlischen Hauß-Vatter«.[28] »Gottesfurcht« des Herrn, die ihn darin auch allen denen verpflichtet, die unter ihm sind, ist daher auch das Leitwort für die ersten drei Aspekte dieser Seinslehre. Wer dessen eingedenk ist, schaut in der richtigen Weise – der vierte und fünfte Gesichtspunkt – auf die »Umständt und Gelegenheit des Land-Guts« und wird die Frau und das Gesinde »mit Bescheidenheit zu regieren wissen/ zu rechter Zeit/ sonderlich des Abends zu sich kommen lassen und ihnen befehlen/ was ein ieder den folgenden Tag thun und vornehmen soll.« Nach diesem fünften Gebot folgen noch drei, die den »fürsichtigen« Haushalter, der »des Herrn fleißiges Auge« übt und die Rechenhaftigkeit in seiner Wirtschaft pflegt, ansprechen. *Es ist leicht, in diesen Sätzen über den Hausherrn die biblische Sprache vom Wirken des Herrn immer wieder auszumachen.*

Nun erst ist es möglich, das »Haußhalten« als Stufenfolge der personalen Ämter des Hauses und dann erst, vom siebten Kapitel an, in seinen wichtigsten Arbeiten zu beschreiben. »Wie sich der Hauß-Herr verhalten soll« (1. Kap.) gibt einen Katalog konkreter Lehren, die allesamt bezüglich der Menschen im Haus die Gehorsampflicht gegen den Vater anmahnen. Die Kinder beispielsweise sollen »nach Stand und Vermögen« gut erzogen werden, aber nie soll »diß Sprichwort« vergessen werden: »Wir essen mit den Kindern/ und sie nicht mit uns«.[29]

Die Glorezsche ›Haushaltungs-Bibliothek‹, die bis 1719 noch eine Fortsetzung und Neufassungen erlebte, repräsentiert in Stil und Intention die Oeconomica des 17. Jahrhunderts. Das wird besonders deutlich, wenn man diese ›Bibliothek‹ mit einer anderen, von den späteren Glorez-Ausgaben her gesehen gleichzeitigen, vergleicht. 1716 erscheint in Leipzig die »Compendieuse Haußhaltungs-Bibliotheck« des Julius Bernhard von Rohr, einer der interessantesten Gestalten der deutschen Frühaufklärung. Dieser Titel leitet eine Reihe von ökonomischen Schriften Rohrs ein, die deutlich die Wende im Verständnis von Ökonomie als Reflex einer gegenüber der Vergangenheit grundlegend anders orientierten Einstellung zur Praxis des Haushaltens markieren. Viele der eingangs angesprochenen Kriterien im Begriffswandel von Ökonomie lassen sich bei Rohr nachweisen. Ein dafür entscheidender Beitrag ist seine beständige Forderung nach wissenschaftlicher Förderung der Ökonomie und der in die Zukunft weisenden Technologie.[30] Rohr vor allem hat den Gelehrten seiner Zeit geraten, die wenig später zuerst in Preußen eingeführten »Collegia Oeconomica« auch auf den Universitäten zu pflegen.[31] Die Konsequenz dieser Tendenz zur Verwissenschaftlichung der Ökonomik als Produktionslehre für die Tradierung der ihr bis dahin zukommenden oeconomia christiana hat dann auch Rohr selbst gezogen: »Wenn man die so genandten Haushaltungs-Bücher durchgehet, so findet man, daß sie fast alle nach einem Leisten gemacht worden. Sie beschreiben nur mehrentheils die Land- und Feld-Oeconomie, mischen etwas weniges von der Stadt- und Haus-Oeconomica mit unter, bringen aber darbey unterschiedene fremde Materien mit vor, als wenn sie handeln von der Pflicht und Schuldigkeit eines Haus-Vaters gegen seine Frau, Kinder und Gesinde, usw. welche Sachen ein Hauswirth zwar wissen muß, aber nicht als ein Hauswirth, sondern als ein Christ oder vernünfftiger Mensch.«[32]

Diese Bemerkung Rohrs über die Gattung der »Haushaltungs-Bücher« ist darum ein so einzigartiges Zeitsymptom, nicht nur, weil in vier Nebensätzen die zentrale literarische Tradition für die Ordnung des Lebens aus fast zwei Jahrhunderten als »fremde Materie« abgetan wird, sondern weil die Zäsur genannt wird, von der aus Ökonomie eine andere Wirklichkeit meinte, als bis dahin diesem Begriff zu beschreiben möglich war: die Spaltung in der Rolle des Hausvaters in Ansehung der Einheit jenes Bildes, als dessen Abbild er einmal verstanden wurde. Nunmehr ist der Hausvater »Hauswirth« und ein davon unterschiedener »Christ oder vernünftiger Mensch«, je nach seinen verschiedenen Funktionen in der Gesellschaft. Die Trennung der jeweils für diese Funktionen zuständigen Tradierungsmedien, die etwa auch Justi bestätigte, spiegelt diese Spaltung.

Daß dieses das tradierte Bild des Hausvaters auflösende Funktionsdenken schon im 18. Jahrhundert dazu führte, eben dieses Bild zu ideologisieren und es damit zugleich als verloren zu begreifen, soll unser letztes Beispiel zeigen. Von 1764 bis 1773 erschien in Hannover ein schließlich auf sechs Bände angewachsenes Werk des niedersächsischen Gutsbesitzers Otto von Münchhausen unter dem Sammeltitel der in Lieferungen veröffentlichten Teile als »Der Hausvater«. Die Gliederung des Gesamtwerks gibt Hinweise darauf, daß dieser Titel nur noch als eine Erinnerung zu lesen ist. Das Kompendium beginnt mit einer langen Abhandlung über das Ackerinstrument des Pflugs; im weiteren folgt eine ganz aus der Praxis des agrarwissenschaftlich interessierten Gutsherrn Münchhausen gezogene Ackerbaulehre. Erst im 1769 zum ersten Mal erschienenen vierten Teil folgt das Kapitel, das dem Gesamtwerk seinen Namen gibt: »Der Hausvater in seiner Wirthschaft.« Die hier genannten Eigenschaften sind auf jeweils verschiedene Zwecke gerichtete Funktionsbeschreibungen, die mit dem Portrait »Der fromme Hausvater« beginnen, wobei ausdrücklich vermerkt wird, daß »fromm« hier nicht als »pius« zu verstehen sei, sondern als »rechtschaffen« und »redlich«, und mit der Darstellung einer ganzen Reihe von Rollen, die der Hausvater möglicherweise in die Lage kommen kann zu erfüllen, fortgesetzt werden.[33] Diese Summierung der von einander unterschieden gedachten und dementsprechend in selbständigen Kapiteln vorgestellten Tätigkeiten erfüllt den Zweck des Buches. »Ich stelle mir nemlich einen Hausvater vor«, schreibt der Autor, »der, wenn er auch nicht selbst seinen Haushalt dirigiret, sondern solches denen dazu gesetzten Personen überlässet, gleichwohl erkennet, wieviel an einer guten Ordnung (. . .) gelegen sey.«[34] Entscheidend ist hier der Hinweis auf die Delegation der beschriebenen Aufgaben. *Die in der oeconomia christiana begründete, im Primat der Verhaltenslehre des Vaters in die Praxis getretene Einheit von Vater und Haus ist aufgelöst.* Der Hausvater tritt dem Haus gegenüber. Ganz konkret spaltet sich die Figur des Hausvaters in die des Familienvaters und die des Gutsherrn, der das Haus als landwirtschaftlichen Betrieb leitet. Der hier schon mit einem Zug zur Sentimentalität dauernd erinnerte ›Hausvater‹ zeigt sich als das, was er real noch sein kann: »Wir sind in Ansehung unserer Güter nichts anderes als Kaufleute, welche ihre Waaren beständig umsetzen, und nach den Umstän-, den, bald im Großen, bald aber Stückweise handeln.«[35] Der Titel vom ›Hausvater‹ figuriert hier für eine schon nicht mehr praktizierte gesellschaftliche Ordnung. Kraft seiner historischen Substanz verdeckt er die tatsächlich dargestellte Realität einer Summe von einander getrennten sozialen Funktionen, *die tendenziell auf die Polarisation von Familie und Betrieb zulaufen.* Die Erscheinungsweise und Rezeptionsform dieses Sammelwerks ist der genaue Ausdruck seines Charakters. Münchhausens ›Hausvater‹-Titel signalisiert das Ende der Gattung der alten Oeconomica.

Im Rückblick auf ihren Ursprung, die Ordnung setzende Heiligung des Hausstandes, ist die Geschichte der sogenannten Hausväterliteratur bis zu ihrem Ausgang in der zweiten Hälfte des 18. Jahrhunderts auch als Prozeß der Säkularisierung des Hauses zu verstehen. Diese Säkularisierung ist ohne Zweifel eine der Voraussetzungen für den in dieser Auslösungsphase politisch faßbaren Vorgang der Emanzipation des Bürgers aus den alten gesellschaftlichen Bindungen im eingangs skizzierten Sinn gewesen. Und dies gilt um so mehr, als wir zu bedenken haben, daß Emanzipation ursprünglich als Rechtsbegriff, als emancipatio, die Freisetzung, die Entlassung des Individuums aus der väterlichen Gewalt bedeutete. Die Zeit der deutschen Aufklärung in ihrer entscheidenden politischen Phase, also die Zeit seit dem Ende des Siebenjährigen Krieges bis in die neunziger Jahre als Reaktion auf die Französische Revolution, reflektiert in vielfältiger Weise diese innere Auflösung des Hauses als sozialer Einheit und die damit verbundene Problematisierung der väterlichen Gewalt.

Für die aus der väterlichen Nahrung Entlassenen, für die alle, die in dieser Weise ›aus dem Hause‹ gehen, war, das hat die moderne Familiensoziologie gezeigt, die soziale Sicherung durch die Familie nicht mehr gewährleistet. Diese Sicherung und die Kompensation der damit verbundenen sozialen Isolierung mußten nunmehr andere soziale Gruppen leisten. Im Blick auf die politische Gleichheitsforderung wird man diese Emanzipation als gesellschaftlichen Fortschritt bezeichnen müssen. Daß das ›Weggehen‹ aus dem ›Herkommen‹ als je individueller Akt auch als Verlust erlebt werden mußte, davon gibt es aus diesen Jahren viele Zeugnisse. *Eine Schicht dieser Zeugnisse, die vielleicht am sensibelsten auf jenen Traditionsbruch reagierten, sind die Texte der sogenannten Sturm- und Drangdichtung.* Man hat sich daran gewöhnt, eines ihrer zentralen Themen in der Problematisierung des Vater-Sohn-Verhältnisses als das eines psychologischen Konflikts zu sehen. Die historische Einbindung in den gesellschaftsgeschichtlichen Prozeß, über den diese Dichtungen sprechen, tritt aber viel realistischer vor Augen, wenn man die Vater-Sohn-Thematik als Ausdruck eines über die psychologischen Implikationen hinausweisenden Vorgangs sieht: des Abschieds vom Prinzip der währenden Kindschaft des Menschen – der Sohn kann immer nur den Vater wiederholen –, des genealogisch-dynastischen Prinzips als Grund des Selbstverständnisses der Menschen in der Welt, auf dem auch das Traditionsverständnis der ökonomischen Ordnungsmuster beruhte.

Diese Geschichte des Abschieds, wie wir sie kennen, läßt sich wohl nirgends folgenreicher fassen, als dort, wo von der Transformation der ›Kindschaft‹ zur ›Jüngerschaft‹, vom leiblich-dynastischen Prinzip zu dem des geistigen Zeugnisses als neuer Form der Identitätsfindung die Rede ist.

In Goethes »Götz von Berlichingen« gibt es eine Szene, in der diese Transformation und die Probleme ihrer wirkungsgeschichtlichen Folgen wie in einem Kern zusammengeschlossen sind. In der Fassung von 1773, der mit »Saal« überschriebenen Szene des dritten Aktes, heißt es: »Götz, Elisabeth, Georg, Knechte bey Tisch«. Im Zusammenhang des zwischen diesen Menschen besprochenen Themas ist es kein Zufall, daß es eine Tisch-Szene ist. Es ist der Ort der *distributio* (der ›Austeilung der Nahrung‹) des Vaters. Man spricht zunächst von dem, was bekanntlich zum Zentralthema des Stückes zählt: die Freiheit. Es ist nicht die so oft zitierte ›prätendierte‹ Freiheit der sich auslebenden großen Figur; es ist eine Freiheit, die eine ganz konkrete Basis hat: die der altständischen Ordnung, die im Horizont der im Stück verbildlichten Realität in doppelter Weise sichtbar gemacht wird. Einmal – übergreifend – im Körperbild des Reiches. Aus der Erfahrung des »Krüplichen Cörpers« fließt die resignative Sehnsucht nach der alten Ordnung, die eine in konzentrischen Kreisen vorgestellte Vaterordnung ist. Das Reich wird als Kindschaft des Kaisers begriffen, die sich ihrerseits in Hausgemeinschaften manifestiert, wie sie Götzens, über die engere Familie hinausgreifende Beziehung zu den Knechten, zu Georg und Lerse, repräsentiert. Und der andere Realitätsbereich ist der der Nahrung, die »Idee der Nahrung«, die sichtbar wird unter anderem in der Erinnerung an jenen rechten Fürsten, den Landgrafen von Hanau, der unter »freyem Himmel« speist und die Bauern und Leute kommen dazu: »und wie sie Theil nahmen an der Herrlichkeit ihres Herrn, der auf Gottes Boden unter ihnen sich ergötzte.«[36] Die dahinterstehende Sozialordnung ist die des »standesgemäßen Unterhalts«. Die »Idee der Nahrung« hat den Begriff der Arbeit als unvermittelte Arbeit an der Natur zur Voraussetzung. Sie gewährleistet die soziale Identität des Arbeitenden als Basis des Freiheitsverständnisses der ständischen Ordnung.

Diese Verhältnisse sind die realen Voraussetzungen für jenen Gedanken der Transformation des väterlichen zum jüngerschaftlichen Prinzip in diesem Stück, um den es hier geht. Am Tisch in Götzens Haus fehlt einer, der allererst zum Haus gehörte: sein leiblicher Sohn Carl. Er wird, wie man weiß, entgegen der historischen Wahrheit von Goethe von Anfang an als der dem Götz unwürdige Schwächling gezeigt, der – gleichsam still verlöschend – aus der Geschichte des Stückes gleitet. Dieser Vorgang korrespondiert mit dem Verständnis von »Nachkommenschaft«, dessen Begriff der Zentralbegriff des Stückes ist. Götzens dunkler Ausruf in der Stunde seines Todes: »Und ich bin der letzte« manifestiert einen viel weitergreifenden Vorgang als nur den der leiblichen Erbfolge.

In Goethes Quelle, der 1731 gedruckten »Lebens-Beschreibung« des Götz ist auch von Nachkommenschaft die Rede, und sie meint nur die biologisch-dynastische.[37] Goethe aber führt diese Nachkommenschaft nur als eine negative vor und ersetzte sie positiv durch jene »edle Nachkommenschaft«, von der Elisabeth spricht, wenn sie Götz auffordert, »deine Geschichte« zu schreiben, um »deinen Freunden ein Zeugniß in die Hand«[38] zu geben. Im Horizont der realen Geschichte, also im Horizont der umrissenen Krise des Hauses als Krise der »Idee der Nahrung« heißt das: Goethe enthebt Götz der Vaterschaft und läßt ihn zu einer Figur werden, die kraft des Schreibens der eigenen Geschichte, und das heißt, im Prozeß des richtigen Verstehens dieser Geschichte, Jüngerschaft stiftet. Damit ist der entscheidende wirkungsgeschichtliche Kern des Stückes genannt.

Im hermeneutischen Verständnis der Geschichte des Mannes von 1562 wird für den Literaten von 1771 die Geschichte dieses Mannes zum weiterweisenden Vorbild dessen, der nicht mehr kraft Lebenspraxis, sondern nur noch kraft Schreibens, Zeugnis von sich abzulegen vermag. *Dieser Aneignungsprozeß durch Goethe weist auf nichts anderes als auf die Geburtsstunde des modernen Schriftstellers des bürgerlichen Zeitalters.* Die historische Transformation vom väterlichen zum jüngerschaftlichen, vom leiblich-dynastischen zum ›geistigen‹ Prinzip, die realhistorisch den Wandel von der alten – ungleichen – Freiheit zur Freiheit der prätendierten Gleichheit im 18. Jahrhundert einschließt, ist als konstitutiver Faktor des modernen Literaturverständnisses anzusehen. Mindestens eine wichtige Komponente im Bild des Schriftstellers, das noch in unseren Erfahrungsraum reicht, ist damit getroffen: der jüngerschaftsstiftende Meister, der die Verstehenden in das – neue – Haus des Geistes einlädt.

Lothar Schuckert

Geistige Väter und Söhne

Beobachtungen zum Wandel pädagogischer Autorität

Alexander der Große, so berichtet die antike Überlieferung,[1] fühlte sich als Sohn zweier Väter, denen er beiden sich in gleicher Weise durch Liebe und Achtung verbunden wußte: dem leiblichen Vater, dem er das Leben dankte, und seinem Lehrer, der ihm, wie er sagte, zum wahren Leben verhalf. Damit ist eine doppelte Abstammung bezeichnet, denn zur Genealogie der Zeugung, die soziale und rechtliche Ordnungen stiftet, tritt die Genealogie der Tradition, die Voraussetzung und Grundlage der Kultur ist. In dieser Hinsicht konnte Alexander auf die erlauchteste aller Ahnenreihen zurückblicken, denn er war Schüler des Aristoteles, der einstmals Platons Schüler war, und dieser hatte Sokrates zum Lehrer.

Väter und Söhne begegnen sich in der Erziehung, durch die die biologische Generationenfolge sich im Kontinuum der Kultur aufhebt. Erziehung ist nicht nur Hilfe für den Unmündigen und sorgende Stellvertretung in Verantwortung für den Zögling, sondern zugleich und wesentlich Weitergabe und Vermittlung der Tradition. Auf diese Weise werden objektive Kulturinhalte, Werte und Normen, soziale Strukturen und symbolische Systeme, Sinndeutungen und Elemente der Identität, für die sich die ältere Generation verbürgt, an die Söhne vererbt. Dieser Vermittlungsprozeß verläuft naturgemäß dramatisch, sowohl im Verhältnis der Generationen als auch in der konkreten Auseinandersetzung von Vätern und Söhnen, Lehrern und Schülern. Es ist so, wie es ein Vater einmal seufzend bemerkte, daß jede neue Generation dem Ansturm junger Barbaren gleiche, die in eine alte Kulturwelt eindringen und nur langsam zur Kulturteilhabe befähigt werden. Erziehung bedeutet diesen Lernprozeß, der vom einzelnen als Prozeß der Personwerdung erfahren wird. Erziehung als generelles Phänomen hat stets individuellen Charakter in der Beziehung zwischen dem Lehrer und dem Schüler. Auch das Verhältnis zwischen Alexander und Aristoteles blieb nicht ohne Wandlungen und Spannungen, wie die Überlieferung berichtet. Und dennoch blieb fortdauernd jene innere Beziehung erhalten, die einstmal Achilleus, dem sich Alexander wesensverwandt fühlte, zu seinem alten Lehrer Phoinix sagen ließ: ἄττα γεραιέ, »guter alter Vater«.[2]

Der Vater ist der Lehrer, und der Lehrer ist der Vater. Dieser Zusammenhang ist unlösbar und fordert im Prozeß der Erziehung und damit der Auseinandersetzung der Generationen immerfort Deutung und Legitimation des Selbstverständnisses von Vater und Sohn, von Lehrer und Schüler. Indem wir nach historischen Grundlagen und Wandlungen im Selbstverständnis des Lehrers fragen, hoffen wir auf Einsichten in Richtung der Frage nach dem »verlorenen Vater«.[3]

Der Lehrer, dem wir heute begegnen, steht in der Tradition dieses Selbstverständnisses nicht in der Nachfolge der Peripathetiker, Sophisten oder Rhetoren der Antike, *sondern in jener der Klosterlehrer des Mittelalters.* Es wird dabei nicht übersehen, daß die Bildungsvorstellungen und das Ethos der Erziehung in immer verwandelten Formen die Antike überdauerten. Entscheidende Bedeutung für die Erziehungsvorstellungen in Europa kommt jedoch dem Christentum zu, und dies nicht allein deshalb, weil seit dem frühen Mittelalter Erziehung und Bildung in Schulen und Hochschulen institutionalisiert wurden und Lehrer und Wissenschaftler zentrale gesellschaftliche Positionen gewannen. *Das Christentum stiftete ein neues Verständnis des Lehrers.*

Dieses Verständnis ist in der Mönchsregel des Benedikt von Nursia von 529 (die auf eine ältere Vorlage zurückgeht) faßbar.[4] Diese Regel, die zur Grundlage der größten Bildungsinstitution des Mittelalters wurde, begründete die monastische Gemeinschaft, die dem Zwecke diente, der imitatio Christi zu leben und das Gebot der Nächstenliebe zu verwirklichen. In ihr besteht eine hierarchische pädagogische Ordnung, in der die Fortgeschrittenen den Novizen, die Älteren den Jüngeren in brüderlicher Zuordnung helfen. An der Spitze dieser Ordnung steht als Würdigster und Weisester der Abt, von dessen Amt es in der Regula Sancti Benedicti heißt:

»Ein Abt, der würdig ist der Leitung des Klosters, erwäge, was sein Name besagt, und sei durch sein Vorbild der Größere. Er ist ja nach unserem Glauben Statthalter Christi. So wird er auch mit Christi Namen angeredet nach dem Apostelwort: ›Ihr habt den Geist der Kindschaft empfangen, indem wir rufen: »Abba, Vater«.‹[5] Der Abt darf also nichts lehren, anordnen oder befehlen, was außerhalb des Herrengebots liegt. Wort und Lehre durchdringe wie ein Sauerteig die Seelen seiner Jünger mit göttlicher Gerechtigkeit. Der Abt bedenke stets, daß er beim Jüngsten Gericht Rechenschaft abzulegen hat über seine Lehre und den Gehorsam seiner Jünger.«

Das Amt der Erziehung, das dem Abt zugewiesen ist, empfängt seine Legitimation von Christus selbst. Der Lehrer ist Abbild des Urbildes, des Didaskalos und Rabbi Jesus Christus, und gewinnt damit die höchste Würde und Verpflichtung.[6] Die Regel enthält deshalb sehr genaue Anweisungen, wie dieses Amt zu führen sei: es wird vom Lehrer Gerechtigkeit erwartet und das Vorbild eigener Taten, er soll »je nach Zeiten und Umständen ... den Ernst des Meisters und die Güte des Vaters zeigen«, er soll ermahnen, tadeln. strafen, und zwar so, daß er damit einem jeden gerecht werde.

»Der Abt muß wissen, wie schwierig und mühevoll die übernommenen Pflichten sind, nämlich: Seelen leiten und der Eigenart vieler gerecht werden. Beim einen versuche er es mit Güte, beim andern mit Tadel, beim dritten mit gütigem Zureden. Er soll sich der Anlage und Fassungskraft eines jeden anpassen ...«

Indem er sein Amt erfüllt, durch Lehre und Erziehung zur imitatio Christi zu führen, steht er selbst in der imitatio: »Indem er andere zum Heile führt, wirkt er sein eignes Heil.« Die hierarchische pädagogische Ordnung ist in Wahrheit eine Gleichheit im Dienen.

In den Schriften und Briefen Alkuins[7] läßt sich, wie Wolfgang Edelstein[8] gezeigt hat, der entscheidende Schritt erkennen, durch den sich das christliche Selbstverständnis des Lehrers ausbildete. Erziehung bedeutet, daß der Mensch aus seiner ursprünglichen Rohheit (vanitas) zur Weisheit (sapientia) geführt wird. Dies geschieht durch die gelehrte Bildung (eruditio). Zur Pflicht des Ältesten, des Vaters und des Lehrers gegenüber dem Jüngeren gehört die Lehre, und sie gründet in der Liebe zu Gott und zum Nächsten, ja der Christ ist zum Lehren aufgerufen, einem Tun, durch das er Würde und Ansehen gewinnt. Erziehung ist von Gott gesetzter Auftrag, durch den das Heil der Seelen vorbereitet wird.

Zur sapientia aber gehört die Demut (humilitas), und damit ist die hierarchische pädagogische Ordnung zwischen Lehrer und Schüler nur scheinbar. Der Lehrer versteht sein Tun als Hilfe am Nächsten, indem er belehrt, vorangeht und nachführt, und indem er sich für den Schüler sorgt und nach Kräften bemüht, ihm den Zugang zur sapientia zu eröffnen, verwirklicht er sich als Christ.

Damit wird deutlich, daß im christlichen Bildungsverständnis des frühen Mittelalters das Verhältnis Lehrer – Schüler nicht paternal im römischen Sinne und auch nicht als Verhältnis von Meister und Jünger aufgefaßt wurde. Ein solches Meister – Jünger-Verhältnis bezeichnet einen qualitativen und nicht einen quantitativen Abstand, der grundsätzlich *unaufhebbar* ist und durchaus charismatischen Charakter annehmen kann. Ein solches Verhältnis fordert Glauben, Nachfolge, Gehorsam, Jüngerschaft. Hier, wo nur Christus der Meister sein kann, gilt ein anderes Verhältnis zwischen Lehrer und Schüler: der trennende Abstand ist graduell, nicht prinzipiell, und er verringert sich unablässig, *bis er sich aufhebt.* Lehrer und Schüler sind, wie in der Mönchsregel, in brüderlicher Zuordnung verbunden. Es scheint, als sei diese Auffassung vom pädagogischen Verhältnis zwischen Lehrer und Schüler *über mehr als ein Jahrtausend* hinweg bestimmend geblieben. Daß die Gestalt des Meisters, der die Jüngerschaft fordert, in unserem Kulturkreis so selten angetroffen wird, mag einen Grund darin haben, daß das christliche Bildungsverständnis und Selbstverständnis des Lehrenden alle Säkularisationen überdauerte. Lehren und Erziehen als Amt und als von Gott gesetzte Aufgabe bedeutete, daß Lehrfunktionen in Schulen und Universitäten zentrale Bedeutung gewannen. Es begann die Professionalisierung der Erziehertätigkeit.[9] Mit den Schulen entstanden Lehrämter, deren Träger Pfründe gewannen und sich sehr bald als Stand darstellten. Mit den Säkularisationen schwanden die Pfründe, und der Staat trat das Erbe der kirchlichen Institutionen an, so daß der Lehrer schließlich zum Beamten des Staates wurde. Er gewann dadurch zweifellos rechtliche und soziale Sicherungen, unterlag aber von nun an Reglementierungen und staatlicher Aufsicht. Für das Selbstverständnis des Erziehers wurde damit die Spannung zwischen pädagogischem Auftrag als Erzieher des Kindes und der gesellschaftlich-politischen Funktion, Sozialisierungen im erwünschten Umfange einzuleiten und zu entfalten, zum Problem seines Selbstverständnisses. Vielleicht läßt sich in der Geschichte der pädagogischen Theorie vieles darauf zurückführen, daß diese Spannung zum fruchtbaren Ausgangspunkt für die Überlegungen wurde, wozu Erziehung eigentlich dienen soll. Damit wurde die Identität des Lehrenden als des Erziehenden immer wieder neu erfragt und gewann neue Ausprägungen jenes Zuordnungsverhältnisses von Schüler und Lehrer.

Dies geschah vielleicht nirgends radikaler und folgenschwerer als in *Jean-Jacques Rousseaus* pädagogischem Hauptwerk »Emile ou de l'éducation« von 1762,[10] in dem der Erziehung als wichtigste Aufgabe die Restituierung des Menschentums zugewiesen wird. Im Konflikt von Natur und Kultur hat der Mensch durch seine zivilsatorische Entwicklung sich von sich selbst entfernt, wurde seiner wahren Natur fremd und verlor damit Ziel und Maß des Handelns. Er trat in eine »Verkehrtheit« seiner inneren und äußeren Lebensumstände ein, unter denen er leidet, ohne es zu wissen. Sein Ziel muß sein, danach zu trachten, die Natürlichkeit seiner ursprünglichen Verfassung wiederzugewinnen. Erziehung ist nicht Hilfe auf dem Wege der imitatio Christi, sondern Mittel zur Selbstfindung und Selbstverwirklichung, *indem das Natürliche kultiviert wird, ohne die Natur zu entstellen.* In seiner Erziehungstheorie spricht Rousseau von der »negativen Erziehung«, die Bewahren und weniger Bewirken ist:

»Was haben wir zu tun, um den seltenen Menschen zu bilden? Viel, ohne Zweifel: – verhüten, daß etwas getan werde . . .«

und:

»Die erste Erziehung muß eine rein negative sein. Ihre Aufgabe ist nicht, Tugend und Wahrheit zu lehren, sondern das Herz vor dem Laster und den Geist vor dem Irrtum zu bewahren. Wenn es dir möglich wäre, nichts zu tun und nichts geschehen zu lassen, wenn du deinen Zögling gesund und kräftig bis ins zwölfte Jahr bringen könntest, ohne daß er seine rechte Hand von der linken zu unterscheiden wüßte, so würden sich die Augen seines Geistes gleich bei deinem ersten Unterrichte der Vernunft öffnen; er hätte weder Vorurteile noch Gewohnheiten, und so wäre denn nichts in ihm, was die

Wirkung deiner Bemühungen beeinträchtigen könnte. Bald würde er unter deinen Händen der vernünftigste Mensch werden, und du würdest ein Wunder der Erziehung getan haben, wenn du damit anfingest, nichts zu tun ...«

Und an anderer Stelle heißt es konkret über die Grundsätze der Erziehungspraxis:

»Erhalte denn das Kind bloß in der Abhängigkeit von den Dingen; dann folgst du im Fortschritt seiner Erziehung der Ordnung der Natur. Setze seinen unvernünftigen Wünschen nur natürliche Hemmnisse oder Strafen entgegen, welche aus den Handlungen selbst entspringen und an die es sich bei Gelegenheit erinnern kann: es genügt, es vom Übeltun abzuhalten, selbst ohne eigentliches Verbot. Erfahrung und Ohnmacht müssen allein bei ihm an die Stelle des Gesetzes treten. Gestatte seinen Wünschen nichts, weil es danach verlangt, sondern weil es ein Bedürfnis danach hat. Es soll nicht wissen, was Gehorsam ist, wenn es etwas tut. Es soll seine Freiheit gleichermaßen an seinen und deinen Handlungen fühlen. Hilf seiner mangelnden Kraft gerade so weit nach, als nötig ist, damit es frei und nicht gebieterisch sei: deine Dienste soll es mit einer Art Demütigung annehmen, damit es den Augenblick herbeisehne, wo es ihrer entbehren und die Ehre genießen kann, sich selbst zu bedienen.«

Das Ziel einer solchen Erziehung ist der freie, mit sich übereinstimmende und durch seine Vernunft zu sich selbst befreite Mensch, der die Selbstentfremdung durch die Kultur nicht erfuhr. Wichtig ist dabei, daß er in pädagogischer Isolierung und Totalität vom Erzieher dem Reifen der Natur überlassen werden kann. Es gibt hierbei keine andere Autorität als die Natur und die Natur der Dinge, keine andere menschliche Beziehung als die zwischen Erzieher und Zögling, es gibt keinen Ansporn, kein Wetteifern, keine Verfrühung, keine pädagogischen Strafen, kein Aufopfern der Gegenwart für eine Zukunft. Eigentlich hat der Erzieher nicht mehr zu tun als Einflüsse zu unterbinden und Verhältnisse zu Natur und zu Dingen möglich zu machen. Und natürlich zu warten, geduldig und ohne jeden Ehrgeiz, außer jenem, »Zeit zu verlieren, um Zeit zu gewinnen.« Diese Grundsätze gelten für die ersten 15 Lebensjahre. Danach tritt der Erzieher in ein anderes Verhältnis zu seinem Schüler: es kommt zu einer Art Vertrag, der ein partnerschaftliches Verhältnis begründet und regelt. Nun hat der Erzieher den Auftrag, Lernprozesse zu arrangieren, wie man heute in diesem Zusammenhange sagt. Jetzt werden Geist und Urteilsfähigkeit geübt. Erst jetzt beginnt die »positive« Erziehung, beginnt die Versöhnung von Natur und Kultur. Der junge Mensch erlernt sittliche und gesellschaftliche Bildung, und der Lehrer ist sein Mentor, entsagungsvoll und unermüdlich im Bereitstellen von Erfahrungsmöglichkeiten und unermüdlich im Vormachen und Vorleben. Diese Erziehung tritt schließlich in das dritte Stadium des Erwachsenenalters, in dem der Zögling seine Bildung und Erziehung selbst in die Hand nehmen kann.

Was bedeutet dies nun für das Selbstverständnis des Erziehers? Zunächst dies: *Erziehung wird hier verstanden als schöpferischer Akt,*

durch den ein Mensch sich zu seiner wahren Bestimmung bildet. Der
Zögling, das Kind ist der Bezugspunkt. Ihm opfert sich der Erzieher
als freier Mensch, der seiner Berufung folgt. Er tritt zurück und ist nur
Mittel, damit der freie, natürliche Mensch gelinge, für den kein Opfer
zu schade ist. Für ihn bleibt die Genugtuung, daß er das Werk der
Natur heranbilde, und das Bewußtsein seiner Erziehungskunst. Rousseau spricht nicht von der inneren Entwicklung, die ein Lehrer unter
solchem Anspruch zurücklegen muß. Aber es ist wahrscheinlich, daß
ein solcher Erzieher von sich die höchste Meinung und das Bewußtsein
der edelsten Aufopferung gewinnen kann. Sein Tun wird zum edelsten Beruf.
Zum anderen ist der Erzieher auch jener, der bei jeder Erziehungs-
maßnahme Klarheit darüber gewonnen haben muß, ob die Bedürfnisse des Kindes echt, und das heißt bei Rousseau: naturgemäß und
zugleich wahrhaft, sind. Er muß abwägen, was das Angemessene in
jeder Situation sei, damit die Individualität des Kindes und die Allgemeinheit der Natur zur Deckung kommen. Ein solcher Lehrer ist
im höchsten Grade Fachmann, und er verdient das Vertrauen des
Schülers, der sich im vollkommenen Maße gefördert weiß.
Rousseaus Erziehungstheorie war individualistisch gerichtet: in der
pädagogischen Subjekt-Subjekt-Beziehung, deren Wesen Freiheit und
deren Merkmal Partnerschaft ist, entfaltet sich der werdende Mensch
zu sich selbst als einem denkenden, handelnden und fühlenden Wesen. Die umgebende Gesellschaft wird dabei nur mittelbar erfahren
in der jeweils in erzieherischer Absicht bereitgestellten Lernerfahrung.
Es bleibt in dieser Theorie durchaus ungeklärt, wie mit Hilfe der Erziehung die prätendierte Antinomie von Natur und Kultur aufgehoben werden kann.
*Das gesellschaftliche Verhältnis der Erziehung ist in der Erziehungs-
theorie Friedrich Daniel Schleiermachers Ausgangspunkt und zentra-
les Problem.*[11] Es ist zu zeigen, wie bei Schleiermacher (und ähnlich
bei Herbart) die Erziehungsvorstellung eine neue Dimension gewann,
die auch das Selbstverständnis von Lehrer und Schüler wandelte.
Für Schleiermacher ist das Generationenverhältnis der Ausgangspunkt
der Überlegenen. Die ältere Generation repräsentiert den tradierten
Kulturbesitz und muß ihn an die nachfolgende weitergeben. Damit
wird nicht nur die Kontinuität des Bewußtseins gesichert, sondern zugleich vom Tage der Geburt an der Mensch in seinen vertikalen und
horizontalen Kulturzusammenhang »eingeführt«. Die ältere Generation muß dabei für die Wertbeständigkeit und den Traditionswert
bürgen, wobei nicht selten die Legitimierung der Inhalte noch schwieriger ist als deren Vermittlung.
Schleiermacher beschreibt den Gegenpol des Individuellen. Er ist die
organisierte Gesellschaft in den für ihn speziellen Ausprägungen:
Staat, Kirche, Wissenschaften und »geselliges Leben«, die in jeweils

historisch bestimmter Form angetroffen werden. Alle Erziehung in Familie und Schule muß darauf gerichtet sein, den Menschen zum Leben in diesen Bereichen zu befähigen. Das bedeutet aber keineswegs, daß Erziehung affirmativ gerichtet sei, das Bestehende unbefragt bleibe und gelungene Erziehung die perfekte Anpassung an die Institutionen bedeute. Im Gegenteil: Schleiermacher verwendet alle Sorgfalt darauf darzulegen, wie Erziehung wesentlich die Bedingungen schaffen muß, damit sich die Gesellschaft in ihren Teilbereichen und als Ganzes zum Vollkommenen wandeln und entwickeln kann. Nur durch Erziehung können Erkenntnis und Wille derart gebildet werden, daß im Sinne der Freiheit sich Sittlichkeit und Fortschritt in den Institutionen in jeder Generation besser verwirklichen können. Das Eigentümliche des Verhältnisses in Familie und Schule besteht darin, daß es in der individuellen Beschaffenheit und Intimität von Mutter und Kind, Lehrer und Schüler, zugleich ein Allgemeineres verwirklicht: den gesellschaftlichen Entwicklungsprozeß. Eltern und Lehrer sind in ihrem individuellen Bemühen zugleich Träger einer geschichtlichen Entwicklung.

Der entscheidende Bezugspunkt aller Erziehung ist für Schleiermacher die Sittlichkeit. Sie formt sich in der individuellen Begegnung aus, die geprägt ist von Vertrauen, Liebe, Verantwortung und Gehorsam. Hier geschieht der sittliche Fortschritt der Individuen, der zugleich der Fortschritt der Gesellschaft ist.

Es zeigt sich eine neue Dimension: *durch Erziehung verwirklicht sich fortschreitend die Idee der Menschlichkeit.* Erziehung hat dabei nicht allein das Ziel, den Zögling zu Selbsterziehung und ethischer Mündigkeit zu führen, wobei der Lehrer nur das Bestreben kennt, in allem Tun dahin zu wirken, sich selbst überflüssig zu machen, sondern hat zugleich den Auftrag, die Gesellschaft von Generation zu Generation zu verbessern und als sittliche Institution in ihrer Entwicklung zu fördern.

Damit ist Erziehung als gesellschaftliches Phänomen definiert. Das Tun des Lehrers gewinnt eine tiefere Notwendigkeit, weil in ihm allein sich der Ausgleich von Individualität und Allgemeinem ereignet.

An dieser Stelle muß ein keimendes Unbehagen zur Rede gestellt werden. Es stellt sich die Frage nach Reichweite und Wirkungsmächtigkeit der pädagogischen Theorie angesichts der ziemlich trostlosen Fakten der Bildungs- und Erziehungsgeschichte. Wir denken an die gedankliche Armut der Lerninhalte mittelalterlicher Schulen, an die Grausamkeit ihrer Erziehungsmethoden ebenso wie an die Enge und Einseitigkeit humanistischer Studien, an brutale Erziehungsmittel, Indoktrinationspraktiken und Anpassungstechniken, die bis zur Gegenwart die Jahrhunderte überdauerten. Die Diskrepanz von proklamiertem Anspruch und tatsächlichem Bewirken, von hohen Worten und banalem Schulalltag ist nicht zu übersehen. Es liegt dann durchaus der Gedanke nahe, daß alle pädagogische Theorie nur dazu dienen könnte, daß der sein Ungenügen fühlende Lehrer damit sich selbst und sein Tun erhöht. Es stellt sich die Frage: Wie weit reicht eigentlich die pädagogische Theorie, und in welchem Ausmaß bestimmt sie das Selbstverständnis des Lehrers und seine Erziehungspraxis?

Versucht man eine Antwort, so lassen sich weder quantitative noch qualitative Angaben machen. Man kann nur hinweisen, welche orientierenden Wirkungen etwa vom Gedanken einer Erziehung »vom Kinde aus« oder dem der pädagogischen Partnerschaft ausgingen, wie etwa die pädagogische Reformbewegung, die von Deutschland ausging und in Rußland und in den USA von größter Wirkung war, Leitbilder für ein neues Verständnis des Erzieherberufes setzte. Gestalten wie Rousseau, Pestalozzi, Fröbel und Herbart, um nur einige zu nennen, bestimmten zweifellos zumindest das pädagogische Selbstbild von Lehrergenerationen und wirkten, im Ausmaß schwer abschätzbar, auch in den Erziehungspraktiken der bürgerlichen Gesellschaft.

Andererseits ist sicherlich individuelles Versagen im Spiel, wenn die Diskrepanz von pädagogischer Theorie und Praxis befragt wird. Der Gedanke liegt nahe, *daß Vaterbild und Erzieherbild dicht beieinander liegen* und daß das eine vom anderen seine Legitimation bezieht. Es wäre noch zu untersuchen, welche Wechselwirkungen hier bestanden und was es für die Erziehungswirklichkeit bedeutet, wenn zwar Rolle und Selbstverständnis des Erziehers von der Theorie definiert sind, der Vater hingegen in einem unreflektierten Traditionszusammenhang bleibt.

In unsere Überlegungen muß nun noch *die Epoche der »Reformpädagogik«* einbezogen werden, jene Zeit zwischen etwa 1890 und 1933, in der, im Zusammenhang mit anderen Phänomenen, eine pädagogische Bewegung mit weitreichenden Wirkungen und vielfältigen neuen Entwürfen einen neuen Typus des Lehrers schuf und verwirklichte.[12] Es soll versucht werden, die Bedeutung jener Epoche für die Frage nach der Qualität des Bezuges zwischen Lehrer und Schüler an einigen Stellen zu erfragen, um die tiefgreifenden Wandlungen dieses Jahrhunderts im Verhältnis der Generationen zu erhellen.

Zunächst läßt sich feststellen, daß die pädagogische Reformbewegung vier folgenschwere Neuerungen brachte:

1. Das pädagogische Verhältnis wurde konsequent »vom Kinde her« konzipiert, wobei sich entfaltete, was z. B. bei Rousseau, bei Fröbel und Pestalozzi (aber nicht nur bei ihnen) angelegt war.
2. Das Lehrer-Schüler-Verhältnis wurde als elementares Lebensverhältnis gedeutet.
3. Der Lehrer wurde idealisiert.
4. Die Pädagogisierung der Gesellschaft begann.

Den ersten Punkt kann ein Zitat aus Hermann Nohls Buch »Die Pädagogische Bewegung in Deutschland und ihre Theorie« von 1932 verdeutlichen:

»War bis dahin das Kind das willenlose Geschöpf, das sich der älteren Generation und ihren Zwecken anzupassen hatte und dem die objektiven Formen eingeprägt wurden, so wird es jetzt in seinem eigenen spontanen produktiven Leben gesehen, hat seinen Zweck in ihm selber, und der Pädagoge muß seine Aufgabe, ehe er sie im Namen der objektiven Ziele nimmt, im Namen des Kindes verstehen. In dieser eigentümlichen Umdrehung... liegt das Geheimnis des pädagogischen Verhaltens und sein eigenstes Ethos... Diese Umdrehung war damals die Welt des Kindes erst entdeckt, und von dieser Grundeinstellung her ergaben sich die wichtigsten pädagogischen Begriffe, wie die Entwicklung der Individualität, Selbsttätigkeit und Selbstverwaltung, der Selbstwert jedes Moments im Zusammenhang des fortschreitenden Lebens, die Ausbildung des ganzen Menschen.«[13]

Seit Ellen Keys folgenschweren Buch »Das Jahrhundert des Kindes« aus dem Jahre 1902 hatte, vor allem in der sog. »Kunsterziehungsbewegung«, sich die Vorstellung entfaltet, daß das Kind in vieler Hinsicht vollkommen sei und man es verehren müsse um seiner Ganzheit, Reinheit, Lebensfülle und Genialität willen. Die Welt des Kindes erschien hier als die wahre, »heile« Welt. Durch eine solche Hypostasierung des Kindes, die in gewisser Weise vom Jugendkult der Jugendbewegung aufgenommen wurde, mußte sich das Verhältnis der Generationen zueinander ebenso verändern wie das Verständnis des Lehrers, des Vaters und das der pädagogischen Autorität.

Damit läßt sich der zweite Gesichtspunkt erläutern, mit dem eine tiefgreifende Veränderung im Verhältnis des Lehrers zum Schüler bezeichnet werden soll. Hier wäre wiederum Nohl zu zitieren, aus seiner »Theorie der Bildung«:[14]

»Die Grundlage der Erziehung ist... das leidenschaftliche Verhältnis eines reifen Menschen zu einem werdenden Menschen und zwar um seiner selbst willen, daß er zu seinem Leben und zu seiner Form komme. Dieses erzieherische Verhältnis baut sich auf auf einer instinktiven Grundlage, die in den natürlichen Lebensbezügen der Menschen und in ihrer Geschlechtlichkeit verwurzelt ist. In dem Vater- und Muttersein, Schwester-, Bruder-, Tante- und Onkelsein, aber auch noch in dem Großvatersein und nicht zuletzt in der Erotik. Von jedem dieser elementaren Bezüge wird eine eigene Form des erzieherischen Verhältnisses getragen, er läßt jedes Mal andere Momente in diesem Verhältnis hervortreten, zielt auch auf ein jeweiliges verschiedenes Alter, die Mutter auf das Kleinkind, der Vater auf den 12jährigen, die Erotik auf das Jugendalter. Jeder große Pädagoge ist typisch für eine dieser Formen, Sokrates und Herbart oder auch Wyneken für den erotischen, Pestalozzi für den mütterlichen, Salzmann oder Arndt für den männlich-väterlichen Typus...«

Und weiter heißt es:

»Im Bildungserlebnis des jungen Menschen ist wesensmäßig die Hingabe an den Lehrer und die Erfahrung von einem Wachstum und einer Formung durch den andern enthalten... Unter den wenigen Verhältnissen, die uns im

Leben gegeben sind, Freundschaft, Liebe, Arbeitsgemeinschaft ist das Verhältnis zum echten Lehrer vielleicht das grundlegendste, das unser Dasein am stärksten erfüllt und formt.«

Es wird deutlich, wie das pädagogische Verhältnis zwischen Lehrer und Schüler *als existentielle Aufgabe und Erfüllung* gesehen wird und zugleich als menschliche Bewährung aneinander in der Form der Hingabe. Die Folge mußte sein, daß der Lehrerberuf idealisiert wurde. Im Lehrer repräsentiert sich damit die Fülle der Kultur und des Menschseins, in seinem Tun erscheinen Dienen und Führen in höchster Vollendung. Auch hier kann wieder Nohl zitiert werden:

»Ist das Ziel der Erziehung die Erweckung eines einheitlichen geistigen Lebens, so kann sie nur wieder durch ein einheitliches geistiges Leben gelingen, persönlicher Geist sich nur an persönlichem Geist entwickeln. Die pädagogische Wirkung geht nicht aus von einem System von geltenden Werten, sondern immer nur von einem ursprünglichen Selbst, einem wirklichen Menschen mit einem festen Willen, wie sie auch auf den wirklichen Menschen gerichtet ist: die Formung aus einer Einheit. Das ist der Primat der Persönlichkeit und der personalen Gemeinschaft in der Erziehung gegenüber bloßen Ideen, einer Formung durch den objektiven Geist und die Macht der Sache.«

Und schließlich soll noch aus dem Aufsatz »Der Lehrer als pädagogischer Berufstypus« von Aloys Fischer aus dem Jahre 1926 zitiert werden:

»... Der Lehrer, als Ideal gesehen, ist der in sich vollendete, zur Beispielgebung berufene und als Vorbild liebende Mensch, der meisterliche Beherrscher, darum zur Lehre berufene Sachkenner der objektiven Kulturinhalte und der ein Aggregat von Einzelnen durchseelende bindende Mittelpunkt eines natürlich-künstlichen Gemeinschaftslebens, ... der Schulgemeinschaft. Die Einzigartigkeit des Lehrerberufes liegt im Ineinander der sämtlichen Dimensionen pädagogischer Aufgabenstellung; der Lehrer ist die vollendete Kunstform des Erziehertums.«[15]

Für unseren Zusammenhang scheint von Wichtigkeit zu sein, daß hier das personale Verhältnis zwischen Zögling und Lehrer auf der Grundlage innerer Verbundenheit konstitutiv für die Möglichkeit der Erziehung gesehen wird und daß die erzieherische Autorität sowohl in der Repräsentation der Kulturinhalte und der lebendigen Verkörperung ihrer Werte in der Person des Lehrers als auch in der Fähigkeit legitimiert ist, als Liebender im jungen Menschen die Fähigkeit zu einem einheitlichen geistigen Leben zu zeugen. Der so verstandene Lehrer ist Repräsentant der Kultur und menschlicher Vollkommenheit, ist Mittler von Geist und Welt, ist wahrhafter Künstler. Ein solches Verständnis des Lehrers führt dazu, ein geradezu charismatisches Führertum des Erziehers zu begründen, das das Verhältnis von Lehrer und Schüler in das von Meister und Jünger umdeuten kann. Der Zusammenhang von Reformpädagogik und Jugendbewegung ist damit sichtbar: Lehrer und Jugendführer beanspruchen im Namen des pädagogischen Eros und mit der Zielsetzung, den jungen Menschen zum Ich zu befreien, das Recht der pädagogischen Autorität in Totalität.

Theodor Litt hat schon Ende der 20er Jahre davor gewarnt, in der Erziehung die Subjektbindung, die Pflege des Emotionalen, den Primat der Persönlichkeit gegenüber den Sachen und die Verwischung des Generationsgegensatzes zu fördern.[16] Erziehung, so Litt, ist Tradierung des für das Leben Notwendigen, ist Einführung in die Arbeitswelt, ist unaufhebbar in den gesellschaftlich-politischen Bereich eingebunden. Der Abstand der Generationen ist unaufhebbar.

Es drängt sich die Frage auf, ob über den programmatischen Reden und dem wirkenden Elan der Reformpädagogen die Wirklichkeit überhaupt noch wahrgenommen und kritisch verarbeitet werden konnte. Der Augenblick der Ernüchterung mußte grausam sein, und vielleicht war es nur eine natürliche Reaktion, wenn Lehrer und Schüler, Väter und Söhne in der Folge allen Versuchen, das pädagogische Verhältnis anders als funktional zu begründen, mißtrauisch gegenüberstanden.

Zudem: die Überforderung des Lehrers war offenkundig. Sicherlich gab es wirklich den »geborenen Erzieher«, von dem Spranger sprach, und den »pädagogischen Genius« Aloys Fischers. Die Regel war jedoch, daß die tägliche Wirklichkeit die idealen Forderungen nur selten einholte. Das hatte aber für den Lehrer unmittelbare Folgen: Öffentlichkeit und Schüler maßen ihn an seinem Anspruch, er wurde beim Wort genommen, und das hieß: er wurde nicht immer ernst genommen. Häufig genug geschah die Flucht in die Pose, die umso lächerlicher war, als sie hartnäckig behauptet wurde. Das Problem der pädagogischen Autorität wurde nach dem Zweiten Weltkrieg mit allen Zeichen der Verstörung und Desorientierung diskutiert. Hinzu kam noch ein weiteres, das mit dem Titel eines Aufsatzes Theodor Adornos am besten bezeichnet ist: »Erziehung nach Auschwitz«.[17] Das Versagen der erziehenden und der erzogenen Generation war so offenkundig, daß mit der Kritik an Inhalten und Formen der Erziehung auch die Frage nach dem Verhältnis von Lehrer und Schüler, von Vätern und Söhnen in die Diskussion einbezogen wurde, eine Diskussion, die, von der Seite der Söhne, zunehmend den Charakter radikaler Abrechnung annahm.

Es soll, wenigstens andeutungsweise, noch auf den vierten Gesichtspunkt eingegangen werden, auf jene »Pädagogisierung der Gesellschaft«.[18]

In dem Maße, indem die arbeitsteilige Gesellschaft, die technische Zivilisation und die Industrialisierung voranschreiten, kann die Erziehung der Eltern nicht mehr ausreichen, um die erforderlichen Qualifikationen zu vermitteln. Die Folge war, daß sich die Erziehungsfunktion zunehmend ausgliederte und von Spezialisten besorgt wurde. *Die Generation der Väter war nur zu schnell bereit, diese Erziehungs-*

funktionen an die Berufs-Lehrer und den Staat zu delegieren. Die
Lehrer wiederum übernahmen diese Funktion ohne Zögern. Jede Erziehung ist ihrem Anspruch nach tendenziell auf Totalität gerichtet,
und die Versuchung des Erziehers war seit eh und je, alle Lebensbe-
züge des Schülers zu gestalten: je stärker pädagogische Berufung und
Engagement, umso umfassender das Bemühen, den Zögling nach dem
Bilde des Lehrers zu gestalten. Die Reformpädagogik, die diese totale
Formung des ganzen Menschen nicht nur forderte, sondern auch betrieb, versuchte, jede Einwirkung »von außen«, etwa durch die Eltern,
zu behindern.
Der Pädagoge forderte für seine Tätigkeit »Autonomie«. Er erhob
nicht nur den Anspruch, das Geschäft der Erziehung fachmännisch
betreiben zu können, sondern er forderte auch, daß alle Erziehung
von ihm allein zu besorgen sei. In erzieherischer Absicht wurde das
Erziehungsrecht der Eltern zurückgedrängt. Zugleich aber wurden alle
Lebensbereiche und -alter von den Pädagogen beansprucht: es entstanden die vielfältigen Formen der Erwachsenenbildung und der
pädagogischen Einwirkungen auf Jugendgruppen, Freizeitformen und
Sozialinstitutionen. Überall war mehr oder minder aufdringlich das
pädagogische Bemühen am Werk. Mit ihm gewann der Pädagoge eine
hohe gesellschaftliche Wertschätzung: er war zum unentbehrlichen
Fachmann geworden. *Damit übernahmen fast unbemerkt die Lehrer
die Aufgabe der Väter.* Der Lehrer konnte sich als »Treuhänder des
Kindes« in pädagogischer Verantwortung fühlen, der die Aufgaben
der Erziehung sachverständig wahrnimmt. Es versteht sich, daß er dabei den Staat als seinen Verbündeten betrachten kann.
Im Zeichen eines »Erziehungsabsolutismus« – wohlgemerkt nie in fin-
sterer Absicht, sondern immer getragen vom Bewußtsein pädagogischer Verantwortung – wächst die Elternfeindschaft. Hierin begegne-
ten sich seit der Reformpädagogik der Pädagogismus der Reformer
und die Autonomiebedürfnisse der Jugendbewegung. Die Reformpädagogik proklamierte ebenso wie die »Formel vom Hohen Meißner«
von 1913[19] die Inkompetenz der Väter. An die Stelle der Väter trat
nun der Erzieher, allerdings auch nur auf begrenzte Zeit.
Seit Rousseaus Forderung, in der Erziehung als dem wichtigsten Mittel der Selbstwerdung den Zögling vor schädlichen Einflüssen »von
außen« zu schützen, kann man beobachten, daß sich das Bestreben
zeigte, Erziehung nach Möglichkeit in pädagogisch arrangierten
»Schonräumen« oder in »Pädagogischen Provinzen« zu isolieren.
Hier konnte das Leben des Zöglings konsequent und überaus wirksam
auf den Erziehungsprozeß reduziert werden. Alles, was er an Lebenswirklichkeit erfuhr, wurde durch den Lehrer pädagogisch ausgewählt
und didaktisch gefiltert. Der Lehrer, der unablässig am Werke war,
Lernerfahrungen auszuwählen und Lerninhalte »aufzubereiten«, war
wahrhaft Mittler zwischen dem Schüler und der Welt. Er allein konn-

te ja auch entscheiden, was an Erfahrungen den wahren Bedürfnissen des Zöglinges zum jeweiligen Zeitpunkt seiner inneren Entwicklung von Nutzen sei und wie diese Erfahrungen gedeutet werden müssen. Die Erziehung Emiles forderte den »Schonraum«, der sich als Gegensatz zum verworrenen und verwirrenden Lebensalltag verstehen ließ. Dieser »Schonraum«, den eine »autonome« Pädagogik forderte, war der Raum einer Erziehung, die sich auf alle Lebensbereiche des Schülers erstreckte. In dieser Absicht suchten die Begründer der Landerziehungsheime zur Zeit der Reformpädagogik die totale Lebensgemeinschaft von Lehrer und Schüler fern der Städte in natürlicher und ländlicher Abgeschiedenheit, in der sich die erzieherische Gemeinschaft nach eigenen Bedingungen und Gesetzen entfalten konnte. Der Jugend wurde die Lizenz des Schonraumes und der Muße, abseits vom Ernstcharakter der Lebenswirklichkeit, zugebilligt.

Diese in der Reformpädagogik ausgebildete Tendenz zur Isolierung der Erziehung von der Gesellschaft verband sich mit der idealen Bestimmung der Erziehungsziele der pädagogischen Theorie des deutschen Idealismus. Erziehung zum Leben, das konnte nur heißen: Erziehung zu einem »höheren« Leben, dessen Werte sich aus der Welt der Ideen und Ideale ableiten. Das Problem des Verhältnisses von Bildungswelt und Arbeitswelt war zwar in der Reformpädagogischen Theorie und Diskussion von zentraler Bedeutung und grundsätzlichem Gewicht. Dennoch reicherten sich Theorie und Praxis der Erziehung mit den Bildungsvorstellungen des 19. Jahrhunderts an. Die in Erziehungs- und Bildungsabsicht vermittelte Wirklichkeit war wesentlich an der »Welt des Geistes« orientiert und stand oftmals im Gegensatz zur gesellschaftlichen Lebenswirklichkeit, vor der sie sich häufig hochmütig abschirmte. Der Bildungsprozeß konnte prinzipiell als die Auseinandersetzung des Ich mit den Ideen verstanden werden. Ideal und Leben wurden als fruchtbare Spannung gedeutet, und wo sich beide feindlich gegenüberstanden, erwartete der Erzieher im Einzelfalle, daß der Zögling sich die Freiheit zumutete, den Anspruch des Idealen zu wollen. Mit dem Bemühen, im Bildungsprozeß Werthaftigkeit zu verinnerlichen, mußte die Alltäglichkeit des Lebens abgewertet und sogar diffamiert werden. Der Hinweis darauf, daß diese Alltagswirklichkeit vom Schüler künftig bewältigt werden müsse, konnte leicht mit der Antwort zurückgewiesen werden, daß die wahrhaft gebildete Persönlichkeit diese Wirklichkeit in idealer Bestimmung gestalten werde.

Dieses Verständnis von Bildung und Erziehung war in vielfacher Hinsicht verhängnisvoll. In unserem Zusammenhang ist von Bedeutung, daß die so erzogene Jugend, von der erwartet wurde, daß sie die ideale Welt erstrebe und Innerlichkeit kultiviere, die Erwachsenen als Produkte dieser Erziehung maß. *An den eigenen proklamierten Ansprüchen gemessen, erschien die Generation der Väter unglaubwürdig und heuchlerisch.* Dieser Vorgang der Ernüchterung und Enttäuschung, der geradezu zum Topos der biographischen Literatur in der ersten Hälfte dieses Jahrhunderts wurde, führte dazu, daß *die Jugend sich sezessionistisch von der Welt der Vätergeneration abwandte, um nicht minder pathetisch den idealen Anspruch in Wahrhaftigkeit zu verwirklichen.*[20] *Die Kluft zwischen Vätern und Söhnen, zwischen Lehrern und Schülern war von nun an nicht mehr zu schließen.*

Damit stehen wir nun vor der Frage, wie in der Gegenwart sich der Lehrer in seinem Tun verstehen kann. Daß sich hier ein Wandel vollzogen hat oder noch vollzieht, ist offenkundig, zumindest daran, daß sich das Verhältnis zwischen Lehrer und Schüler veränderte und weniger personale als sachorientierte Bezüge kennt, daß das Problem der pädagogischen Autorität heftig und radikal problematisiert und diskutiert wird und daß die Lehrer ihre Identität weniger aus einer Theorie der Bildung (die es nur in Ansätzen gibt) als aus einem gesellschaftstheoretisch begründeten Sozialengagement zu erfragen scheinen. Wenn wir nach einem Wandel im erzieherischen Verhältnis fragen, so mit Blick auf die Frage, ob dieses gewandelte Verhältnis im Zusammenhang mit dem Problem der Väter und Söhne in der »vaterlosen Gesellschaft« gesehen werden kann.
Der Wandel im Selbstverständnis des Lehrers, der sich in den letzten drei Jahrzehnten anbahnte und vollzog, ist ganz allgemein dadurch gekennzeichnet, daß der Lehrer sich von seiner gesellschaftlichen Funktion her interpretiert. Er hat, in der allgemeinen sozialen arbeitsteiligen Ausgliederung von Funktionen, die *Rolle des Spezialisten für Unterricht und Erziehung übernommen*, gewissermaßen im Bereiche der Dienstleistungen, und er gewinnt sein Selbstverständnis aus dieser seiner Expertenqualität. Der früher beobachtete Gegensatz in der starken Orientierung des Volksschullehrers an der unmittelbaren pädagogischen Aufgabe gegenüber der ausgesprochen fachwissenschaftlichen Neigung des Gymnasiallehrers scheint in zunehmendem Maße einem Selbstverständnis zu weichen, das den Anspruch des Fachmannes für Unterricht und Erziehung behauptet.[21]
Damit ist zugleich eine Tendenz sichtbar, welche die personale Erzieherfunktion hinter jener der Lehr- und Vermittlungsaufgaben stellt. Der Lehrer, der sich bemüht, sein Verhalten argumentierbar zu machen, kann sich, indem er Unterricht und Lernen plant, arrangiert, steuert und kontrolliert, mit dem Ziel, beim Schüler gezielte Verhaltensänderungen optimal zu bewirken, auf spezielle Ergebnisse der Lernpsychologie, der Kybernetik und der Mediendidaktik berufen. Die »technologische Wendung in der Didaktik«[22] ist zweifellos Ursache und zugleich Symptom einer tiefgreifenden Veränderung im Pädagogischen Verhältnis, die beobachtet werden muß, wenn man

den prinzipiellen Zustand im Verhältnis der Generationen zu identifizieren versucht.

Geht man davon aus, daß in der modernen Industriegesellschaft Erziehung die wesentliche Aufgabe zugewiesen erhält, Vor-Ausbildung und Ausbildung im Hinblick auf die gesellschaftlichen Bedürfnisse und Notwendigkeiten zu sichern, so ergeben sich weitreichende Folgerungen. Das Erziehungssystem muß geeignet sein, individuell und allgemein die benötigten und erwünschten Qualifikationen – wie immer sie lauten mögen – bereitzustellen, damit sowohl die Funktionen der hochdifferenzierten und spezialisierten Arbeitsteilung erfüllt werden, als auch der einzelne im Stande ist, ein persönlich sinnvolles Leben mit möglichst voller Kulturteilhabe zu führen. Diesem Anspruch kann die Schule nur dann genügen, wenn sie der Ort optimaler Lernorganisation ist, d. h. wenn Unterricht effektiv und ökonomisch geschieht. Hier bieten psychologische Lerntheorie und kybernetische Lernsteuerung praktische Hilfen.[23] In beiden Fällen handelt es sich darum, Motivationen zu wecken, Lernsequenzen zu planen und Lernergebnisse objektiv zu kontrollieren. Dabei ist grundsätzlich die Anwesenheit des Lehrers in persona unerheblich: im Lernprogramm vollzieht der Schüler alle vom Lehrer für ihn vorbereiteten Lernschritte und -wege. Ähnlich bemüht sich eine ausgefeilte kybernetische Didaktik darum, Lernprozesse auf der Grundlage naturwissenschaftlicher und technischer Regelkreis-Vorstellungen zu steuern.

Die Aufgabe des Lehrers besteht wesentlich darin, Lernprozesse fachmännisch zu arangieren, nachdem mit wissenschaftlichen Mitteln
– der entwicklungspsychologisch günstigste Moment,
– die individualpsychologisch günstigste Motivation,
– die sachstrukturell günstigste Anordnung,
– die günstigste Verteilung der Lerneinheiten und deren Dauer,
– die günstigsten Bedingungen der äußeren Lernsituation
– und die besten Kontrollsysteme für den Lernerfolg bestimmt wurden.[24]

Dabei bleibt die Frage nach den Lernzielen und deren Begründung ausgeklammert; sie sind, pragmatisch legitimiert und politisch entschieden, Setzungen außerhalb der Entscheidungskompetenz des Lehrers.

Dieser Lehrer, der hier in seinen Funktionen skizziert wurde, gewinnt den Status des unentbehrlichen Spezialisten. Er ist hochqualifizierter Fachmann für Lernen durch Unterricht. Bei dieser Tätigkeit können persönliche Merkmale durchaus als Störfaktoren unerwünscht sein. Jedenfalls ist eine erzieherische Tätigkeit nur über die geplanten Lernprozesse innerhalb des curricularen Konzepts hierarchisierter Verhaltensänderungen erwünscht. Neben der Autorität dieses Fachmannes steht die Autorität des curricularen Programms, und hinter beiden steht *die letzte Autorität der Gesellschaft, an jener Stelle, an der sich im Mittelalter Gott und bei Rousseau die Natur befand.* Diesen »technokratischen« Vorstellungen von Erziehung durch Unterricht begegnete Widerspruch im Grundsätzlichen, der in soziologischer Terminologie die gesellschaftlichen Strukturen und Prozesse im Zusammenhang mit institutionalisierter Erziehung reflektiert. Angesichts der Tatsache, daß die Schule Sozialisations-, Selektions- und Allokationsfunktionen wahrnimmt und damit gewissermaßen Lebenschancen zuteilt, wird der Lehrer an die ethische Verpflichtung seines Berufes erinnert, den Schüler optimal zu fördern, indem er Lernbarrieren abbauen hilft, die durch Herkunft und Biographie gesetzt und grundsätzlich überwindbar sind. Der Erzieher als »Sozialingenieur« (Döring) orientiert sich dabei am Ziel der »Mündigkeit«,[25] die, so unbestimmt dieser Begriff auch sein mag, nicht Anpassung und Einpassung des einzelnen in bestehende Gesellschaftsstrukturen, sondern Ich-Findung, Selbständigkeit und kritische Urteilsfähigkeit meint. Das ist zwar nicht so neu, wie es erscheinen mag, doch zeigt sich, wie es scheint, hier ein pädagogisches Engagement, das sich nicht an der »Individualbesorgung« Pestalozzis, sondern an demokratischen Prinzipien von Gerechtigkeit und Gleichheit orientiert.

Hier ist noch eine weitere Strömung zuzuordnen, die jede Erziehung im Sinne der »partikularen bürgerlichen Bildungsgesellschaft« ablehnt und statt dessen »die politisch akzentuierte Kultur sozialer Selbstbestimmung im Kollektiv« fordert. Nach diesem Konzept vollzieht sich jede Erziehung im Kollektiv. Der Lehrer darf keinesfalls die Schüler zu »Herrschaftsobjekten« machen oder sie auf seine subjektiven Moralvorstellungen, Wertüberzeugungen und Traditionsinhalte festlegen. Er ist lediglich Informator im Lernen, grundsätzlich gleichwertig, ausschließlich Berater in Sach- und Fachfragen, von dem der einzelne und das Lernkollektiv profitieren können.[26] Seine Notwendigkeit gründet in seiner Spezialistenqualität und seinem Lernvorsprung. Auf diesen Bereich hat sich seine Wirkung zu beschränken: Lernhelfer ohne erzieherische Kompetenz (die nur dem Kollektiv zukommt). Es scheint, als stehe ein solches Verständnis des Lehrers nicht nur im Zusammenhang mit politischen Vorstellungen und Theorien, sondern zugleich auch in einem solchen, der als Wandel im Verhältnis von Vätern und Söhnen erscheint.

Der Prozeß einer »pädagogischen Entideologisierung« (Röhrs) hatte an die Stelle des pädagogisch-idealistischen Erzieherbildes technokratische, politische und realistische Berufsdefinitionen gestellt. Für diese letzte Gruppe mag das Lehrerbild stehen, das im *Strukturplan des Deutschen Bildungsrates* von 1969[27] gezeichnet wurde. Jene richtungweisenden Empfehlungen, auf der Grundlage eines Minimalkonsenses und damit maximaler Zustimmung, enthalten eine Beschreibung des Lehrers nach der Methode der Berufsfeldanalyse. Die spezifischen

Tätigkeiten sind hierbei: Lehren, Erziehen, Beurteilen, Beraten, Innovieren, wobei die Tätigkeit »Erziehen« in der Beschreibung am unbestimmtesten blieb.

Interessant ist, daß gelegentlich und verdeckt Qualitäten, die vom Lehrer erwartet werden, genannt wurden. Der Katalog dieser Qualitäten zeigt, daß auch hier der Lehrer als Funktionsspezialist verstanden wird. Die wichtigsten Merkmale beziehen sich auf seine wissenschaftliche Qualifikation in den Bereichen seiner Lehrfächer und der Erziehungswissenschaften, auf die Kenntnis der Didaktik, das Beherrschen der Medien, die Fähigkeit zu Organisation und zu »persönlichem Kontakt«. Es wird ausdrücklich gesagt, daß die Grundlage der Lehrerautorität in der fachlichen und pädagogischen Kompetenz liege, doch habe er ein »persönliches Beispiel für Selbständigkeit und Selbstbestimmung« zu geben. So unbefriedigend der »Strukturplan« das Berufsverständnis des Lehrers auch definiert, so deutlich wird jedoch auch hier die Tendenz im modernen Verständnis des Lehrers, ihn auf die spezialisierten Funktionen einzugrenzen und festzulegen.

Und die Lehrer? Übernehmen sie diese Erwartungen? Die Frage ist wichtig, denn ohne Zweifel prägt die Vorstellung des Erziehers von sich selbst in entscheidender Weise die Erziehung. Wenn nicht alles trügt, hat die große Mehrheit der Lehrer diese Berufsdefinition akzeptiert und sich mit ihr identifiziert. Die Gründe dafür sind vielfältig und werden uns später noch bei der Frage nach dem gegenwärtigen Generationsverhältnis beschäftigen. Im hier angedeuteten Zusammenhang lassen sich die folgenden Beobachtungen anschließen:

Nach dem Zweiten Weltkrieg erlebte die Berufsgruppe der Lehrer die stärksten Verstörungen. Nicht nur deshalb, weil den Lehrern ein gewichtiger Anteil am Verschulden einer Generation, die ja Produkt der Erziehung war, zugeschrieben wurde, sondern auch deshalb, weil diese Lehrer sahen, wie man ihre Autorität und ihr pädagogisches Engagement mißbraucht hatte und für politische Zwecke kanalisierte, was pädagogisch gemeint war. Hinzu kam noch die Unsicherheit über den gewöhnlich falsch zitierten Satz: »non vitae, sed scholae discimus.«[28] Die Fragen, wie sich Schule und Leben zueinander verhalten, welcher Art dieses Leben ist, auf das hin erzogen werden muß und welche Werte gelten, wirkten als Stachel. Die Bildungspläne lieferten an den entscheidenden Stellen Leerformeln und ließen den Lehrer allein mit seiner Verantwortung, junge Menschen für eine 40 oder gar 50 Jahre entfernte Zukunft zu erziehen und vorzubereiten. Die Indentitätskrisen einer Gesellschaft machen sich zuerst in den Erziehungsinstitutionen bemerkbar, und Lehrer haben sie zuerst auszuhalten, ebenso wie die Väter.

Der Lehrer konnte froh sein, wenn die Gesellschaft ihm die Rolle des Spezialisten für Unterricht anbot, der sich in seinem Tun vorgegebenen Curricula einordnet und in der Lage ist, auf meßbare Lern- und damit Lehrerfolge verweisen zu können. Seine auf Fachkompetenz gegründete funktionale Autorität sichern ihm soziale Anerkennung, Selbstachtung, die Möglichkeit zu pädagogischer Autorität und Identität.

Diese pädagogische Autorität befindet sich gegenwärtig im Zentrum ausgedehnter Diskussionen und muß sich – sicher nicht zufällig – befragen lassen, was sie sei und wo ihre Begründungen und Begrenzungen liegen.[29] In einer Gesellschaft, in der die demokratischen Werte Emanzipation, Mündigkeit und Egalität gelten, muß Autorität in jedweder Form grundsätzlich im Verdacht stehen, Herrschaft, und damit Unfreiheit und Abhängigkeit hervorzubringen und zu erhalten. Die vielfach mit den Mitteln der Politik- und Sozialwissenschaften geführte Untersuchung von Autorität und Autoritätsverhältnissen übersah häufig spezifische Merkmale der pädagogischen Autorität.[30] Sicherlich handelt es sich um ein interpersonales Abhängigkeitsverhältnis besonderer Art. Es gründet für die Beteiligten auf der Gemeinsamkeit eines »Dritten«, um dessentwillen Lehrer und Schüler zusammenkommen. Dieses »Dritte« ist für beide werthaft gültig und konstituiert die Gemeinsamkeit, die grundsätzlich jedoch in Bezug auf dieses »Dritte« als Zustand der Ungleichheit erscheint. Der Vorrang des Lehrers oder Erziehers beruht auf seiner in Beziehung auf das werthafte Dritte graduellen Überlegenheit und auf seinem Vorsprung. Dieser Vorsprung begründet die ethische Pflicht und die Verantwortung gegenüber dem Schüler, das Gefälle zu verringern und schließlich Gleichheit zu erreichen, jene Gleichheit in Bezug auf das »Dritte«, die das pädagogische Verhältnis von Lehrer und Schüler aufhebt. Alles Tun des Lehrers zielt darauf, sich selbst entbehrlich zu machen. Im pädagogischen Verhältnis sind Überlegenheit und Partnerschaft, Autorität und Freiheit nicht Alternativen, sondern Korrelate. Es wird deutlich, wie dieser Begriff der pädagogischen Autorität, der potestas und Machtausübung grundsätzlich ausschließt, ein menschliches Grundverhältnis meint, das im christlichen Selbstverständnis des Lehrers wurzelt und von Benedikt von Nursia bis zu Gegenwart das pädagogische Selbstverständnis des Lehrers begründete. *Erziehung ist ohne pädagogische Autorität nicht möglich. Entscheidend ist die Freiwilligkeit, auf der sie bei Lehrer und Schüler gründet.* Sie entsteht aus Ungleichheit und mündet in Gleichheit, vielleicht in eine neue Ungleichheit, bei der der Schüler von einst zum Lehrer des Schülers wird, der einstmals sein Lehrer war.
Überall dort, wo Erziehung »antiautoritär« konzipiert wurde und »nonautoritär« gemeint war, zeigte sich letztlich, daß nur die pädagogische Autorität verlagert wurde.[31] An die Stelle des Lehrers tritt dann das erziehende Kollektiv mit kollektiven Normen oder die Interessenlage, die, mit emanzipatorischem Ziel, bestimmte Verhaltens-

dispositionen verwirklichen will, wobei man letztlich den Weltgeist selbst zum Erzieher hat. Auch Formulierungen wie: »Erziehung ist Angebot zur Kooperation mit Möglichkeit der Verweigerung« zeigen Autorität, Norm und Freiheit als Bedingungen der Erziehung. Wo man kooperiert, gelten Gruppenziele und -normen, Mehrheitsinteresse oder Sachzwang; wo man sich weigert, kollidieren Normen und Bedürfnisse.

Das erzieherische Verhältnis gründet auf der Freiwilligkeit von Vertrauen und Verpflichtung und wird deshalb, solange die Gemeinsamkeit der Erziehung besteht, in jedem Augenblick in Frage gestellt und neu begründet (im Unterschied zur Autorität im rechtlich-politischen Raum). Pädagogische Autorität wirkt regulierend und orientierend und unterscheidet sich von manipulierender Macht dadurch, das sie den Zögling allein als Zweck und nie als Mittel sieht.

Die Allgemeinheit dieser Aussagen steht nicht im Widerspruch zum geschichtlichen Wandel in den vielfältigen Erscheinungsweisen und Auffassungen des Erziehungsverhältnisses. Wenn beobachtet wird, wie Lehrer heute manchmal zögern, pädagogische Autorität bewußt zu wagen, so hat dies vielleicht seinen Grund in einem generellen Wandel im Verständnis des Generationsverhältnisses und damit einem Wandel in der Interpretation pädagogischer Autorität.

Wir erinnern uns daran, daß Schleiermacher das erzieherische Verhältnis nicht nur als Erzieher-Zögling-Beziehung, sonder als Generationenverhältnis verstand. Hier liegt für unsere Beobachtungen ein neuer Gesichtspunkt.

In sog. »stationären« oder »traditionalen« Gesellschaften sind Macht und erzieherische Autorität identisch. Die ältere Generation lehrt und erzieht die Kinder zu »Seinesgleichen« und tradiert fraglos den überkommenen und verwalteten Kulturbesitz. Die Überlegenheit der Älteren steht außer Frage, und sie verwirklicht sich unter anderem auch dadurch, daß sie in besorgender Zuwendung das erziehungsbedürftige Kind in den Besitz alles dessen bringt, was sich von alters her als Wert erwies. Dieses traditionelle Verständnis finden wir etwa in der Schilderung, die Aristoteles von der patriarchalisch geleiteten Familie gibt.[32] Aus der Urheberschaft des Lebens und der Fürsorgepflicht für den Hilflosen erwächst das Vaterrecht als »königliche Herrschaft«, die nicht despotisch verfügt, sondern persönlich lenkt.

Ganz anders sieht Schleiermacher das Verhältnis der Generationen. In der Erziehung soll die nachfolgende Generation in der Weise erzogen werden, daß sich in ihr der Fortschritt zu Freiheit und Sittlichkeit zunehmend verwirkliche. Jede Generation erzieht also über sich selbst hinaus und antizipiert im pädagogischen Tun die Zukunft. Nicht Tradierung, sondern Wandel ist das Ziel der Erziehung.

Damit löst der Fortschrittsgedanke den traditionellen Charakter der Erziehung auf. Zugleich werden auch die Erziehungsziele abstrakt und eröffnen die Zukunftsperspektive. Die nachfolgende Generation muß ermutigt sein, das Bestehende in Frage zu stellen, ja die Kompetenz der Älteren zu relativieren. *Damit gewinnt die Jugend ein neues Selbstverständnis: sie kann sich als unentbehrliches Veränderungspotential der Gesellschaft verstehen.*

Ein solches Selbstverständnis wurde um die Wende dieses Jahrhunderts zum Motor der Jugendbewegung.[33] Gerade das Bewußtsein des eigenen historischen Wertes trieb die junge Generation in den Gegensatz zur älteren. Das Bewußtsein des eigenen Wertes und Auftrages einerseits und andererseits die sichtbare und unsichtbare Macht der Institutionen und tradierten Werte, die vielen Sachzwänge, die ökonomischen Abhängigkeiten und die in ihrer Starrheit als gewalttätig empfundenen Ansprüche von Staat, Familie und Schule trieb und treibt die selbstbewußte Generation der Söhne in die Sezession.

In der Sezession der *Jugendbewegung* wurde dreierlei deutlich:

1. Die junge Generation verstand sich als Träger des Kommenden, das Erlösung verheißt. Sie konnte und wollte sich nicht an die ältere Generation binden oder sich an ihr orientieren, weil sie in ihr nicht die Dynamik des Neuen fand.

2. Die junge Generation suchte die vermißte Autorität der Väter und Lehrer aus sich selbst heraus zu schaffen: in der charismatischen Persönlichkeit des Jugendführers ebenso wie in der Autorität der Gruppe, ihrer Normen und ihrer Ideale.

3. Eine solche selbstbewußte und sich selbst überschätzende Ablösung von Gesellschaft, Geschichte und Generationenzusammenhang tendierte zur wirklichkeitsfremden Selbstüberhöhung und zu ideologischer Anfälligkeit. Der Versuch, auf eine verpflichtende und dabei unbestimmte Zukunft hin zu leben, indem der Traditionszusammenhang negiert wurde, führte auf kurzem Wege in die totalitäre Autoritätshierarchie.

Zu den Auswirkungen des Fortschrittsgedankens gehört auch der Wandel im Selbstverständnis der nachfolgenden Generation. Je mehr sie sich selbst aufwertete und im Gegensatz zur Tradition und zur Generation der Väter erlebte, um so mehr wurde ihr das Autoritätsverhältnis zwischen Lehrer und Schüler, zwischen Vätern und Söhnen fragwürdig. Von hier aus ist es, wie beim Baccalaureus des »Faust II«,[34] nur ein kleiner Schritt zur Negation jeder Autorität.

Wir finden auch hier wieder Ursprünge bei Rousseau. Nachdem die Aufklärung aufgedeckt hatte, wie unnatürlich und menschenverachtend Herrschaft als Gewaltausübung von Menschen über Menschen ist, sah Rousseau den Wandel durch die Erziehung vor. Nur Erziehung vermag zu leisten, daß der Mensch sich nicht an die Unnatur der Zwangsherrschaft gewöhnt. Und so erteilt er den Erziehern den Rat:

»Befehlt (dem Zögling) nie etwas, was es auch immer sein möge, durchaus nichts! Laßt ihn nicht auf den Gedanken kommen, daß ihr irgendeine Au~~torität über ihn beanspruchtl Der Zwang der Verhältnisse sei der Zaun~~ der ihn hält, nicht die Autorität.«[35]

Es wurde schon aufgezeigt, wie der Lehrer sowohl in der Phase der »negativen« als auch in der »positiven« Erziehung nicht die Aufgabe hat, dem Kinde die Welt zu interpretieren, sondern zu integrieren. Durch die Freiheit des Kindes, in der ja die Freiheit der Natur waltet, bis die Freiheit der Vernunft von ihm Besitz ergreifen kann, um den unverbildeten Menschen zu leiten, wird die Autorität des Erziehers ausgeschlossen. *Allein Natur, Vernunft und Gesellschaft sind die Autoritätsinstanzen der Erziehung. Damit ist zugleich gefordert, daß kein Mensch der Maßstab der Erziehung sein kann und sein darf.*
Wir haben hier, unschwer erkennbar, die Gründungsurkunde moderner Konzepte antiautoritärer Erziehung, die sich gegen jede unerbetene Tradierung ebenso wendet wie gegen den subjektiven Erwachsenenwillen oder den »objektiven Geist«.
Man braucht auch hier nur die Linie bis zur Reformpädagogik auszuziehen. In letzter Konsequenz vertauschte Ellen Key[36] die Rollen von Eltern und Kindern: bei ihr sind die Kinder die Überlegungen und die Eltern die wahrhaft erziehungsbedürftigen und folgsamen Schüler. Die Begründung dafür geschah pathetisch im Namen des Lebens selbst: das künftige Leben ist mehr als das vergangene oder vergehende, allein die Zukunft legitimiert Autorität. Alle Tradition bedeutet nicht mehr als Mittel für die Zukunft des Kindes. Dieses Kind ist die lebende Verheißung der Zukunft und hat den Vorrang vor dem Abgelebten. Indem die Eltern sich dem Kinde dienend unterordnen, bejahen sie das Leben.
Maria Montessori sprach sogar davon, daß das Kind heilig und göttlich sei.[37] Die »Erwachsenen sollten ihm eine hoffend-erwartungsvolle Haltung entgegenbringen, mit aller wissenschaftlicher Gründlichkeit die seelischen Bedürfnisse des Kindes erforschen und eine dementsprechende Umwelt bereiten«. Und es heißt sogar: »... das Kind ersteht immer wieder und kehrt immer wieder, frisch und lächelnd, um unter den Menschen zu leben. Das Kind ist der ewige Messias, der immer wieder unter die gefallenen Menschen zurückkehrt, um sie ins Himmelreich zu führen.«
Ziehen wir die peinliche erborgte Poesie der Kindesanbetung ab, so läßt sich doch sehr pointiert ein erstaunlicher Wandel im Autoritätsverständnis feststellen: *das Kind wurde zum Vater.* Man durfte allerdings nicht von der Frage beunruhigt werden, ob das Kind auch das sei, was man in ihm sehen wollte, und ob es über die ihm zugeschriebenen Qualitäten der »naiven Anmut«, Natürlichkeit und »göttlichen Harmonie« auch in Wahrheit verfügt.
Auf der Suche nach Gründen und Ursachen eines gewandelten Autori-

tätsverständnisses in der Erziehung muß noch die Wirkung *Pestaloz-zis* erwähnt werden. War bis dahin die Vorstellung von Erziehung vom Verhältnis des Vaters zum Sohn her gedacht und gedeutet worden, so orientierte sich Pestalozzi, durchaus im bewußten Gegensatz dazu, am Verhältnis der Mutter zum Kind. Dort, wo Familie, Frömmigkeit, Innigkeit des Gefühls, Herzensbildung und Entfaltung kreatürlicher Barmherzigkeit Bezugspunkte der Erziehung sind, kann die Mutter durch ihre Fähigkeiten zu Liebe, Hingabe, Glauben, Weisheit und Ganzheit des Lebens das »Geschäft der Erziehung« vollkommen besorgen. Das Lebenswerk Pestalozzis, vielleicht noch mehr als seine Schriften,[38] hatte vor allem im 19. und frühen 20. Jahrhundert im Bereiche der Elementarerziehung eine stark prägende Wirkung. Der Brief Pestalozzis aus Stans von 1799 hat bis zum heutigen Tage nicht nur als »document humain«, sondern als Erziehungskonzept fasziniert.[39] Für unseren Zusammenhang ist die Feststellung wichtig, daß in der Pädagogik Pestalozzis das Prinzip der väterlichen Autorität ein Gegenbild gewann und es damit in Frage stellte.

Pestalozzi trug wesentlich dazu bei, daß der professionelle Erziehungsberuf sich für Frauen öffnete. Es wäre noch zu untersuchen, welche Auswirkungen die sog. »Feminisierung« des Lehrerberufes[40] auf den Wandel pädagogischer Vorstellungen hatte, die so lange bewußt und unbewußt als Vater-Sohn-Verhältnis gedeutet und verstanden wurden.

Die Lehrer jener von der Reformpädagogik geprägten Generationen waren, verglichen mit heutigen Lehrern, in einer unvergleichlich weniger schwierigen Lage: sie konnten, im Ganzen, noch im Namen jener Lebenswirklichkeit sprechen und für sie subjektiv glaubhaft einstehen. Es gab einen gültigen Wertzusammenhang, der den einzelnen mit der Gesellschaft, in der er lebte, und den Schüler mit seinem Lehrer verband. Der Dissenz über Werte, Normen und Traditionen war letztlich nicht grundsätzlich, und Erziehung war möglich, weil nicht Autorität selbst als Voraussetzung der Erziehung, sondern nur die Formen des Autoritätsmißbrauches durch den Erzieher abgelehnt wurden. Der Erzieher dieser Epoche konnte sich selbst bejahen: er wollte seinen Schülern Helfer, Freund, Kamerad, manchmal Gleicher und immer Dienender sein.

Dies alles änderte sich, spätestens seit Ende der 60er Jahre dieses Jahrhunderts. Die allgemeine und durchaus begründete Unzufriedenheit mit der vorgefundenen Welt und ein diffuses Unbehagen gegenüber der bestehenden Gesellschaft und den in ihr wirkenden Normen und Werten machten es dem Lehrer schwer, die Lebenswirklichkeit gegenüber Schülern in erzieherischer Verantwortung zu vertreten. Jenes »Dritte«, von dem im Zusammenhang mit den Überlegungen zur pädagogischen Autorität und deren Konstituenten gesprochen wurde, ließ sich zunehmend schwerer legitimieren. Die Generation der Jungen, bei der die gleiche Unsicherheit in Hilflosigkeit, Zynismus und Weigerung mündete, widersetzte sich folgerichtig jeder Konstituierung pädagogischer Bezüge. Allenfalls war sie bereit, sich pragmatisch fördern zu lassen. Pragmatismus ist ja auch das, was in der vorgefundenen Welt der Erwachsenen so erfolgreich praktiziert wird, und Pragmatismus ist immerhin eine Haltung, die eine Relativierung von Ordnungen und Werten zu überstehen vermag. Die Schüler verwarfen Erziehung und forderten abrufbare Sachinformation und zweckorientierte Qualifikation. So erklärte am 3. 6. 1968 ein Sprecher der radikalen Schülervereinigung AUSS:

»Bislang ist es an unseren Schulen in der Regel so, daß ein Untertanenwissen vermittelt wird und das Herrschaftswissen ausgeklammert wird. Das will sagen, daß *die* Wissensbereiche von der Vermittlung in der Schule ausgeklammert werden, die es dem einzelnen möglich machen, sich selbst unter Kontrolle zu halten und die Gesellschaft zu kontrollieren ... Die Ausbildung der Pädagogen muß umstrukturiert werden, und die Informationen der Wissenschaft müssen didaktisch so aufbereitet werden, daß sie verfügbar und handhabbar für jedermann sind.«[41]

In diesem Sinne wurde folgerichtig gefordert, daß die Schule als Erziehungsinstitut abzuschaffen sei und dafür Einrichtungen geschaffen werden müßten, die »Informationsbank« genannt werden. Dort stehen Lehrer bereit, Informationswünsche und Qualifikationsbedürfnisse zu befriedigen. Unerwünscht ist in jedem Fall eine sich als Erziehung verstehende Manipulation. Die Bedürfnisse nach weiterreichender »Bewußtseinsbildung«, wie man sie nennt, werden von anderer Seite her gedeckt, denn alle subjektiven Emanzipationswünsche und Bedürfnisse dürfen nicht dahin führen, daß das »gesellschaftliche Interesse« außer Acht gelassen werde. Information und Qualifikation allein bedeuten ja nur Anpassung an die ungeliebte Gegenwartsgesellschaft. Die neue pädagogische Autorität – und kein Lehrer hätte solchen Machtanspruch für möglich gehalten – ist die Gruppe, ist die politische Lehrmeinung und deren Vertreter. Sie versprechen, jene so schwierige Lebenswirklichkeit mit höherem Anspruch zu bewältigen.
Die Unsicherheit der Schüler ist aber auch die Unsicherheit der Lehrer. Der erzieherische Auftrag, den der Lehrer zunehmend als eine Last empfand, der kaum noch redlich zu tragen ist, ließ sich leicht zurückdrängen. Statt der erzieherischen Autorität war die fachliche Kompetenz erwünscht. Die Möglichkeit, sich von Erziehungsaufgaben unbewußt zu distanzieren, war damit angeboten, daß vom Lehrer erwartet wird, sich als Fachmann für didaktische Vermittlung spezieller wissenschaftlicher Inhalte zu verstehen.
Die Autoritätsbedürftigkeit und die Autoritätsbereitschaft der Jugendlichen ist nicht zu übersehen. Sie richtet sich auf Kollektiv und Ideologie, die beide in der Schule und in dem, was in ihr geschieht, keinen ernstzunehmenden Konkurrenten mehr finden.

Die Generation der Jungen ist in einer Situation ohne Beispiel. *Die Erwachsenen ignorieren und verdecken ihre pädagogische Verantwortung und setzen, indem sie Kind und Jugendlichen der fremden und unverständlichen Wirklichkeit ohne die notwendige Hilfe ausliefern, unbarmherziger Überforderung aus.* Werden Begründungen dafür erfragt, so beruft man sich entweder auf Pluralismus und Relativität, die beide die Erziehung so schwierig machten, auf die allgemeine Feststellung des pädagogischen Autoritätsschwundes oder gar auf einen veralteten pädagogischen Naturalismus, der alles auf Selbstentfaltung, Entwicklung und Anlage zum Guten setzt. Nur auf Rousseau kann man sich dabei nicht berufen, denn dieser forderte den Erzieher und seine Hilfe als didaktische Vermittlung zwischen Welt und Ich.

Im VIII. Buch von Platons »Staat« findet sich eine bemerkenswerte Schilderung, mit der Sokrates seinem Gesprächspartner Adeimantos Beobachtungen zum Verhältnis der Generationen mitteilt, wie sie nach seiner Meinung typisch seien für einen bestimmten gesellschaftlichen Zustand, dem des Überganges von der Demokratie zur Tyrannis, Beobachtungen, die Adeimantos aufgrund eigener Beobachtungen nur bestätigen kann. Es heißt da:

»Väter und Söhne haben die Rollen getauscht. Der Vater fürchtet sich vor dem Sohn, und der Sohn hat gegenüber den Eltern keinerlei Hemmungen, um nur ja recht frei zu sein ... Der Lehrer hat unter solchen Umständen Angst vor den Schülern und biedert sich ihnen an. Er wird von ihnen verachtet.
Überhaupt stellen sich die Jungen auf gleiche Stufe mit den Älteren und suchen sie in Worten und Taten zu übertrumpfen, während sich die Alten den Jungen aufdrängen und juvenil werden, um nicht als senil oder autoritär zu gelten.«[42]

An dieser Schilderung ist zunächst einmal bemerkenswert, daß Sokrates ein gestörtes Generationenverhältnis an den parallelen Beispielen von Vätern und Söhnen und von Lehrern und Schülern darstellt. Das Phänomen offensichtlich pervertierter Generationenbeziehungen steht dabei nicht allein, sondern im Zusammenhang mit anderen Symptomen gesellschaftlichen Wandels. Wenn auch die Deutung dieser Symptome und deren Zuordnung zu bestimmten politischen Entwicklungen fragwürdig bleibt, so scheint doch die Feststellung wichtig zu sein, daß das Generationenverhältnis, zusammen mit anderen Veränderungen in der Bewußtseins- und Sozialstruktur, auf tiefgreifende soziale Prozesse verweist. Die Krisis im Generationenverhältnis wird weder anthropologisch noch psychologisch als ein elementarer und unausweichlicher Konflikt gedeutet, sondern als konkrete Auswirkung konkreter Entwicklungen im sozialen Bereich und als Folge von Vorstellungs- und Wertwandel. *Dies alles würde die Vermutung stützen, daß Generationenkonflikte, mögen sie auch prinzipiell angelegt sein, akut werden in der Folge geistesgeschichtlicher Entwicklungen und gesell-*

schaftlicher Bedingungen. In diesem Sinne sollte hier versucht werden, Umrisse anzudeuten, die erkennen lassen, daß die gegenwärtig behauptete Krise der Vaterautorität auch als Krise im pädagogischen Verhältnis erscheint und zwischen beidem Zusammenhänge zu vermuten sind.

Der Zusammenhang dieser Entwicklung mit dem Wandel im sozialen Bereich blieb bisher unberücksichtigt. Hierzu legte die jugend- und familiensoziologische Forschung schon aufschlußreiches Material vor.

So wären beispielsweise die Auswirkungen zu beobachten, die als Folge des Wandels zur modernen Kleinfamilie auftraten, vor allem im Zusammenhang der damit verbundenen Intimisierung, Privatisierung und Emotionalisierung der innerfamilialen Beziehungen, die sich etwa im Wandel des Erziehungsverhaltens auswirken. In diesem Zusammenhang müßte erklärt werden, warum die Bindungskraft der Familie eher schwindet, obwohl sich Eltern vielleicht noch nie so sehr um ihre Kinder bemüht haben. Es müßte erklärt werden, warum die Familie nicht mehr, wie im vorigen Jahrhundert, der typische Ort der Auseinandersetzungen zwischen den Generationen ist. Damit müssen Verhalten und Selbstverständnis dieser Generationen erfragt werden und damit sowohl jener seit den 20er Jahren dieses Jahrhunderts sich ausbildende Kult des Juvenilen bei den Erwachsenen, als auch die starke Neigung Jugendlicher zu Subkultur, Sezession und elitärer Rebellion. In diesem Zusammenhang stellt sich dann auch die wichtige Frage nach der Stellung des Jugendlichen in der Gesellschaft. Sie ist äußerlich dadurch gekennzeichnet, daß er durch lange Ausbildungs- und Abhängigkeitszeiten und ein zugebilligtes »Moratorium« erst sehr spät in die Gesellschaft voll integriert wird, obwohl er schon sehr früh über die Attribute des Erwachsenen verfügt: über Geld, Freizeit, Sexualität, politische Rechte und Teilhaben an der materiellen Kultur.

Mit diesen hier angedeuteten Fragen wird eigentlich nur der Umkreis bezeichnet, aus dem Antworten benötigt werden, um die sozialen Bedingungen zu erkunden, unter denen sich die gegenwärtig so stark erlebte Krise im Verhältnis zwischen den Generationen ausbildet, eine Krise, unter der Väter und Söhne in gleicher Weise zu leiden scheinen.

Georg Schwägler

Der Vater in soziologischer Sicht

Die Beschäftigung mit dem Vater in soziologischer Sicht erweist sich als schwierig,

1. weil nur wenige sozialempirische Untersuchungen und kaum theoretische Ansätze und operationale Analysen,
2. dafür überwiegend kulturkritische Arbeiten vorliegen;
3. weil die Einstellung zum Vater sehr stark ideologisch und affektbesetzt ist, und
4. weil Thesen über den Wandel der väterlichen Rolle wissenschaftlich wenig fundiert und sehr undifferenziert sind;
5. weil, wenn in familiensoziologischen Arbeiten von »Eltern« gesprochen wird, häufig nur die Mutter berücksichtigt wird;
6. weil bei den vorliegenden Arbeiten über den Vater meistens nur Ehefrauen und Kinder befragt wurden, kaum jedoch die Väter selbst;
7. weil Väter als nicht so bedeutsam für die Sozialisation, besonders der Kleinkinder, angesehen werden wie die Mütter.

Durch die zunehmende Intimisierung des Familienlebens wurde bis vor kurzem die Mutterrolle immer mehr zur zentralen Rolle der Frau, während die väterliche Rolle für den Mann eher als peripher angesehen wird und dadurch als Familienrolle nur vage Konturen aufweist.

Dies wird noch durch die Entwicklungspsychologie verstärkt, die auf die fundamentale Bedeutung der Mutter-Kind-Beziehung für die Sozialisation des Kindes hinweist.

Man beschäftigt sich vor allem mit dem Problem der Vaterkrise, der Ohnmacht und dem Versagen des Vaters; dies wird unter anderem vor allem zurückgeführt auf die Trennung von Arbeitsplatz und Familie infolge von Verstädterung und Industrialisierung, auf die Fragmentierung der Familie wegen der unterschiedlichen Interessen der Familienmitglieder, auf die Explosion der Kenntnisse und auf den rapiden gesellschaftlichen Wandel, auf die sich schnell verändernden Geschlechtsrollen und die hohen Scheidungsziffern.[1]

In neuerer Zeit wird die Rolle des Vaters vor allem in seiner Bedeutung für die Sozialisation des Kindes untersucht.

Die Psychologie beginnt, ihre Zentrierung auf die Mutter-Kind-Beziehung aufzugeben; sie analysiert nun vermehrt die Sozialisation durch den Vater und hier insbesondere die väterliche Deprivation, die bei Vaterabwesenheit und inadäquaten väterlichen Verhaltensweisen zu ernsthaften psychischen und sozialen Problemen der Kinder führen kann.[2]

Die in neuester Zeit erschienene umfassende, sehr fundierte soziologische Arbeit über »Die Vaterrolle im Sozialisations- und Entwicklungsprozeß«[3] läßt in Ansätzen ein vermehrtes Interesse an dieser Problematik erkennen.

Die Gründe für diese zunehmende Beachtung des Vaters mögen u. a. folgende sein: gesellschaftliche Veränderungen, vermehrte Freizeit des Mannes, mehr partnerschaftliches Verhalten in der Familie, stärkere Hinwendung des Mannes zur familialen Rolle und zunehmende außerhäusliche Berufstätigkeit der Frau. Diese Neudefinition der Rolle von Mann und Frau wird beschleunigt durch die Neue Frauenbewegung und durch das Entstehen von Männergruppen.

Im Mittelpunkt der folgenden Darstellung soll nicht so sehr der Einfluß des Vaters auf das Kind, d. h. die sozialpsychologische Fragestellung stehen. Weiter soll nicht behandelt werden die Autoritätsproblematik, die lange Zeit in der deutschen Familiensoziologie besondere Beachtung fand. Auch auf die Rollen und Funktionen des Vaters als Erzeuger, Ernährer, Beschützer, Erzieher und auf seine Freizeitrolle soll nicht grundsätzlich eingegangen werden, da diese Aspekte in dem bereits erwähnten Aufsatz von Scharmann und Scharmann ausführlich behandelt werden, sondern auf die soziologische Analyse des Vaters selbst und somit auf die Vater-Kind-Interaktion.

Im Gegensatz zu früheren soziologischen Untersuchungen soll nicht nur allgemein nach der Rolle und Funktion des Vaters, sondern *nach dem dynamischen Aspekt der Vaterrolle gefragt werden. Dabei werden die Rollen, Funktionen und Interaktionen des Vaters untersucht und zwar in Abhängigkeit von den Familienstadien und seinen verschiedenen, in der Forschung bis jetzt vernachlässigten »Sonderrollen«, wie Stiefvater, alleinstehender Vater mit Kindern, geschiedener Vater, unehelicher Vater.*

Wandel der Rolle des Vaters

In allen Arbeiten über die Stellung des Vaters in der modernen Gesellschaft wird implizit angenommen, daß es zu einer Schwächung des Vaterbildes gekommen sei. Was aber heißt Schwächung, wie wird sie gemessen? *Es fehlt an Daten über den Vater aus früheren Jahrzehnten und Jahrhunderten.* Wir wissen nicht »in welchem Ausmaß Väter früher als Werktätige ihre Rollenchancen als Väter wahrnahmen bzw. wahrnehmen konnten«.[4] Es wird angenommen, daß »allgemein ein stärkerer mütterlicher Einfluß gegenüber einem schwächeren väterlichen Einfluß festgestellt wird, daß aber unseres Wissens bis keine Untersuchung vorliegt, die den unmittelbar wirkenden Einfluß der Mutter (emotionale Bindung, häufige häusliche Abwesenheit) mit dem mittelbar und virtuell wirkenden Einfluß des Vaters (Leitbildfigur,

Berufswahl, politischer Einfluß) verglichen hat, um zu objektiv gesicherten Aussagen zu kommen«.[5]

Häufig wird die Vaterrolle ganz bestimmter historischer Familien und zwar der adligen und großbürgerlichen als *die* historische Vaterrolle angesehen und alle anderen Ausprägungen daran gemessen.[6] Eine Menge Daten sind über normative Vorstellungen, rechtliche Regelungen, die um den Vater zentriert sind, vorhanden, aber sehr wenig über das tatsächliche Verhalten des »historischen Vaters«.

Meiner Ansicht nach muß die historische Vaterrolle weitaus differenzierter gesehen werden und zwar: in Abhängigkeit vom sozioökonomischen Status der Familie, vom Alter des Vaters und von der Kinderbeschäftigung außerhalb der Familie.

Wir haben gesehen, daß die bisherigen historischen Untersuchungen über die Vaterrolle sich weitgehend auf adlige und großbürgerliche Familien beziehen. In bäuerlichen Familien dagegen ist häufig nur nach *außen* hin ein Patriarchalismus erkennbar, der als Niederschlag bestimmter sozialer und politischer Wertvorstellungen angesehen werden muß; dieser »Sekundärpatriarchalismus« (René König) muß nicht der primären, *inneren* Autoritätsbeziehung zwischen Vater und Kind entsprechen. Diese Autoritätsstruktur findet man häufig in jenen Bauernfamilien, in denen die Frau körperlich im Betrieb mitarbeitet und einen eigenen Wirkungsbereich besitzt. Weiter verstärkt wird die mütterliche Autorität dann, wenn der Mann viel älter ist als die Frau, und seine körperliche Leistungsfähigkeit zurückgeht.

Wie Untersuchungen anfangs des 20. Jahrhunderts über klein- und mittelbäuerliche Familien bestätigen, bildet sich in dieser Phase oftmals eine Überlegenheit der Frau aus, so daß der Bauer leicht in Abhängigkeit von ihrem Urteil gerät. Aber sie nimmt ihm in den seltensten Fällen die *äußere* Herrschaft, sondern betont besonders den Kindern gegenüber die väterliche Autorität.

So findet man sehr häufig, daß sich im Laufe der Jahre in diesen Bauernfamilien die Autoritätsverhältnisse zwischen Mann und Frau umkehren, und die Bäuerin in Wirklichkeit die Führung übernimmt.[7] Dies beobachtet schon W. H. Riehl: »Bei dem bäuerlichen Tagelöhner und dem armen Kühbauern schafft die Frau ganz das Gleiche wie der Mann ... männlicher und weiblicher Beruf findet sich auch hier oft ebenso ausgetauscht ...«[8]

In vielen Familien wurden Kinder schon ab dem 6. Lebensjahr in fremde Familien als Knechte, Pagen, Diener, Kindermädchen usw. gegeben, dadurch vom eigenen Vater getrennt und von anderen Vätern erzogen und sozialisiert.

Diese wenigen Bemerkungen lassen erkennen, daß die allgemein üblichen Stereotype über den Wandel der Vaterrolle und der väterlichen Autorität fragwürdig geworden sind und dringend einer differenzierten historisch-soziologischen Analyse bedürfen.

Bis jetzt sind zwei theoretische Konzepte und zwar das von Parsons und die Ressourcen- und Austauschtheorie über die Rolle des Vaters entwickelt worden.

1. Parsons unterscheidet zwischen der väterlichen instrumentalen und der mütterlichen expressiven Rolle, wobei die instrumentale Rolle ein auf Erreichen eines gemeinsamen Zieles gerichtetes Verhalten bezeichnen soll, dagegen bezieht sich die expressive Rolle auf den unmittelbaren Ausdruck von Bedürfnissen, Werten und Gefühlen.

Die Familie ist nach Parsons Teil der Gesellschaft und kann daher als Subsystem der Gesellschaft verstanden werden. Um eine Beziehung herzustellen zwischen dem Subsystem Familie und der Gesellschaft bedarf es besonderer Anstrengungen. Nach Parsons übernimmt primär der Vater diese Rolle. Für die Aufrechterhaltung des Subsystems Familie ist primär die Mutter zuständig, während der Vater die Funktion hat, Angelegenheiten der Gesellschaft in die Familie hineinzuholen. Es gehört zu seiner Aufgabe, die Kinder in die Gesellschaft einzuführen, und es wird von ihm erwartet, als Familienexekutive aufzutreten.

Die Konzentration der Mutter auf die Kindererziehung hindert sie, sich mit Problemen außerhalb der Familie zu beschäftigen. Die expressive Rolle beinhaltet, daß sich die Mutter mit den inneren Angelegenheiten der Familie beschäftigt und Spannungen und Konflikte ausgleicht. Sie muß emotionale Unterstützung geben und als Vermittlerin zwischen Vater und Kindern auftreten und soll die Rivalität zwischen den Kindern kontrollieren. Alle diese Aktivitäten dienen zur Aufrechterhaltung der Familiensolidarität und der emotionellen Sicherheit der Kinder.[9]

2. Die Ressourcen- und Austauschtheorie. Beide Theorien sagen etwas darüber aus, unter welchen Umständen ein Ehepartner Macht über den anderen gewinnt, und wie sich Machtverhältnisse auch in bezug auf das Verhältnis von Vater und Kindern verändern. Die Ressourcentheorie von Blood und Wolfe[10] nimmt an, daß demjenigen die Macht in der Familie zufällt, der den bedeutsamsten Beitrag für die Familie liefert, und der die größten Ressourcen, vermittelt über Einkommen, sozialen Status, Schulausbildung usw. besitzt.

Eine Modifikation dieser Ressourcentheorie ist die Austauschtheorie,[11] die kritisiert, daß zu sehr die ökonomischen Tauschbeziehungen zwischen Familie und Gesellschaft berücksichtigt werden. Ressourcen sind hier nicht mehr nur ökonomische und soziale Beiträge, sondern auch psychische und emotionale. Austausch- und Ressourcentheorie ähneln sich insofern, als beide davon ausgehen, daß dasjenige Familienmitglied am meisten Macht hat, das die meisten Ressourcen für die Familie besitzt.

Vom Konzept des Familienzyklus ausgehend, soll nun die sich verändernde Rolle des Vaters in zwei Familienphasen dargestellt werden. Das Konzept Parsons' und die Ressourcen- und Austauschtheorie sollen in die Analyse mit einbezogen werden.

Im Konzept des Familienzyklus wird die Kernfamilie als dynamische Einheit in ihren verschiedenen Stadien betrachtet, von der Heirat der Ehepartner bis zum Tod eines der Partner. Die einzelnen Phasen sind gekennzeichnet durch Veränderungen der Funktionen und Rollen der Familienmitglieder. Ganz allgemein wird unterschieden zwischen der Familienexpansion, das ist die Phase, in der Kinder geboren werden, und der Familienkontraktion, das ist die Phase, in der die Kinder das Elternhaus verlassen. Dazwischen liegen verschiedene Phasen, die hier nicht näher dargestellt werden sollen.[12]

Von demographischen Daten ausgehend beträgt das Heiratsalter lediger Männer im Jahre 1954 26,7 Jahre, 27,8 Jahre 1962 und 25,5 Jahre im Jahr 1972; somit lösen sich die Kinder aus der Elternfamilie zu einem Zeitpunkt, zu dem die Eltern noch relativ jung sind. Gehen wir von einem Elternpaar aus, bei dem die Frau mit 23 Jahren und der Mann mit 26 Jahren heiratet, so können wir annehmen, daß ein solches Ehepaar zwei Kinder haben wird, wobei das erste geboren wird, wenn die Mutter 24, der Vater 27 Jahre alt ist, das zweite, wenn die Eltern 27 und 30 Jahre alt sind. Die Kinder verlassen das Elternhaus, wenn die Mutter Anfang bis Mitte vierzig und der Vater Mitte bis Ende vierzig Jahre alt ist.

1. Der Vater in der Expansionsphase der Familie

Während die mütterliche Rolle und die Interaktionen der Mutter mit ihrem Kleinkind in der wissenschaftlichen Literatur im Zentrum des Interesses stehen, wird fast undiskutiert angenommen, daß der Vater erst ab dem 4. bis 6. Lebensjahr eine bedeutsame Rolle in der Sozialisation des Kindes spielt,[13] und in den ersten Lebensjahren des Kindes vorwiegend die Versorgerfunktion übernimmt: Väter werden als ungeeignet für die Pflege des Säuglings angesehen. Diese Ansicht wird durch die Darstellung der Vaterrolle in anderen Gesellschaften erhärtet: fast in allen Gesellschaften ist es die Mutter, die für die Pflege des Kleinkindes zuständig ist.[14]

Entsprechend der traditionellen Rolle in westlichen Gesellschaften wird vom Vater erwartet, daß er die Mutter materiell unterstützt, nicht aber aktiv an der Kleinkind-Erziehung teilnimmt. Trotzdem scheint die Interaktion des Mannes bei der Geburt eines Kindes nicht nur auf die Versorgerrolle beschränkt zu sein. Die Problematik der Vaterschaft bei der Geburt, vor allem des ersten Kindes, wurde bisher überwiegend an Hand von pathologischen Fällen, die die Krise des Vaters vor und nach der Geburt seines Kindes thematisieren, dargestellt. Die dort festgestellten Reaktionen des Vaters sind u. a.: schwere Depression, Appetitverlust, Schlaflosigkeit, Einbildung von Krankheiten, Angst vor emotionalen und finanziellen Schwierigkeiten, fanatisches Arbeiten.[15] Ein Teil der Schwierigkeiten beruht auf der veränderten Mann-Frau-Beziehung: die Ehefrau hat nach der Geburt eines Kindes in der Tat weniger Zeit für den Ehemann. Ein Teil der Schwierigkeiten entsteht durch die Auflösung der intimen Zweierbeziehung der Ehepartner. Der Mann muß lernen, daß nun eher die Rolle des Vaters und nicht mehr die Rolle des Ehemannes für die Familie an Bedeutung gewinnt. »Durch die Geburt des Kindes wird aus der Gattenbeziehung (Ehe) eine soziale Gruppe. Rein quantitativ betrachtet, erhöht sich die Zahl der möglichen Handlungsbeziehungen auf drei: die Mutter-Kind-, die Vater-Kind- und die Mutter-Vater-Beziehungen. Bei zwei Kindern sind sechs verschiedene Handlungsbeziehungen in der Familie möglich, bei drei Kindern zehn und so fort.«[16] »Anders als in der partnerschaftlichen Zweierbeziehung ... schwebt über Familiengesprächen das Kind als dritte, äußere Instanz, an der gemessen und bewertet wird. Daher haben Gespräche zwischen Eltern über ihre Kinder stets den Charakter gegenseitiger Pflichtabmessung, denn das Kleinkind stellt nicht als Person, sondern als Pflicht die Beziehung zwischen den Eltern auf eine andere als nur persönliche Ebene. So werden die gegenseitigen Beziehungen der Eltern und ihre gemeinsame Beziehung zum Kind normativ strukturiert und positional festgelegt.«[17]

Die Veränderungen der Interaktionen, der Rollen, des Selbstbildes von Mann und Frau und die Aufnahme neuer Funktionen führen zu Unsicherheiten bei der Übernahme der Elternrolle. Die mangelnde Vorbereitung auf die Elternrolle betrifft besonders stark die Männer, weil auch heute noch das Mädchen eher als der Junge auf die Elternrolle vorbereitet wird.

Aber wie sieht nun das tatsächliche Verhalten, die Interaktionen der Väter mit den neugeborenen Kindern aus? Erste Arbeiten in den USA zeigen für die Mittelschicht, daß die übliche Vorstellung von der überwiegend instrumentalen Rolle des Vaters für die Familienphase mit einem neugeborenen Kind nicht allgemein zutrifft. Wie erwartet, spielen jene Väter, die an Säuglingskursen teilnahmen und bei der Geburt anwesend waren, eine sehr aktive Rolle bei der Säuglingspflege.[18] Diese beiden Faktoren sind ihrerseits bereits Ausdruck für die veränderte Einstellung zum Säugling. Die Väter antizipieren ihre neue Rolle und glauben nicht, daß die Vaterschaft für sie eine ernste Krise darstellen könne.

Bei der Analyse der Interaktionen des Vaters mit dem neugeborenen Kind während der ersten 4 bis 48 Stunden nach der Geburt sind Väter hinsichtlich des Lächelns, Sich-Äußerns, Küssens und Berührens, Haltens und Nachahmens ebenso sehr beteiligt wie die Mütter. Allerdings ergeben sich schon beim Spiel mit Kleinkindern (7 bis 13 Monate) Unterschiede: die Mutter bevorzugt oft konventionelle Spiele und stimuliert das Kind mit Spielzeug; der Vater dagegen stimuliert es eher physisch und spielt ungewöhnliche und neue Spiele mit ihm, die von Kindern bevorzugt geschätzt werden.[19]

Während des 2. Lebensjahres des Kindes zeigt sich eine Änderung in den Interaktionen des Vaters mit dem Kleinkind: von Töchtern ziehen sich die Väter stark zurück, dafür haben sie doppelt so häufig Interaktionen mit ihren Söhnen, während die Mutter gleichermaßen mit den Kindern beiden Geschlechts interagiert.

Zum Vergleich wird eine Gruppe von Unterschichtvätern untersucht, die weder Kurse besuchten, noch bei der Geburt anwesend waren.[20] Die Ergebnisse hinsichtlich der Vater-Kind-Interaktionen stimmen mit dem Verhalten der Mittelschichtväter überein. Die Mütter allerdings lächeln mehr mit ihren Kindern als die Väter und verbringen mehr Zeit mit den Babies beim Füttern und Pflegen. Hier ist also schon während der ersten Tage nach der Geburt des Kleinkindes eine Rollendifferenzierung zwischen Vater und Mutter vorhanden, wenn auch die Unterschiede nicht so groß sind, wie man es annehmen möchte.

Wie die neuen Untersuchungen über väterliches Verhalten während der Säuglings- und Kleinkinderphase zeigen, kann der Vater durchaus eine im wesentlichen expressive Rolle, auch den Söhnen gegenüber, und muß — zumindest in dieser Phase — keineswegs eine instrumentale Rolle spielen. Die Väter relativieren dadurch die Kinderzentriertheit der Mutter.

2. Der Vater in der Kontraktionsphase der Familie

Die Problematik des älteren Vaters ist bis jetzt in der Forschung wenig beachtet. Die Ablösung der Kinder vom Elternhaus geschieht, wenn die Eltern noch relativ jung sind, im Alter zwischen 40 und 50 Jahren.

Diese Phase des Rückzuges der Kinder aus der Herkunftsfamilie wird vor allem als ein Problem für die Frau angesehen, da sie stärker als der Mann auf den Binnenraum der Familie bezogen ist, und ihre familialen Interaktionen durch die Ablösung der Kinder abnehmen. Während der Frau damit ein zentraler Lebensinhalt verlorengeht, befindet sich der Mann, vor allem der der Mittelschicht, zur gleichen Zeit auf dem Höhepunkt seiner beruflichen Karriere. Trotzdem erlebt er in dieser Phase einen starken Abbau seiner Autorität; die Kinder orientieren sich außerfamiliar in Schule oder Beruf, in peer-groups oder in Partnerbeziehungen. Durch den »Rückzug der Hauptadressaten von ausgeübter Autorität, eben der Kinder« wird »das Selbstverständnis der Autoritätsträger, und dadurch wieder in vielen Fällen des Vaters, nachhaltig beeinflußt«. [21] Der Vater wird »des ›Mediums‹ beraubt, durch das eine Autorität gegenüber dem Ehepartner überhaupt sichtbar wurde... Dessen Autorität läßt sich dann nur demonstrieren in der Interaktion mit den Kindern – und dies eben auch im Hinblick auf die Frau«.[22] Die Rolle als Ehepartner muß wieder neu gelernt werden, die Rolle, nicht primär und ständig die Vaterrolle ausleben zu können.

Wenig ist bekannt über die Beziehung zwischen diesen Verhaltensmustern und der Zufriedenheit und Anpassung der älteren Eltern, insbesondere des Vaters. Da Männer früher sterben als Frauen und zudem älter sind als ihre Ehefrauen, gibt es mehr alleinstehende Frauen als Männer. Für die USA gilt, daß 72,4 % der Männer über 65 Jahren, aber nur 36,5 % der Frauen in der gleichen Altersgruppe noch verheiratet sind. Verwitwete, kranke oder geschiedene Väter leben eher als Frauen mit ihren verheirateten Kindern zusammen.[23]

Watson und Kivett weisen nach, daß auch bei intensiven Interaktionen der Väter mit ihren Kindern andere Faktoren, die außerhalb der Vaterschaft liegen, verantwortlich sind für die Lebenszufriedenheit. Hinsichtlich der Mutter ist zu vermuten, daß familiale und verwandtschaftliche Interaktionen für sie von größerer Bedeutung sind als für den Vater.

Nach der Untersuchung von Joseph Maxwell[24] gibt es zwei große Gruppen von Vätern: die einen meinen, daß ihre väterliche Verantwortung mit Ende der Adoleszenz, mit dem Wegziehen der Kinder aus dem Elternhaus und ihrer finanziellen Unabhängigkeit aufhöre, und der Vater nicht mehr länger Schutz und Unterstützung geben müsse; die andere Gruppe sieht die väterliche Funktion als lebenslange Aufgabe an.

»Sonderrollen« des Vaters

Im Anschluß an die Darstellung des Vaters in der vollständigen Zeugungsfamilie sollen folgende »Sonderrollen« des Vaters behandelt werden:

1. der uneheliche Vater, der üblicherweise nicht mit dem Kind zusammenlebt;
2. der geschiedene Vater, der ohne seine Familie alleine lebt;
3. der geschiedene oder verwitwete Vater, der mit seinen Kindern zusammenlebt;

4. der Stiefvater.

Vor allem die Situation des Vaters in den durch Desertion, Scheidung oder Tod unvollständig gewordenen oder »rekonstruierten Familien« soll thematisiert werden, da diese beiden Familienformen durch die Zunahme der Scheidung immer häufiger werden.

Das Problem bei der Darstellung dieser »Sonderrollen« ist, daß sich die vorhandene Literatur vor allem auf die USA bezieht, d. h. daß die Ergebnisse nicht unbedingt auf die westdeutsche Gesellschaft zu übertragen sind. Außerdem handelt es sich bei allen Untersuchungen um erste Ansätze, die weder beanspruchen, das Problem umfassend darzustellen, noch, repräsentative Ergebnisse vorzulegen.

1. Der uneheliche Vater

Bis jetzt liegen kaum Daten über jene unehelichen Väter vor,[25] die die Mutter ihres Kindes nicht heiraten und ihr Kind nicht legitimieren. Im Zentrum des Interesses steht die ledige Mutter, die das Kind in den meisten Fällen bei sich behält, weshalb man sich bisher kaum mit der Problematik des unverheirateten Vaters auseinandergesetzt hat. Die Gesellschaft erwartet vom unverheirateten Vater, daß er sich von der Mutter und dem Kind zurückzieht und nur eine ökonomische Funktion übernimmt oder die Mutter des Kindes heiratet. Neben diesen beiden Möglichkeiten wird ihm kein anderes Rollenmuster angeboten; man interessiert sich nicht für seine Gefühle und Probleme, man distanziert sich von ihm. Wenn eine Heirat mit der Mutter des Kindes nicht möglich ist, so versuchen die Eltern des unehelichen Vaters, wenn der Sohn jung ist, ihn von der unehelichen Mutter zu separieren mit der Begründung, er ruiniere sein Leben, und sie sei seiner nicht würdig.

Diese Separierung vom Vater des Kindes wird aber auch von den Eltern der Mutter, wenn diese jung ist, angestrebt; sie hilft ihnen die Situation der Tochter, die häufig mit ihrem Kind bei den Eltern lebt, anzunehmen. Folgende Gründe werden für den Ausschluß des Vaters des Kindes angeführt:

1. die Schwangerschaft ist zufällig und Ergebnis einer vorübergehenden Leidenschaft;
2. Männer, die vorehelich ein Kind zeugen, haben kein Verantwortungsgefühl, kümmern sich nicht um die Mutter und haben dem Kind gegenüber keine Gefühle;
3. die Anwesenheit des Vaters macht die Situation kompliziert: die durch die Schwangerschaft entstandene Krise verlangt eine eindeutige Lösung, Heirat oder Trennung; eine Zwischenlösung ist schwer möglich. Die Interaktion zwischen Vater und Mutter des unehelichen Kindes sollen auf das notwendige Minimum, die finanzielle Unterstützung, reduziert werden.

2. Der geschiedene Vater, der ohne seine Familie lebt

Der Einfluß der Scheidung auf die Mutter und ihre Kinder hat in der Öffentlichkeit und in der Wissenschaft große Aufmerksamkeit gefunden, nicht jedoch der geschiedene Vater, der ohne Familie lebt. Wenn sich die Scheidungsrate in den USA auf dem Niveau von 1975 stabilisiert, ist anzunehmen, daß über dreißig Prozent der erstgeschlossenen Ehen geschieden werden.

Obwohl die Zahl der Kinder, die mit ihrem geschiedenen Vater zusammenlebt, steigt, bleiben doch ungefähr neunzig Prozent der Kinder bei ihrer geschiedenen Mutter.

Durch einen Vergleich zwischen vollständigen und durch Scheidung unvollständigen Familien aus der Mittelschicht,[26] in denen die Mutter das Sorgerecht bekam und der Vater getrennt von ihr lebt, soll die besondere Situation der geschiedenen Väter hinsichtlich ihrer Anpassungsprobleme, ihrer sozialen Interaktionen, ihrer Beziehungen zu dem geschiedenen Ehepartner und zu den Kindern dargestellt werden. Geschiedene Väter – sie werden im folgenden immer verglichen mit Vätern aus vollständigen Familien – versuchen soziale Isolierung und Einsamkeit zu vermeiden, indem sie weniger Zeit zu Hause, dagegen umso mehr Zeit am Arbeitsplatz, mit Freizeitaktivitäten außerhalb der Wohnung oder mit Freunden verbringen. Zwei Jahre nach der Scheidung etwa gehen diese Aktivitäten wieder zurück.

Ganz allgemein kann gesagt werden, daß die Kontakte der geschiedenen Männer und Frauen zurückgehen, weil sich in unserer Gesellschaft geselliges Leben vor allem um Paare zentriert. Anfänglich intensive Anteilnahme nach der Scheidung, Unterstützung und Kontakte durch und mit Freunden gehen bald nach der Scheidung zurück, besonders stark bei geschiedenen Frauen. Sowohl Männer als auch Frauen beklagen ihre Einsamkeit, Frauen eher das Eingesperrtsein, Männer ihre Wurzellosigkeit. Glück und Gefühle der Kompetenz scheinen sehr stark abhängig zu sein von einer intensiven, intimen Bindung. Im ersten Jahr nach der Scheidung haben Männer häufig sexuelle Kontakte mit verschiedenen Frauen, aber dann wünschen sie, ebenso wie die geschiedenen Frauen, eine dauerhafte Bindung.

Die Beziehungen zwischen den früheren Ehepartnern sind nach der Scheidung stark von Konflikten geprägt. Es handelt sich vor allem um Auseinandersetzungen über finanzielle Probleme, dann aber auch über Kindererziehung, über das Besuchsrecht und über intime Beziehungen zu anderen Partnern. Ambivalente Beziehungen sind für das erste Jahr nach der Scheidung charakteristisch, auf der einen Seite gibt es Ärger, Zurückweisung und Aggressionen, auf der anderen Seite gegenseitige Hilfe bei Krisen, gelegentlich Übernahme von Haushaltspflichten oder auch Babysitting. *Kontakte der geschiedenen Väter mit ihren Kindern nehmen im Laufe der Zeit kontinuierlich ab.* Kurz nach

der Scheidung vermehren Väter die Kontakte zu den Kindern, manchmal sind die Kontakte sogar häufiger als vor der Scheidung, emotionale Bindungen an das Kind und an die Frau sind ebenso Gründe
wie Schuldgefühle oder die Motivation, mit der früheren Ehefrau zu
rivalisieren. Der geschiedene Vater ist seinen Kindern gegenüber
häufig sehr permissiv und tritt eher als der »gute Onkel« auf. Trotzdem haben viele Väter das Gefühl, ihre Kinder verloren zu haben.

3. Verwitweter oder geschiedener Vater mit Kindern

Die Problematik alleinstehender Väter wurde bisher kaum aufgegriffen, obwohl sie kein neues soziales Phänomen ist, da früher die Müttersterblichkeit wesentlich höher war als heute, wodurch mehr Väter
mit unmündigen Kindern allein zurückblieben. Noch in der Mitte des
19. Jahrhunderts starb in England jede hundertste Mutter bei der
Geburt eines Kindes, im Jahre 1969 nur noch jede fünftausendste.[27]
Die frühere hohe Müttersterblichkeit bedeutete für viele Kinder Mutterlosigkeit. Aber da es in der Verwandtschaft des Mannes auch un-
verheiratete Frauen gab, konnte üblicherweise eine weibliche Person
die Mutterrolle übernehmen. Außerdem waren Verwandte eher bereit, unmündige Kinder in ihren Haushalt aufzunehmen. Weiterhin
war es für Väter aus der Mittel- und Oberschicht möglich, für die Be-
treuung der Kinder eine Haushälterin, ein Kindermädchen oder eine
Gouvernante einzustellen, so daß selten der alleinstehende Vater allein für die Erziehung der Kinder verantwortlich war.
Vor allem bei den Bauern- und Handwerkerfamilien gab es einen
Zwang für die alleinstehenden Väter, sich wieder zu verheiraten, sowohl aus ökonomischen Gründen als auch der Erziehung der Kinder
wegen.
»Die historische Langzeitbetrachtung erweist für die letzten zwei Jahrhunderte einen kontinuierlichen Rückgang der Wiederverehelichung.
Dies hat seine Ursache einerseits in der Abnahme des sozialen
und ökonomischen Rollenergänzungszwanges und damit in einer Zunahme der Möglichkeit unvollständiger Familien, andererseits im An-
steigen der Lebenserwartung beider Geschlechter und in der Alters-
angleichung der Ehepartner.«[28]
Wenn auch die Zahl der mutterlosen Familien durch den Tod der
Mutter zurückgegangen ist, so ist doch die Zahl der Vater-Kind-Fa-
milien durch Trennung und Scheidung sehr angestiegen. Im Jahre
1975 gab es in den USA über 4,5 Millionen Familien, in denen es
nur einen Elternteil gab, wobei nur jene Familien mit alleinstehenden
Elternteilen gezählt wurden, in denen sonst keine erwachsenen Personen, Verwandte oder Freunde anwesend waren. Man nimmt an, daß
in den USA 1,3 Millionen minderjährige Kinder von 600 000 Vätern

aufgezogen werden. Die Zahl der geschiedenen Männer, die allein mit ihren Kindern zusammenleben, ist stärker gestiegen als die Zahl der geschiedenen Mütter mit Kindern. In etwa 13 Prozent aller unvollständigen Familien lebt heute in den USA und in der Bundesrepublik Deutschland der Vater allein mit seinen Kindern.

Die Zunahme der Familien mit alleinstehenden Vätern hat mehrere Gründe, z. B.: die ökonomische Rollenergänzung ist nicht mehr so notwendig wie früher; ledige weibliche Verwandte sind durch die hohe Heiratsquote kaum mehr vorhanden; durch die geographische Mobilität wohnen weniger Verwandte in der Nähe der mutterlosen Familie; es wird nicht mehr automatisch den Müttern das Sorgerecht für die Kinder zugesprochen, immer mehr Väter bemühen sich um die Übertragung des Sorgerechts; es kommt immer häufiger vor, daß Frauen ihre Familien verlassen; immer mehr Männer adoptieren vor allem männliche Kinder; das Vorhandensein von Haushaltsmaschinen und außerhäuslichen Dienstleistungen erleichtert die Haushaltsführung erheblich. Dazu kommt, daß die Geschlechtsrollen flexibler gestaltet werden: wenn in der vollständigen Familie beide Ehepartner mit möglichst vielen Aufgaben und Verantwortlichkeiten der Familien vertraut sind, ist anzunehmen, *daß es bei Ausfall eines Elternteils für den anderen nicht so schwer ist, die Rolle des ausgefallenen zu übernehmen.*

Aus all diesen Gründen sind Männer heute eher bereit und in der Lage, die eigenen Kinder allein zu versorgen und zu erziehen. Nach einer repräsentativen Untersuchung in Nottingham (England)[29] sind die Hälfte der erwachsenen Personen der Meinung, daß ein Vater durchaus seine eigenen Kinder allein erziehen könne. Vor einer Generation war diese Einstellung noch undenkbar. Viele Väter sehen es heute als ihre Pflicht an, beim Tode der Mutter oder bei Scheidung die Kinder selbst zu erziehen.

Der mutterlosen Familie gegenüber gibt es noch kein allgemein akzeptiertes Verhaltensmuster, was darauf hindeutet, daß die Rolle des alleinstehenden Vaters noch nicht klar definiert ist. Die öffentliche Meinung gegenüber diesem Familientyp schwankt zwischen Bewunderung und Verdammung, zwischen Sympathie und Ablehnung. Diese Ambivalenz in der Einstellung ist zurückzuführen auf Ursachen für die Entstehung der Vater-Kind-Familie, denn die Rollenübernahme und die Anpassung des Vaters an die neue Familiensituation ist abhängig von der Ursache für die Mutterlosigkeit.[30] Vergleicht man geschiedene mit verwitweten Vätern, so stellen sich hinsichtlich der Konflikte bei der Rollenanpassung bestimmte Unterschiede heraus: so ist der geschiedene Vater eher geneigt, sich selbst als angepaßt und die Familiensituation – im Vergleich zu vorher, vor allem zur Scheidungsperiode – als relativ frei von Problemen anzusehen. Dagegen bezeichnen sich die verwitweten Väter als weniger angepaßt. Der Tod ihrer

Ehefrauen tritt häufig überraschend ein, so daß sie ihre neue Rolle nicht antizipieren konnten. Sie betrachten aber die Beziehungen zu den Nachbarn als deutlich freundschaftlicher als geschiedene Väter, die oft ihrer Rolle gegenüber Vorurteile feststellen. Dem verwitweten Vater wird eher Hilfe, Sympathie und emotionale Unterstützung zuteil, wodurch ihm die Anpassung an die neue Rolle erleichtert wird. Der geschiedene Vater dagegen erhält nicht so viel Unterstützung, er hat seine Anpassung und die Definition seiner neuen Rolle in einer Atmosphäre der Zurückweisung durch seinen früheren Ehepartner zu leisten.

Die wenigen nur teilweise repräsentativen Untersuchungen, in denen die Väter, die mit ihren Kindern allein leben, selbst befragt werden, lassen spezifische Probleme der Vater-Kind-Familie erkennen.[31]

Allgemein wird ein starker Druck auf die Väter ausgeübt, wieder zu heiraten, da Frauen wie Männer gleichermaßen glauben, daß Frauen eher zur Kindererziehung geeignet seien als Männer. Nach den Ergebnissen der Longitudinalstudie von *Orthner* hat aber trotz des sozialen Drucks ein großer Teil der alleinstehenden Väter nicht den Wunsch, sofort wieder zu heiraten. Nur die Hälfte aller alleinstehenden Väter will überhaupt wieder eine Ehe eingehen. Es kann vermutet werden, daß der Vater der Unterschicht auch aus ökonomischen und beruflichen Gründen eher wieder heiraten wird als der Vater mit höherem Einkommen. Die Überrepräsentierung der alleinstehenden Väter mit höherem sozialen Status rührt auch daher, daß sie im Falle der Scheidung eher das Sorgerecht für die Kinder erhalten als Unterschichtväter, da sie in der Regel nachweisen können, ihre Kinder angemessen unterhalten zu können. Vom alleinstehenden Vater wird erwartet, daß er die übliche Ernährerrolle übernimmt, für das notwendige Familieneinkommen sorgt und einen sozial akzeptierten Beruf hat. Zur gleichen Zeit soll er mütterliche Funktionen übernehmen und den gesellschaftlichen Normen entsprechend die Familie intakt halten. Aus dieser Situation ist es für den alleinstehenden Vater schwieriger als für die alleinstehende Mutter, den Rollenkonflikt zu lösen und zu entscheiden, welche Funktionen eventuell Priorität haben. Dieser Konflikt wird dadurch verschärft, daß der alleinstehende Vater gegenüber der Mutter teilweise finanziell benachteiligt ist, da er z. B. nicht, wie die Frau beim Tod des Mannes, eine Rente oder Pension erhält. Arbeiterväter werden darüber hinaus noch zusätzlich benachteiligt, da Überstunden und Schichtarbeit häufig aufgegeben werden müssen. Mittelschichtväter sind eher in der Lage, ihre Arbeitszeit flexibel zu gestalten und Arbeitszeit und Familientätigkeit aufeinander abzustimmen.

Die Haushaltsfunktionen können die Väter nach einer Zeit der Krise angemessen übernehmen. Die meisten Väter berichten, daß sie keine Hilfe im Haushalt haben, so daß man annehmen muß, daß ältere Kin-

der zu bestimmten Haushaltstätigkeiten herangezogen werden. Etwa
²/₃ aller Eltern übernehmen in der Familie ihres alleinstehenden Sohnes
eine oder mehrere Funktionen, wie Kinderbeaufsichtigung, Hausarbeit,
aber auch finanzielle Unterstützung. Beinahe alle Väter geben an,
wöchentlich ein- oder mehrmals mit ihren Eltern Kontakt zu haben.[32]
Entsprechend der von Männern geforderten Unabhängigkeit geben
auch einige Väter an, daß sie keine Hilfe brauchen. Von größeren
Problemen berichten die Väter bei der Kinderbeaufsichtigung und bei
den emotionalen Beziehungen zu den Kindern. Die Väter beklagen
vor allem den Mangel an Geduld und Zeit, sie würden von den Kindern mehr Unabhängigkeit verlangen als andere Eltern, seien aber
weniger disziplinorientiert und interessierten sich mehr für die alltäg-
lichen Sorgen der Kinder und für die Erziehungsprobleme.
Pflegepersonen für Vorschulkinder werden von den meisten Vätern
wegen des häufigen Wechsels und der mangelnden beruflichen Ausbildung abgelehnt: Väter bevorzugen eher Kinderhorte, Kindertages-
stätten und Kindergärten. Die größeren, schulpflichtigen Kinder werden nur noch wenig beaufsichtigt, aber die Väter versuchen, die Freizeitaktivitäten der Kinder zu strukturieren.
Die meisten Väter der Untersuchung von *Orthner* sehen Probleme in
der emotionalen Beziehung vor allem zu den Töchtern. Unsicher sind
sie auch über die »normale« Entwicklung der Kinder und über die
Angemessenheit ihrer Erziehung.

4. Der Stiefvater

Ähnlich wie über den geschiedenen Vater liegen für die BRD keine
Untersuchungen über den Stiefvater vor. Bekannt ist nicht einmal
die Anzahl der Familien, in denen Stiefeltern vorhanden sind. »Lei-
der läßt sich die schon angelaufene Tendenz zu wachsenden Stiefelternschaften statistisch nicht gültig belegen«.[33]
Der zweite Familienbericht der Bundesregierung von 1975 stellt lediglich fest: »Kinder finden ihre Eltern nicht mehr ganz und gar selbstverständlich ›durch Geburt‹. Die Zahl der Stiefelternschaften wird
steigen«.[34] Wie mehrere populärwissenschaftliche und erste wissenschaftliche Untersuchungen in den USA zeigen,[35] gewinnt die Stiefvaterproblematik immer mehr an Beachtung. In den USA wird geschätzt, daß 10 Prozent aller Kinder einen Stiefelternteil haben. Genaue Daten über die Zahl der Kinder, die mit einem Stiefvater zusammenlebt, sind nicht bekannt. Da mehr geschiedene Mütter als Väter
das Sorgerecht für die Kinder erhalten und deshalb der größere Teil der
Kinder aus geschiedenen Ehen bei der Mutter lebt, ist anzunehmen, daß
es mehr Stieffamilien mit Stiefvätern gibt als Stieffamilien mit Stiefmüttern. Für die Familien, die durch Verwitwung unvollständig gewor-

den sind, liegen keine Angaben vor, ob bei der Wiederherstellung zur vollständigen Familie Stiefväter oder Stiefmütter überwiegen.

Welche Rolle spielt nun der Stiefvater in unserer Gesellschaft? In Sprichwörtern und Märchen gibt es sehr viele negative Stereotype über Stiefeltern, vor allem über die Stiefmütter. Diese Rolle wird für besonders konfliktreich gehalten, weil die Frau vor allem in ihrer Rolle als Mutter eine emotionale Beziehung zum Kind aufbauen soll. Dagegen wird die Funktion des Stiefvaters eher als passiv angesehen. In einem großen Teil aller Familien genießt die Mutter mehr emotionale Loyalität als der Vater. Das ist in Familien mit Stiefvätern noch ausgeprägter. Die gesellschaftlichen Erwartungen gegenüber dem Stiefvater sind nicht genau definiert; es gibt keine antizipatorische Sozialisation für diese Rolle. Nach den wissenschaftlichen Ergebnissen der Untersuchungen von *Duberman* kann angenommen werden, daß Stiefkinder zu ihren Stiefvätern eine konfliktfreiere Beziehung haben als Kinder zu den Stiefmüttern. Zu ihrer Überraschung fand Duberman, daß nach Ansicht der Familienforscher aber auch nach Selbsteinschätzung der Stiefeltern bei etwa zwei Drittel der Familien eine ausgezeichnete Eltern-Kind-Beziehung vorhanden ist. Die Variablen Alter und Religion haben keinen Einfluß auf die Beziehungen zu den Kindern, die Variable »soziale Schicht« dagegen wirkt sich auf die Stiefeltern – Stiefkind – Beziehung folgendermaßen aus: je höher die soziale Schicht, desto größer ist die Wahrscheinlichkeit, daß die Beziehungen zwischen Stiefeltern und Stiefkindern gut sind.

Bei Eintritt eines Stiefvaters in eine durch Verwitwung unvollständig gewordene Familie ist es wahrscheinlicher, daß es bessere Beziehungen zwischen Stiefvater und Stiefkindern gibt als in einer durch Scheidung unvollständig gewordenen Familie. Erstaunlicherweise wird in einer anderen Studie nachgewiesen,[36] daß beim Vergleich von Personen, die in Stiefelternfamilien und in »normalen« Familien aufwuchsen, keine signifikanten Unterschiede hinsichtlich bestimmter sozialer und psychischer Merkmale vorhanden sind.

Diese »Sonderrollen« des Vaters unterscheiden sich durch die Interaktionsdichte und durch seine Rollen und Funktionen erheblich voneinander. Die Interaktionsdichte mit dem Kind ist beim unehelichen Vater am niedrigsten, da er weitgehend von der Mutter-Kind-Dyade ausgeschlossen ist. Beim geschiedenen Vater ohne Familie finden partielle Interaktionen statt, die im Laufe der Zeit abnehmen und beim alleinstehenden Vater mit Kindern gibt es die »totale« Interaktion, die häufig nur transistorisch ist. Beim unehelichen Vater, der die Mutter seiner Kinder nicht heiratet oder heiraten kann, wird der Aufbau der Vaterrolle weitgehend verhindert. Väterliche Verhaltensweisen werden nicht gelernt, weil es selten Interaktionen mit den Kindern gibt. Der uneheliche Vater spielt keine expressive Rolle und nur zum geringen Teil eine instrumentale; er übernimmt nur eine ökonomische Funktion.

Auch der geschiedene Vater behält teilweise eine ökonomische Funktion, verliert aber andere Komponenten der instrumentalen Rolle. Durch Permissivität den Kindern gegenüber versucht er aber, eine expressive Rolle aufzubauen.

Anders der alleinstehende Vater mit Kindern: er verliert keine Rollen und Funktionen, sondern muß noch die mütterliche Rolle aufbauen, die er nicht gelernt hat, und die ihn überfordern oder in Konflikte bringen kann.

Wieder anders ist die Situation des Stiefvaters, der eine Ersatzrolle in einer rekonstruierten Familie übernimmt. Es wird von ihm erwartet, daß er alle Funktionen und Rollen des Vaters übernimmt, und daß er der Erwartung der Mutter gemäß, sich voll in die Familie integriert. Gerade bei der soziologischen Analyse des Stiefvaters ergeben sich aber noch ein Bündel anderer Fragestellungen, die in den Untersuchungen noch nicht behandelt werden: wie gelingt die Rollenübernahme, wenn nur die Frau Kinder hat, wenn Frau und Mann Kinder haben, d. h. wenn die Frau für die Kinder des Mannes gleichzeitig die Stiefmutter ist; wenn die Frau Kinder hat und beide eigene Kinder bekommen; welche besonderen Konstellationen entstehen, wenn Mann und Frau sowohl Stiefvater bzw. Stiefmutter sind, gleichzeitig aber auch Eltern von eigenen Kindern werden? Besteht die Möglichkeit, daß jeder Elternteil für die eigenen Kinder eher beide Rollen übernimmt, während die Rollenverteilung bei den gemeinsamen Kindern eher den Parsons'schen Kategorien entspricht? Wie sind die Interaktionen in dieser Konstellation, wenn die beiden Partner geschieden sind, die Kinder aber jeweils zu dem biologischen Elternteil Beziehungen unterhalten? An diesen Beispielen soll nur aufgezeigt werden, wie groß die Lücken der soziologischen Forschung über den Stiefvater noch sind.

Eine weitere Lücke entsteht durch das Nicht-Beachten der verschiedenen Familienstadien in bezug auf die Interaktion des Vaters mit den Kindern. Es muß ein Unterschied sein, ob ein verwitweter oder geschiedener Vater, der ohne seine Kinder lebt, jung oder alt ist, ob ein alleinstehender Vater Kleinkinder hat oder Kinder in der Pubertät oder Ablösungsphase; ebenso differenziert sich die Stiefvaterproblematik durch das Hineinnehmen des Familienzyklus in die Überlegungen: wenn beide Ehepartner aus früheren Ehen Kinder haben, übernimmt der andere jeweils eine Stiefelternrolle, wodurch es möglich ist, daß die Kinder unterschiedlichen Alters sind und sich damit in unterschiedlichen Phasen des Familienzyklus befinden. Es ist durchaus denkbar, daß die Kinder des einen Partners sich aus der Familie zurückziehen, während die Kinder des anderen Partners zur Schule gehen, und beide Partner durch gemeinsame Kinder die Familie zusätzlich in eine

Expansionsphase bringen. Auch diese Fragestellungen sind bis heute nirgendwo beachtet oder untersucht worden, obwohl diese »Sonderrollen« der Väter – und auch der Mütter – immer häufiger übernommen werden.

Klaus Stichweh

Erscheinungsformen der Vateridee bei Karl Marx

Unwillkürlich erwarten wir von großen Revolutionären, daß der Kampf, den sie den herrschenden Mächten ihrer Zeit liefern, bereits im Elternhaus begonnen hat: der Protest gegen den Vater steht am Anfang einer Entwicklung, die mit der Abschaffung der Über-Väter einer autoritären Gesellschaft endet. Der »Landesvater« und, da dessen Machtvollkommenheit keine absolute ist, der allmächtige Vatergott als hinter und über ihm stehender Garant sind nicht nur Erscheinungsformen des Väterlichen, sondern zugleich Symbole der Legitimation anonymer, nicht mehr persönlich gebundener Herrschafts- und Abhängigkeitsverhältnisse. Diese Zuspitzung wurde jedoch erst im 19. Jahrhundert akut, als der präsumptive Wille Gottes nicht mehr kritisch gegen die weltliche Obrigkeit ins Spiel gebracht wurde und andererseits durch die Industrialisierung und die zunehmende Unterwerfung weiter gesellschaftlicher Bereiche unter die Prinzipien rationaler Organisation Sachzwänge an die Stelle personaler Willkür traten, so daß letztere zunehmend obsolet erschien und dennoch als unzeitgemäßes Überbleibsel »irrationalerer« Jahrhunderte weiter existierte.

Unter solchen Voraussetzungen wird der Autoritätsdruck so stark und dessen Rückbindung an eine exemplarische menschliche Person so brüchig, daß das Streben nach einer freiheitlich egalitären, brüderlichen – und damit tendenziell vaterlosen – Gesellschaft eine bislang ungeahnte Durchschlagskraft gewinnt. Für Karl Marx gilt dies in einer ganz eigenartigen Weise, denn während für die Väter von Engels und Lenin Frömmigkeit und Staatstreue mit einem Verhalten zusammengingen, das die Söhne als »despotisch« empfanden,[1] war Marx' Vater liberal und aufklärerisch gesinnt; der Sohn radikalisierte lediglich und übersetzte in politische Praxis, was für den Vater eine Hoffnung im Reich der Gedanken war. Karl Marx' ätzende Kritik an politischen und ökonomischen Herrschaftsverhältnissen richtet sich gegen die Erscheinungsformen der Vaterfigur, gegen Gott und Staat nicht unmittelbar, sondern nur insofern, als hinter deren väterlicher, scheinbar persönlicher Autorität sich die anonyme unmenschliche Herrschaft des Kapitals verbirgt.[2] Die Gestalt des eigenen Vaters hingegen unterlag einer solchen Kritik nicht; Marx bewahrte ihm gegenüber zeitlebens eine über das Gewöhnliche hinausgehende Anhänglichkeit.[3] Schließlich waren es nicht zuletzt Weltanschauung und Lebensschicksal des Vaters gewesen, die den Sohn dazu motiviert hatten, in der Kritik der Über-Väter und schließlich der »herrschenden Verhältnisse« weiter zu gehen, als jener es wagen konnte. Diese Entwicklung sei zunächst biographisch und dann in ihren theoretischen Zusammenhängen dargestellt.

Heinrich Marx, der Vater, war Rechtsanwalt und stammte, ebenso wie die Mutter, aus einer Rabbinerfamilie; noch sein Bruder war Rabbiner von Trier. Doch Heinrich Marx scheint sich von seiner Familie und ihrer Tradition frühzeitig gelöst zu haben, und die Selbständigkeit, die er sich gegenüber seinem Elternhaus herausnahm, hat er später auch seinem Sohn in dessen Entwicklung zugebilligt, wobei er immer versuchte, ihm ein älterer, verstehender Freund zu sein. Dem entsprach eine undogmatische Religiosität; Heinrich Marx teilte den liberalen Theismus vieler Gebildeter am Anfang des 19. Jahrhunderts. Die französischen Aufklärer, Voltaire vor allem, waren seine Lieblingslektüre, doch noch stärker prägte ihn die Ethik Kants; auch dessen Einbindung der Religion in die Moral findet bei Heinrich Marx ihre – freilich triviliasierte – Entsprechung.
Der Theorie entsprach die Praxis. 1815, ein Jahr nachdem Trier preußisch geworden war, trat Heinrich Marx in einer Denkschrift für die Rechte der Juden ein, die auf Grund eines napoleonischen Dekrets von 1808 im öffentlichen Leben diskriminiert waren. Ein Jahr später jedoch stand er bereits vor der Alternative, seinen Beruf zu verlieren oder sich taufen zu lassen, da Juden in Preußen zu öffentlichen Ämtern – und dazu zählte auch die anwaltliche Tätigkeit – nicht zugelassen waren. Heinrich Marx wählte die Konversion und trat der kleinen protestantischen Gemeinde Triers bei, in der er sich mit seinen theologisch liberalen Anschauungen am ehesten zu Hause fühlen konnte. Für diese Konversion mußte er nicht seine Gesinnung verraten, sondern sich lediglich öffentlich von einer Konfession lossagen, deren Glauben längst nicht mehr der seine war. Wir wissen nicht, ob er diese erzwungene Lossage von der Tradition seiner Väter als Demütigung empfunden hat; sicher ist jedenfalls, daß er sich vor allem für das Wohl seiner Familie verantwortlich fühlte: das drohende Berufsverbot hätte sie einer ungewissen Zukunft und einem Leben in Armut ausgesetzt.

Nichts spricht dafür, daß Karl Marx, wie häufig behauptet wird, in seinem Vater ein negatives Beispiel für servile Anpassungsbereitschaft sah;[4] wohl aber kann man sich vorstellen, mit welcher Gesinnung gegenüber Staat und Religion er aufwuchs, wenn er erlebte, wie Gott-Vater zur Disposition des jeweiligen Landesvaters gestellt wurde. Außerdem konnte er an seinem Vater beobachten, daß für ihn wie für die herrschende Philosophie die Religion nur im Zusammenhang mit der Moral ihren Sinn hatte. Heinrich Marx schrieb später seinem Sohn:

»Daß du moralisch gut bleibst, daran zweifle ich wirklich nicht. Doch ein großer Hebel für die Moral ist der reine Glaube an Gott. Du weißt, ich bin nichts weniger als Fanatiker. Aber dieser Glaube ist dem Menschen früh oder spät wahres Bedürfnis, und es gibt Augenblicke im Leben, wo auch der Gottesleugner unwillkürlich zur Anbetung des Höchsten hingezogen wird. (...) Denn was Newton, Locke und Leibniz geglaubt, dem darf sich jeder (...) unterwerfen.«[5]

Der unentschiedene Traditionalismus, die Darstellung des Glaubens als »Bedürfnis« für prekäre Lebenslagen und schließlich das Bild eines Gottes, dem jede lebendige Wirklichkeit fehlt, der nichts weiter ist als

ein Instrument, »ein großer Hebel«, für die Moral – all das ist nur
noch ein schwächlicher Abglanz dessen, was Heinrich Marx bei Newton oder Leibniz hätte lesen können, es legitimiert ungewollt die Un-
terstellungen späterer Religionskritiker.
Nicht weniger zweideutig ist in Marx' Elternhaus das Verhältnis zur
staatlichen Autorität gewesen. Eine saubere Zweigleisigkeit – äußere
Anpassung bei innerer Unabhängigkeit – hätte gewiß der Moral des
Vaters widersprochen. So war es möglich, daß Heinrich Marx in der
preußischen Monarchie mindestens ansatzweise die eigenen aufklärerischen Ideale am Werke sah.

Bezeichnend ist ein Vorfall, der 1834 den scheinbar so loyalen Bürger Heinrich Marx mit der staatlichen Autorität in Konflikt brachte. Anläßlich
eines Banketts für die liberalen Abgeordneten Triers im rheinischen Land-
tag hielt er eine Festrede, in der er an erster Stelle »Opfer und Mut« der
Volksvertreter rühmt, »für Wahrheit und Recht gekämpft« zu haben, und
sodann »heißeste Wünsche« an den Monarchen richtet, »dessen Hochherzig-
keit wir die ersten Institutionen einer Volksvertretung verdanken. In der
Fülle der Allgewalt hat er aus freiem Willen Standesversammlungen ange-
ordnet, damit die Wahrheit an die Stufen seines Thrones gelange.«[6]
Einige Biographen sehen in dieser Rede die devote Äußerung eines konfor-
mistischen Untertanen,[7] doch mit den Augen der damaligen Zeit gelesen ist
sie das genaue Gegenteil: aus einer Standesversammlung macht Heinrich
Marx unter der Hand eine »Volksvertretung«, was ganz und gar gegen
die Absicht Friedrich Wilhelms III. war, und dem »gütigen Monarchen«
gibt er zu verstehen, daß es, damit die Wahrheit auch nur bis an die Stufen
seines Thrones gelangen kann, der Intervention von Volksvertretern bedarf... In diesem Sinne, und nicht etwa als Ergebenheitsadresse, wurde
die Rede von der zuständigen Obrigkeit auch verstanden.[8] Dennoch ist zu
vermuten, daß Heinrich Marx' Optimismus ehrlich war, wenn er von dem
»gütigen Vater«, seinem König, eine glückliche Zukunft erwartete: »Darum
lasset uns in tiefstem Vertrauen einer heiteren Zukunft entgegensehen,
denn sie beruhet in der Hand eines gütigen Vaters, eines gerechten Königs.
Sein edles Herz wird gerechten und vernünftigen Wünschen seines Volkes
immer hold und offen bleiben.«[9]

Der Sohn muß solche optimistischen Erwartungen frühzeitig aufgegeben haben. Die staatliche Autorität unterstellte sich nur scheinbar der
religiösen, in Wirklichkeit verfügte sie über sie: ein simpler Erlaß der
monarchischen Obrigkeit erzwang Konversionen. Mit sechs Jahren
wurde Marx christlich getauft, und später hat er in Gesprächen mit
seinem Vater sehr wohl erfahren, daß dieser den christlichen Glauben
in seiner spezifischen Form kaum teilte. Aber war andererseits die
»vernünftige Gottesidee« eines Leibniz oder eines Locke nicht genauso eine verzweifelte Illusion wie die Hoffnung auf die Liberalität des preußischen Königs? Karl Marx seinerseits hat offenbar nicht
erst in seiner Studienzeit, sondern schon im Elternhaus den Gott seines
Vaters verabschiedet. Auf jeden Fall setzte er frühzeitig seine eigenen
Akzente: im deutschen Aufsatz zum Abitur deutet er ein eigenes Gottesbild an, das von dem des Vaters latent abweicht: eine Art inneres

Daimonion führt den Menschen; es ist zugleich dessen Lebensgesetz insofern mit dem Menschen identisch. Darum spricht Marx von der »innersten Stimme des Herzens« und setzt hinzu: »denn die Gottheit läßt den Irdischen nie ganz ohne Führer; sie spricht leise, aber sicher.«[10] Das Göttliche ist nicht mehr weit davon entfernt, die tiefere Wahrheit *im Menschen* zu sein. Einer solchen Deutung der inneren Stimme entspricht die Liquidierung der äußeren Stimme der Gottheit, die Marx sieben Jahre später in Zeitungsaufsätzen vornimmt. Wer erlebt, wie der Staat über das öffentliche Glaubensbekenntnis seiner Bürger verfügt, der kann in der Religion eigentlich nur noch eine »politische Qualität« sehen, und »wenn wie im Protestantismus kein oberstes Haupt der Kirche existiert, so ist die Herrschaft der Religion nichts anderes als die Religion der Herrschaft, der Kultus des Regierungswillens«.[11] Während sonst, in Religionsgemeinschaften mit sichtbarem Oberhaupt, zwischen Kirche und Staat eine Spannung entsteht, deren Auflösung ungewiß bleibt, führt gerade die Innerlichkeit des Protestantismus dazu, daß seine reale Inkarnation das Landeskirchentum und sein faktischer Bischof der Landesherr ist. Religion wird zum Ausdruck und zur Verklärung staatlicher Macht.[12]
In einem ähnlichen Sinne kritisiert Marx später den »Deismus«, und es klingt wie ein Rückblick auf die Religion des Vaters, wenn er »Protestantismus, Deismus usw.« als diejenige Religionsform bezeichnet, die in ihrem »Kultus des abstrakten Menschen« am besten zu einer Gesellschaft von Warenproduzenten passe, »deren allgemein gesellschaftliches Produktionsverhältnis darin besteht, sich zu ihren Produkten als Waren, also als Werten zu verhalten.«[13] Genau wie die Gegenstände des menschlichen Gebrauchs ihre je eigentümlichen Qualitäten verloren haben und zu austauschbaren Waren geworden sind, ebenso ist die moderne Theologie dieser Zeit ein veränderlicher Rahmen, der je nach Bedürfnis wechselnde Gottesbilder enthalten kann. Wie leicht dieser Gott-Vater auszutauschen ist, war Marx im Lebensschicksal seiner Familie ja vorgeführt worden.
Bevor Marx jedoch diesen Weg radikaler Kritik gehen konnte, mußte er sich mit der vorsichtigeren und rücksichtsvolleren Lebenshaltung seines Vaters auseinandersetzen. Dieser hat, wie es scheint, die genialische Kompromißlosigkeit seines Sohnes insgeheim bewundert; auf jeden Fall war gerade dieser »über alles geliebte« Sohn »einer der stärksten Hebel meines Lebens«.[14] Karl Marx ging allerdings ohne Rücksicht auf die Gefühle seiner in ihrer Bürgerlichkeit eingeschränkten Eltern seinen eigenen Weg, während der Vater von seinen Idealen zeitlebens nur träumen konnte; eine Weltanschauung aber, die, wie die demokratisch liberale, auf Verwirklichung angelegt ist und nur aus Rücksicht auf die äußeren Umstände sich faktisch auf die Maximen des inneren Lebens beschränkt, ist dazu verurteilt, zu einem Konglo-

merat von Vorstellungen zu degenerieren, die sich mühsam an Bildungsreminiszenzen hochranken.

So verwundert es nicht, daß Heinrich Marx seinem soviel phantasievolleren und genialischen Sohn gegenüber eine »Schwäche« empfand,[15] deren tieferer Grund ihm allerdings verborgen blieb. Der zunächst chaotisch wirkenden inneren Entwicklung des Sohnes vermochte er nur schwer zu folgen, aber jedesmal, wenn er sich zu Vorwürfen und Anfragen verpflichtet fühlte, nahm er den Tadel sogleich wieder zurück und bemühte sich bis an die Grenze der Erschöpfung um Verständnis. Er appellierte an die Einsicht des Sohnes, doch dieser war in seiner Studienzeit noch so sehr auf der Suche, daß er sich dem eigenen Vater gegenüber nur selten und nie vollkommen verständlich machen konnte.[16]

In dieser Situation entwickelte sich der einzige ernsthafte Konflikt zwischen Vater und Sohn, der auf uns heute deshalb so grundsätzlich wirkt, weil er nicht mehr bewältigt werden konnte. Der Vater starb, bevor die Fronten sich geklärt hatten und eine Verständigung, im Guten oder Bösen, gelungen war. Und doch muß dieser Konflikt als eine positive Spannung verstanden werden, die es dem Sohn erlaubte, rechtzeitig sich an der ganz andersartigen Natur des Vaters zu konturieren; weder bestand die Gefahr, daß er durch völlige Identifikation mit dem Vater die eigene Individuation verfehlte, noch beraubte ihn eine totale Gegnerschaft der Chance, sich von seinem Vater prägen zu lassen. *Der Konflikt berührte die Grundlagen der Vater-Sohn-Beziehung*[17] *und führte trotzdem zu keinem Bruch.*[18] Heinrich Marx wußte und akzeptierte, daß sein Sohn einer Berufung folgte. Nur darauf beharrte er: daß die Berufung sich früher oder später mit einem Beruf müsse vereinbaren lassen. Der Vater machte sich in seinen Briefen Gedanken über die innere und äußere Entwicklung seines Sohnes, er wollte an seinem Leben teilnehmen, doch dieser gab auf seine Fragen nur selten eine präzise Antwort. Zudem brauchte er weit mehr Geld als es die nicht übermäßig begüterte Familie sich leisten konnte.[19] Und schließlich hatte Karl Marx sich mit väterlicher Einwilligung mit der Tochter des in Trier sehr angesehenen Regierungsrats Ludwig v. Westphalen verlobt, doch die Braut mußte sieben Jahre bis zur Heirat warten, weil die bürgerliche Existenz des Bräutigams nicht gesichert war – für den Vater war dies eine peinliche Situation, aber weit mehr noch bangte ihn um das Glück »dieses Engelmädchens«.[20] Von alldem ließ Karl Marx sich kaum anfechten. Es stellten sich für ihn zwar dieselben Probleme, aber unabhängig von der eigenen bürgerlichen Existenz, vielmehr ausgeweitet ins Universale: in dem Versuch, die Realität *philosophisch* zu begreifen und *politisch* zu bewältigen. Während die Weltanschauung des Vaters erkennbar in seinem Lebenskreis verwurzelt ist, verweigert der Sohn solche bürgerliche Verankerung; spricht er von der Realität, so ist die Realität der Welt im ganzen gemeint. Karl Marx ist es nicht um eine Weltanschauung zu tun, die ihm als »Hebel« für die eigene Lebensbewältigung dienen könnte, es geht ihm von vornherein ums Ganze dessen, was Menschen bewegt: um die großen Bewegungen der Geschichte; und die »Weltphilosophie« Hegels, die Marx in Berlin ernsthaft zu studieren beginnt, ist für ihn das erste Instrument, das ihm dazu dienen soll, der Geschichte ihr Geheimnis zu entlocken.

Zuvor hatte Karl Marx sich als Dichter versucht, allerdings bald erkannt, daß er nur ein »fern liegendes Jenseits«[21] beschworen hatte; er war im »abstrakten Idealisieren«[22] steckengeblieben. Vergeblich hatte er in Sturm-und-Drang-Gestik die Unendlichkeit ins Diesseits zu ziehen versucht; doch die Lust währte nur einen Augenblick, der prometheische Griff ins Jenseits endete mit dem Absturz ins Nichts. Dem entsprechen traurig-trotzige Balladen mit fatalem Ausgang, sehnsuchtsvolle Klagelieder, deren Grundton wilde Resignation ist, und – in einer späteren Phase – kritische Gedichte, die ein künstlich-gewaltsamer Sarkasmus beherrscht.[23]

Den Himmel auf die Erde holen zu wollen – dieses Ideal hat Marx auch später nicht verleugnet. Von der Poesie ging er zur Philosophie und von der Philosophie zur Politik über; er stand unter dem Druck, seine Träume zu präzisieren und ineins damit den Weg zu ihrer Realisierung zu eröffnen. Hegels historische Dialektik war für ihn nur ein Instrument zur Destruktion der gegenwärtigen Verhältnisse. Die Versöhnung – das Reich der Freiheit –, die am Ende der geschichtlichen Entwicklung – bzw. am Anfang einer Geschichte in einem neuen, ganz anderen Sinne – stehen sollte, war nicht mehr von den Gegensätzen des Bisherigen geprägt, sondern stellte sich dar als Versöhnung in einer Harmonie der Unmittelbarkeit. Für Hegel dagegen gilt, »daß anstelle des ›Fortschritts im Bewußtsein‹ eigentlich nur ein Zuwachs von Vermittlungsfähigkeit bei geschichtlichen und moralischen Konflikten zu konstatieren ist« (Fr. W. Korff). Marx ist fasziniert von dem (gegenwärtigen) Weltbezug der hegelschen Philosophie, von dem Pathos ihres Versuchs, das Wirkliche als das Vernünftige zu denken, ein Versuch, der sich ebensogut umkehren läßt: das Vernünftige zu verwirklichen. Es war das Ziel der Marxschen Lebensarbeit, den Endzustand der Versöhnung als ein immanentes Ziel der Geschichte zu erweisen. Solange ihm dies jedoch nicht gelungen war, befand er sich in einem Zustand enttäuschter Sehnsucht und gescheiterter Hoffnung. Wir haben hier nicht die Ausbildung der materialistischen Geschichtstheorie zu verfolgen, sondern zu zeigen, wie im Verlauf dieser Versuche die Götter der Jugend allmählich ihre Gestalt und ihre Funktion verwandeln.

In dem bereits zitierten Bekenntnisbrief an den Vater schreibt Marx rückblickend, in jener Zeit sei »eine neue Welt für mich erstanden, die der Liebe, und zwar im Beginne sehnsuchtstrunkener hoffnungsleerer

Liebe«.[24] Was seine Gedichte beschworen, zerstörten sie zugleich; es waren Verse, »in denen mir plötzlich wie durch einen Zauberschlag, ach! der Schlag war im Beginne zerschmetternd, das Reich der wahren Poesie, wie ein ferner Feenpalast entgegenblitzte und alle meine Schöpfungen in Nichts zerfielen.« Und das Fazit lautet: »Ein Vorhang war gefallen, mein Allerheiligstes zerrissen, und es mußten neue Götter hineingesetzt werden.«[25]

Sind auch schließlich die Götter beseitigt, so bleibt doch in dem Bemühen, das Absolute in Diesseits zu verwirklichen, strukturell ein Stück Theologie erhalten: nicht die Throne werden umgestoßen, sondern die Götter werden von ihnen vertrieben und neue an ihre Stelle gesetzt.

»Von dem Idealismus, den ich beiläufig gesagt, mit kantischem und fichteschem verglichen und genährt, geriet ich dazu, im Wirklichen selbst die Idee zu suchen. Hatten die Götter früher über der Erde gewohnt, so waren sie jetzt das Zentrum derselben geworden.«[26]

Marx verbindet die Forderung nach dem Realitätsbezug seines Denkens und Handelns, wie sie ihm in je verschiedener Weise von seinem Vater und dann von der Philosophie Hegels nahegelegt worden war, mit seinem eigenen romantischen Absolutheitsideal. Wir übergehen die Zwischenstufen der häufig genug dargestellten Entwicklung Karl Marx' und fassen den Endzustand der kommunistischen Gesellschaft ins Auge, wie er sich für den reifen Marx darstellt. Dieser ist weder ein erdachtes programmatisches Ideal noch – im Sinne Hegels – die Synthese aller wesentlichen Momente der bisherigen Geschichte, sondern die Abstoßung aller Gegensätze und Antagonismen, die bisher das Eigentliche der Geschichte darstellten. Ein gänzlich Neues soll entstehen, dessen Keime in der Gegenwart nur dem wissenschaftlichen Blick erkennbar sind.

Wenn aus dem Traumbild die real-mögliche Utopie wird, sind die verschiedenen Vatergestalten, die das Leben von Marx' eigenem Vater beherrschten, nicht mehr möglich und nötig. Über die Realisierbarkeit dieser Utopie kann nur die zukünftige Geschichte, keine Gedankenkonstruktion entscheiden; insofern sind innere Spannungen und Widersprüche der Marxschen Darstellung kein Einwand gegen sie, sondern Material, mit dem die geschichtliche Entwicklung selbst fertig werden muß. Der Zukunftsentwurf kann daher nur in seinem äußeren Umriß, nicht in konkreter Ausfüllung dargestellt werden.

In einem solchen vagen Vorausblick sei dargestellt, welchen Wandlungen die verschiedenen Vatergestalten in einer künftigen Gesellschaft unterworfen sein werden: der Familienvater, die staatliche Autorität, der Vatergott und schließlich jene Instanz, die zwar keine Vatergestalt ist, aber wie jene ein Autoritätspotential enthält und daher bei Marx ebenso einer kritischen Verwandlung unterworfen wird wie die

Vatergestalten im eigentlichen Sinne: die Instanz der Vernunft. Wir schildern die genannten Momente in umgekehrter Reihenfolge.

1. *Die Vernunft.* – Die Vernunft, wie wir sie hier verstehen wollen, ist nicht nur Instanz, vor der sich Gedanken und Theorien ausweisen müssen; *vielmehr entwirft und legitimiert sie die Leitbilder einer Epoche,* von denen die einzelnen Menschen immer schon abhängig sind, wenn sie ihre eigene Vernunft ausbilden. Diese Leitbilder sind aber nicht autonome Gedankengebilde – als solche würden sie in einer Kultur nicht wirksam sein können –, sondern *in der Wirklichkeit verwurzelt.* Sie helfen den Menschen nicht nur, sich in der Welt im allgemeinen, sondern viel spezieller: in *dieser* Welt mit all ihren Widersprüchen zu orientieren; die Leitbilder sind Ausdruck einer partikularen Situation, und d. h. eines *Interesses,* und zwar auch dann, wenn religiöse Vorstellungen und durchsichtige Legitimationsideen zugunsten einer politischen Herrschaft längst verabschiedet sind. Es geht Marx nicht oder doch nicht in erster Linie darum, die scheinbar neutrale Vernunft mit einer hämischen Geste der Denunziation als parteiisch zu brandmarken; vielmehr ist die Interessengebundenheit des Denkens für ihn etwas Positives: es bezeichnet die Verwurzelung des Denkens in der Wirklichkeit und daher die Übereinstimmung eines Individuums mit der Gemeinschaft oder mit einem Teil von ihr. Eine Vernunft, die universal zu sein vorgibt, jedoch unbewußt und meist auch ungewollt partikularen Interessen dient, ist nicht »unmoralisch«, wohl aber zementiert sie eine in Marx' Sinne illegitime Herrschaft von Menschen über Menschen. Und insofern Vernunft und Wissenschaft Institutionen sind, die eine größere Spannweite haben als das Leben einer einzelnen Generation und insofern die für die Erkenntnis des Menschen wesentlichen Wissenschaften Institutionen sind, deren Theorien nicht individuelle Meinungen, sondern eine die Generationen überspannende Wahrheit beanspruchen, ist hier eine im qualifizierten Sinne väterliche Autorität wirksam, denn in der eigentlichen, nicht mißbrauchten, Autorität eines Familienvaters äußert sich nicht so sehr dessen zufälliger privater Wille, sondern eine Tradition, die er immer schon vorfindet und durch seine eigene – gewiß modifizierende – Tätigkeit am Leben erhält. Marx' Gegenentwurf will eine Vernunft realisieren, die das ist, was sie zu sein vorgibt, nämlich universal. Als notwendig in einem Interesse verwurzelte Vernunft muß sie dem Interesse aller, nicht nur einiger oder einer Klasse, dienen. Dieses allgemeine Interesse wird aber nicht dadurch gewonnen, daß man das allen faktischen Menschen Gemeinsame, also den kleinsten gemeinsamen Nenner sucht und die eigentlichen, gewichtigeren Interessen unberücksichtigt läßt, sondern indem man in der gesellschaftlichen *Realität* der Gegenwart diejenige Klasse sucht, deren Interessen verallgemeinerungsfähig sind: das *Proletariat.*[27]

In der Befreiung des Proletariats verwirklicht sich die Universalität der Vernunft. Wie schon die Formulierungen zu erkennen geben, ist die Grenze zwischen Befreiung und Bevormundung schwer zu ziehen. Kriterium der Wahrheit ist allein die Praxis: ob es *auf die Dauer* gelingt, eine Gemeinschaft ohne Widersprüche, eine Gesellschaft ohne Herrschaft im alten Sinne zu verwirklichen. Dabei stellt Marx sehr strenge Anforderungen an die Klasse, die ihr Interesse legitim als allgemeines soll ausgeben dürfen. *Es ist nicht deskriptiv, sondern konstitutiv gemeint, wenn er dem Proletariat auf Grund seiner universellen Leiden einen universellen Charakter zuspricht.* Und außerdem muß dieser universelle Charakter nicht nur einfach vorhanden sein, sondern er muß auch theoretisch geltend gemacht werden. Eine Sicherung dagegen, daß zwischen dem bestehenden und dem geltend gemachten Interesse einer Klasse kein Widerspruch entsteht, gibt es nicht. Die Verantwortung gerade auch der subjektiven Vernunft läßt sich nicht umgehen, auch nicht dadurch, daß man sie als den wahren Ausdruck realer Verhältnisse bezeichnet.[28]

2. *Der Vatergott. – Marx kann den Gott nur so sehen, wie er ihm unter den Voraussetzungen seiner Zeit begegnet ist: als die vollkommene und nie versagende Autorität, die dort einspringt, wo die anderen Autoritäten – Familienvater oder Staat – versagen oder sich aus eigener Kraft allein nicht halten können.* Nicht erklärt Marx mit Feuerbach Gott als eine Projektion, in der das Individuum sein menschliches Wesen nach außen, d. h. an den Himmel, projiziert; vielmehr deutet er, über Feuerbach hinausgehend, diese Trennung zwischen Existenz und Wesen als Ausdruck der »Selbstzerrissenheit und (des) Sichselbstwidersprechen(s)« in den innerweltlichen Existenzbedingungen des Menschen.[29] Vor allem aber würde ein Gott-Vater, dem der Mensch in analoger Weise wie dem leiblichen Vater das eigene Dasein verdankte, die Autonomie des Menschen in Frage stellen. Mit dem Gott-Vater hat Marx in gewisser Weise auch den menschlichen Vater mit abgeschafft:

»Ich lebe aber vollständig von der Gnade eines anderen, wenn ich ihm nicht nur die Unterhaltung meines Lebens verdanke, sondern wenn er noch außerdem mein Leben geschaffen hat, wenn er der Quell meines Lebens ist, und mein Leben hat notwendig einen solchen Grund außer sich, wenn es nicht meine eigene Schöpfung ist.«[30]

Der menschliche Vater wird nicht im gleichen Sinne abgeschafft, aber relativiert. Daß jeder Mensch von einem Vater gezeugt ist, kann nicht abstrakt für sich, sondern muß in der Gesamtheit der Kreisbewegung gesehen werden, in der »der Mensch in der Zeugung sich selbst wiederholt, also der *Mensch* immer Subjekt bleibt.«[31] Dort wo im Menschen primär das Gattungswesen gesehen wird, ist zwar freie Individualität noch möglich, aber für die spezifische Stellung eines Vaters gegenüber seinen Kindern bleibt kein Platz mehr. In der »Assoziation freier Individuen« gibt es nur noch Brüder und Schwestern, keine Väter, Mütter und Kinder mehr.

3. *Die staatliche Autorität.* – In einer kommunistischen Gemeinschaft ist staatliche Autorität nicht mehr notwendig. Sie wird nicht abgeschafft sondern stirbt von selbst ab. So schwer die differenzierten Texte zuweilen zu deuten sind,[32] im Vordergrund steht für Marx die Evidenz, daß der Staat Klassenstaat, d. h. ein Garant partikularer Interessen ist und als *solcher* abzuschaffen ist. Daß eine moderne industrielle Gesellschaft Organisationsprobleme stellt, die nicht ohne den Einsatz von Autorität zu lösen sind, war Marx natürlich bewußt, und Engels hat es mit unüberbietbarer Deutlichkeit ausgesprochen.[33] Offenbar war Marx bereit, selbst die drückendsten Sachzwänge als legitim zu akzeptieren, wenn nur die usurpierte, unter falschem Etikett auftretende Staatsautorität beseitigt war; aber für den betroffenen Bürger, der faktisch in einer Unzahl von Abhängigkeiten lebt, wird sich dadurch weniger ändern, als das Pathos der Marxschen Aussagen zunächst vermuten läßt. Die Schwierigkeiten direkter Demokratie, deren Vorform er in der Pariser Kommune von 1871 verwirklicht sah, mag Marx unterschätzt haben; es ist dies eine Grenze seiner geschichtlichen Erfahrung. Erstaunlich ist jedoch, daß er diejenige Relativierung staatlicher Autorität, die im bürgerlichen Staat durch die Einrichtung der Gewaltenteilung realisiert wurde, rückgängig macht. Wird die staatliche Gewalt auf drei unabhängige Träger verteilt, ist Machtmißbrauch zumindest erschwert; auf jeden Fall werden einzelne Fehlentscheidungen relativiert, wenn die legislative, die exekutive und die jurisdiktionelle Gewalt sich gegenseitig kontrollieren. Marx kann hinter diesen Vermutungen der klassischen politischen Theorie nur eine Verschwörung zugunsten partikularer Interessen am Werk sehen, die das Volk von einer Teilnahme an der Regierung fernhalten will:

»Die Voraussetzung einer ›freien Regierung‹ ist nicht die Trennung der Gewalten, sondern die Einheit. Die Regierungsmaschinerie kann gar nicht einfach genug sein. Es ist immer die Kunst der Spitzbuben, sie kompliziert und geheimnisvoll zu machen.«[34]

Herrschaft muß für Marx einfach und durchsichtig sein, Autorität sich in die Universalität einer überall transparenten Vernunft auflösen. Er konnte es sich nicht anders vorstellen, als daß die durchsichtige Vernünftigkeit zugleich auch im Rahmen einer komplizierten gesellschaftlichen Organisation mühelos operationalisierbar ist. Wenn dagegen diese Hoffnung auch nur teilweise trügerisch ist, so hat Marx mit der Abschaffung jener relativen Einschränkungen staatlicher Macht, wie sie in der Einrichtung der Gewaltenteilung sich ausdrückt, eine Gesellschaftsform vorbereitet, die unter dem Etikett einer einheitlichen Vernunft einen plebiszitären Despotismus ermöglicht. Denn überall dort, wo der als vernünftig unterstellte geschichtliche Verlauf zweideutige, undurchsichtige Situationen entstehen läßt, für deren Bewältigung der ebenfalls unterstellte vernünftige Ausgleich zwischen den emanzipierten Individuen nicht mehr ausreicht, um zu einer eindeutigen oder gar vernünftigen Lösung zu gelangen, da liegt es nahe, daß eine partikulare Institution die universalen Interessen aller in Anspruch nimmt und stellvertretend über den Kopf der Betroffenen hinweg regelt. Wer sich dem *Problem* der Autorität in der modernen Gesellschaft nicht stellt und alle Über-Väter abzuschaffen meint, riskiert damit erst recht, usurpierten Autoritäten einen Freiraum zu ermöglichen. Genau wie die auf Objektivität angelegte Vernunft dennoch subjektiv verantwortet werden muß, genauso ist die gesellschaftliche Realisierung einer vernünftigen Gesellschaft kein Vorgang, der sich – allein auf Grund der Transparenz alles sozialen Geschehens – ohne Schwierigkeiten wie von selbst vollzöge.

4. *Der Familienvater.* – Der Endzustand einer kommunistischen Gesellschaft ist zwar das Ergebnis der bisherigen Geschichte, doch sind deren Momente in diesem Zustande der Versöhnung – anders als bei Hegel – nicht bewahrend aufgehoben, sondern schlicht vernichtet. »An die Stelle der alten bürgerlichen Gesellschaft mit ihren Klassen und Klassengegensätzen tritt eine Assoziation worin die freie Entwicklung eines jeden die Bedingung für die freie Entwicklung aller ist.[35] *Der Konflikt zwischen dem Menschen als Individuum und als Gattungswesen ist im Sozialismus aufgehoben;* die entfremdeten Formen von Autorität: die staatliche Macht, der allmächtige Gott, dem der Mensch seine Existenz verdankt, ja auch die Machtsprüche einer Vernunft, die glaubt, über die Wirklichkeit herrschen zu können – all das fällt im Sozialismus weg, wenngleich die bei Marx wie bei Engels ständig wiederkehrende Formel von der »Assoziation freier Individuen« die Aufhebung der Differenz von Einzelwesen und Gattung, von Mensch und Gesellschaft eher verbal insinuiert als in ihrer realen Möglichkeit darstellt. Spielt in einer solchen Gesellschaft der Vater noch eine Rolle oder sieht er sich genauso vernichtet wie die Repräsentanten der staatlichen und der göttlichen Macht?

Merkwürdigerweise gibt es im Werk von Karl Marx darauf keine eindeutige Antwort. Erst nach Marx' Tod, aber »gewissermaßen (als) die Vollführung eines Vermächtnisses«[36] äußerte sich Engels in seiner überwiegend historischen Studie über Ursprung und Zukunft der Familie. Die Gleichberechtigung der Frau – negativ vorweggenommen durch den für die Frauen des Proletariats bestehenden ökonomischen Zwang zur Arbeit – hebt die Familie im herkömmlichen Sinne auf, denn diese, »die moderne Einzelfamilie ist gegründet auf die offene oder verhüllte Haussklaverei der Frau«. Doch die Familienpflichten der Frau lassen sich mit ihrer gesellschaftlichen Tätigkeit in der Produktion nicht verbinden. »Mit dem Übergang der Produktionsmittel in Gemeineigentum hört die Einzelfamilie auf, wirtschaftliche Einheit der Gesellschaft zu sein. Die Privathaushaltung verwandelt sich in eine gesellschaftliche Industrie. Die Pflege und Erziehung der Kinder wird öffentliche Angelegenheit«.[37]

Ob Marx dieser Zukunftsperspektive ohne Einschränkungen zugestimmt hätte, muß offen bleiben. Es ist nicht auszuschließen, daß Engels, der mit seinem »despotischen Alten« nicht die mindeste Gemeinsamkeit empfand, später eine familienkritischere Position entwickelte als Marx, der zeitlebens unter dem Eindruck eines positiven, dabei aber in keiner Weise übermächtigen Vaterbildes stand. Das scheint sich auf sein eigenes Verhalten als Vater übertragen zu haben. Es gibt viele Schilderungen, mit welcher Intensität – und ohne den Pädagogen hervorzukehren – Marx sich Kindern, eigenen und fremden, zuwenden konnte[38] – derselbe Marx, der als Theoretiker und polemischer Streiter im Umgang mit gleichrangigen Freunden und Feinden häufig autoritär, rechthaberisch, leicht reizbar und wenig konziliant und bereit zur Anerkennung seines Gesprächspartners geschildert wird. Dem biographischen Sachverhalt entspricht ein sachliches Problem. In der dritten These über Feuerbach hatte Marx geschrieben:

»Die materialistische Lehre, daß die Menschen Produkte der Umstände und der Erziehung, veränderte Menschen also Produkte anderer Umstände und geänderter Erziehung sind, vergißt, daß die Umstände eben von den Menschen verändert werden und der Erzieher selbst erzogen werden muß. Sie kommt daher mit Notwendigkeit dahin, die Gesellschaft in zwei Teile zu sondern, von denen der eine über die Gesellschaft erhaben ist (z. B. bei Robert Owen). Das Zusammenfallen des Änderns der Umstände und der menschlichen Tätigkeit kann nur als *umwälzende* Praxis gefaßt und rationell verstanden werden.«[39]

Sinnvoll erziehen kann nur der, der weiß, daß er selbst noch zu lernen hat und daß jede Erziehung auf den Erzieher zurückwirkt, ihn nicht unverändert läßt. Ein guter Vater ist nur, wer nicht vergessen hat, daß er selbst einmal Sohn war. Und doch ist hier ein Unterschied: während der Lehrende gleichzeitig Lernender bleibt, hat ein Vater in der Regel aufgehört, Sohn zu sein; in jedem Fall ist sein Sohnsein für ihn kein bestimmender Zug seines Lebens mehr. Im Kommunismus ist dieser Unterschied nivelliert, da der Vater allenfalls als Erzieher, nicht der Erzieher als Vater gesehen wird.

Daß der Erzieher selbst erzogen wird – nicht: früher einmal erzogen wurde und nun sein Wissen weitergibt – bedeutet unter diesen Voraussetzungen, daß das Ergebnis dieses Prozesses das Moment des *Unvorhergesehenen* hat. Das ist die neue Rationalität der »Selbsterziehung« der Gesellschaft: in der so verstandenen »revolutionären Praxis« wird eine sich durchhaltende Logik des Geschichtsprozesses aufgekündigt, die diesem gegenüberstünde und ihn widerspiegelte, so daß es eine Instanz gäbe, die über den Geschichtsverlauf verfügen, ihn im usurpierten Auftrag universaler Vernunft verwalten könnte. Die dritte Feuerbach-These exponiert das Dilemma der Emanzipation[40] in einer Weise, die Führergestalten und Persönlichkeitskulten keinen Raum läßt. Und dennoch: wo die geschichtliche Entwicklung nicht im diffusen Gegen- und Durcheinander zahlloser Kräfte stagniert, sondern eine Richtung des Verlaufs erkennbar wird, da ist zumindest *eine* Bewegung Subjekt der Entwicklung, und auch wenn es sich um eine »Massenbewegung« handelt, so beruht ihr Erfolg auf der Einheit des Plans, nach dem sie handelt – ein Kopf, viele Glieder.[41] Umgekehrt: wer die Geschichte verändern will, muß Massen beeinflussen, Theorien als Handlungsvorbilder aufstellen und dies gleichzeitig so tun, daß die, die ihm folgen, davon überzeugt sein können, daß die Geschichte unter solchen Voraussetzungen nur den Weg nimmt, den sie ohnehin notwendig geht. Die Schwierigkeit emanzipatorischer Tätigkeit, daß sie sich selbst überflüssig machen muß, dies aber nur in einem gesteigerten Aufwand eigener Tätigkeit gegen die natürliche Trägheit der Umstände tun kann, läßt sich nicht theoretisch, sondern nur in »umwälzender Praxis« lösen, und nur die Praxis wird darüber entscheiden, ob der Versuch gelungen ist oder lediglich neue Formen alter Abhängigkeit wieder hervorgebracht hat. Ob der faktisch existierende Sozialismus dieses Dilemma wird auflösen können, ist heute noch genauso wenig entschieden wie zu Marx' Lebzeiten. Nur soviel ist bereits zu sehen, daß Marx das Eigengewicht seiner Theorie – denn so bruchlos, wie er es sich wohl vorgestellt hat, ging sie nicht im Geschichtsprozeß und erst recht nicht im Handeln der Arbeiterklasse auf – erheblich unterschätzt hat. Das emanzipatorische Dilemma hat er auch in seiner eigenen Person nicht überwinden können, aber geschichtlich gesehen, beruht gerade darauf ein gut Teil seines zweideutigen Erfolges. So wurde Marx zum Vater einer Bewegung, die sich als Ziel eine vaterlose Gesellschaft gesetzt hat; doch in diesem Zwiespalt konkretisiert sich lediglich das Dilemma einer jeden, geschichtliche Verbindlichkeit beanspruchenden Vernunft: sie will Ausdruck des Wirklichen sein und in der Realität aufgehen und muß dennoch, was sie ausdrückt, persönlich verantworten. Wer in der Lage ist, den Vater vom Thron zu stoßen, verfügt, ob er will oder nicht, über ein Machtpotential, dessen bloße Existenz das Risiko in sich birgt, daß der Thron nicht lange unbesetzt bleibt und daß die Frage nach dessen möglicherweise legitimer Besetzung nicht mehr sachgemäß gestellt wird.

Hermann Lang

Psychiatrische Perspektiven zur Frage nach dem Vater

»Der Familienforschung«, schreibt *Manfred Bleuler* 1951 in einem Übersichtsreferat, »ist in den letzten 10 Jahren eine völlig neue Zielsetzung gegeben worden.« (1951, S. 390) Diese Aussage leuchtet ein, wenn man bedenkt, daß jahrzehntelang Familienforschung einzig als Mittel zur Erforschung der hereditären Voraussetzungen bestimmter psychiatrischer Krankheitsbilder diente. Es sei tief beeindruckend, fährt Bleuler fort, »wie Generationen von großen Forschern das familiäre Auftreten von Psychosen ohne weiteres als Beweis der Erblichkeit auffaßten, ohne auch nur daran zu denken, wie sehr die Psychosen in der Familie das familiäre Milieu beeinflussen und wie sehr sie auch als psychisches Trauma auf die Familienmitglieder einwirken können«. (1951, S. 395). Bereits *Kraepelin* hatte die Gewinnung ganzer Lebensläufe als unentbehrliche Grundlage empirisch-klinischer Forschung gefordert. »Jede rechte Krankengeschichte führt zur Biographie« heißt es 1913 in der »Allgemeinen Psychopathologie« von *Karl Jaspers*. In den *Jaspers*schen Studien zur Psychopathologie finden sich dann auch entsprechend geweitete Pathographien. Was der heutige Leser freilich vermissen wird, ist die Deskription des Rahmens, vorzüglich der Familie, dem die hier festgehaltene Einzelpersönlichkeit entwachsen ist. Abgesehen von der Frage nach der erbbiologischen Belastung werden Angehörige, Eltern nur insofern relevant, als sie ihrerseits auf das abnorme bzw. psychotische Verhalten reagieren oder über dieses »fremdanamnestisch« berichten. Eine Beschreibung der familiären Situation als solche begegnet nicht. Ohne Zweifel wurden gerade im Absehen von solchen Fragestellungen unverzichtbare Erkenntnisse gewonnen – Erkenntnisse, die nach wie vor tägliches Rüstzeug des Psychiaters sind und sein müssen. Auf die Frage nach bestimmten familiären Situationen, *auf die Frage nach dem Vater als einem wesentlichen Glied der familiären Konstellation*, gibt es allerdings keine Antwort. Die Berücksichtigung der biologischen Mitgift allein kann solange nicht genügen, als die erbgenetische Familienforschung entscheidende Lücken offenläßt. Die psychiatrische Zwillingsforschung beispielsweise, deren Ergebnisse bis vor wenigen Jahren als in hohem Maße eindeutig imponierten, zeigt heute, wie *Janzarik* (1974, S. 27) festhält, die »Vielschichtigkeit der modernen Interpretation«. Analoges gilt für die seit Anfang der 60er Jahre aktuellen Forschungen an Adoptivkindern. Wenn eine erbgenetische Mitbedingtheit endogen-psychotischer Syndrome höchstwahrscheinlich gegeben ist, so ist es gleichwohl nicht selbstverständlich, daß, wie *Jan-*

zarik in kritischer Auseinandersetzung mit der überkommenen nosologischen Betrachtungsweise dargelegt hat, es sich dabei um einen *spezifischen* Genotypus und, ihm zugeordnet, *spezifische* somatische Funktionsstörungen handeln müßte. (1973, S. 525)

Damit aber rückt zwangsläufig Familienforschung als »Milieuforschung «in den Mittelpunkt der Betrachtung. Mit dieser Ausrichtung ist jene »völlig neue Zielsetzung gemeint«, die *M. Bleuler* angeschnitten hatte. Familienforschung hat jetzt das Ziel, um mit diesem Autor fortzufahren, »die psychischen Belastungen zu erfassen, die im Familienkreise auf den Kranken eingewirkt haben«. (1951, S. 395) Die Familie als psychologisch-soziale »Ursprungswelt« (*Kisker* 1962, S. 14) wird jetzt Thema. Sie ist der primordiale Sozialraum, der von der frühen Kindheit bis zur Pubertät, Adoleszenz und beginnenden Reifezeit zentral auf den Werdenden einwirkt. Sie ist der soziale Mikrokosmos, der jene Leitfiguren und Vorbilder zur Identifikation anbietet, an denen sich die eigene Identität herausschält und in dem mitmenschliche Kommunikation erlernt wird. Eine der tragenden Säulen dieses Gefüges ist der Vater. Inwiefern wird er, die Beziehung zu ihm, psychiatrisch relevant?

Trotz ihres vorzüglichen Interesses an intrapsychischen Vorgängen, markiert wohl die Psychoanalyse *Sigmund Freuds* den Beginn dieser neuen Sichtweise. »Wer überhaupt weiß«, heißt es beispielsweise in den »Vorlesungen zur Einführung in die Psychoanalyse«, »von welchen Spaltungen oft eine Familie zerklüftet wird, der kann auch als Analytiker nicht von der Wahrnehmung überrascht werden, daß die dem Kranken Nächsten mitunter weniger Interesse daran verraten, daß er gesund werde, als daß er so bleibe, wie er ist.« (G. W. XI, S. 478; zitiert nach Stierlin 1972) So liegt es nahe, zunächst danach zu fragen, ob und wie der Vater in dieser Konzeption zur Darstellung gelangt.

Schon der oberflächliche Leser kann bemerken, daß dem Vater bereits bei den ersten Schritten der Psychoanalyse zentrale Bedeutung zukommt. Ihren Ausgangspunkt nahm die Lehre *Freuds* vom Studium der Konversionshysterie. Bei der Analyse hysterischer Patienten war aufgefallen, daß im Zentrum der Erinnerungen sexuelle Verführungsszenen standen, die mehr und mehr in die Epoche früher Kindheit zurückwiesen. Die Initiative zur Verführung ging in der Regel vom Vater aus. Es ist somit der Vater, der zum ursächlichen Trauma der späteren Neurose wird. Es ist bekannt, daß *Freud* diese Verführungstheorie, die in den Jahren 1893–1897 entstand, nach und nach in Zweifel zog und schließlich verwarf. Er hatte entdeckt, daß es sich bei den geschilderten Verführungsszenen um Fantasien handelte. Der Vater, bis dato die gewissermaßen perverse Gestalt traumatisierender Realität, wird zum zentralen Objekt unbewußter Fantasien libidinösen und aggressiven Inhalts. Wie wir heute dank der Publikation der Briefe an Wilhelm Fließ wissen, verdankte *Freud* die entscheidenden Einsichten in diesen Sachverhalt, der nichts anderes darstellt als den sog. Ödipuskomplex, vor allem seiner Selbstanalyse. In einem Brief, datiert vom 15. X. 1897 heißt es: »Ich habe die Verliebtheit in die Mutter und die Eifersucht gegen den Vater auch bei mir gefunden und halte sie jetzt für ein allgemeines Ereignis früher Kindheit ... Wenn das so ist, so versteht man die packende Macht des Königs Ödipus ... Die griechische Sage greift einen Zwang auf, den jeder anerkennt, weil er dessen Existenz in sich verspürt hat. Jeder der Hörer war einmal im Keime und in der Fantasie ein solcher Ödipus und vor der hier in die Realität gezogenen Traumerfüllung schaudert jeder zurück mit dem ganzen Betrag der Verdrängung, der seinen infantilen Zustand von seinem heutigen trennt«. (1962, S. 193) Wir sehen, daß *Freud* bereits hier, im Oktober 1897, den Anspruch erhebt, in der eben entdeckten ödipalen Situation eine für alle Menschen verbindliche Grundstruktur aufzeigen zu können. *Eine, ja die zentrale Position in diesem Fundamentalgefüge kommt dem Vater zu.* Wie nun die Ausarbeitung der psychoanalytischen Neurosenlehre in den folgenden Jahren und Jahrzehnten belegt, stehen die Schicksale des Ödipuskomplexes im Brennpunkt pathologischer Phänomene. Wird dergestalt der Ödipuskomplex zum »Kernkomplex der Neurose«, dann rückt zwangsläufig auch der Vater in den Mittelpunkt wissenschaftlichen Interesses. Paradigmatisch zeigt dies die Phobie des »kleinen Hans«. Die Angst, ein Pferd werde ihn beißen, entpuppt sich als Angst, der Vater werde ihn bestrafen (kastrieren). Ebenso verbirgt sich hinter der Befürchtung, die Pferde würden umfallen, die Angst, der Vater werde umfallen – weil er, der »kleine Hans«, so böse Wünsche gegen ihn hegt. Die Phobie kam zum Verschwinden, als es durch die Arbeit der Analyse gelungen war, den Ödipuskomplex in den »Untergang« zu führen.

Dieser »Untergang des Ödipuskomplexes« ist nun dadurch charakterisiert, daß sich das Kind unter Verzicht auf seine libidinösen und aggressiven Bestrebungen mit dem Vater identifiziert. Die ins Ich introjizierte Vater-Autorität »bildet dort den Kern des Über-Ichs, welches vom Vater die Strenge entlehnt, sein Inzestverbot perpetuiert und so das Ich gegen die Wiederkehr der libidinösen Objektbesetzung versichert.« (G. W. XIII, S. 399)

Dieser Begriff des Über-Ich, *das also seine Entstehung der Identifikation mit dem Vater verdankt,* erlaubt es nun, in psychoanalytischer Perspektive vom Gebiet der Neurose in jenen Bereich psychischer Krankheit überzugehen, der den Psychiater noch genuiner angeht. »Kaum«, schreibt *Freud* in der »Neuen Folge der Vorlesungen«, »daß wir uns mit der Idee eines solchen Über-Ichs befreundet haben ... drängt sich uns ein Krankheitsbild auf, das die Strenge, ja die Grausamkeit dieser Instanz und die Wandlungen in ihrer Beziehung zum

Ich auffällig verdeutlichen. Ich meine den Zustand der Melancholie...« (G. W. XV, S. 66) Die Melancholie zeigt uns das Ich gewissermaßen in zwei Stücke zerteilt, von denen das eine (Über-Ich) gegen das andere (das Ich im engeren Sinne) wütet, es mit quälenden Selbstvorwürfen überhäuft. Bereits in seiner Theorie des Narzißmus hatte *Freud* von einer Ich-Instanz gehandelt, die er »Ich-Ideal« nannte und ihr Funktionen der Selbstbeobachtung und des moralischen Gewissens zugeschrieben. Die Analyse des Beobachtungswahns deckte schließlich ihre Herkunft aus identifikatorischen Einflüssen der Autoritäten, voran des Vaters, auf. In der Abhandlung »Das Ich und das Es« von 1923 taucht dann schließlich für diese kritische Instanz der Name »Über-Ich« auf und wurde, wie wir erwähnten, ausdrücklich als Erbe des Ödipuskomplexes definiert, sofern sie sich durch identifikatorische Verinnerlichung der paternalen Forderungen gebildet habe. Diese Abhängigkeit von der internalisierten Vater-Instanz, wie sie *Freud* hier im Sinne einer Über-Ich-Abhängigkeit darzustellen suchte, scheint nun für den Melancholiker bzw. seine prämorbide Persönlichkeit recht charakteristisch zu sein. So konnte *Kraus* (1977) zeigen, daß der Melancholische Vorgesetzte und Arbeitgeber weniger als Inhaber einer sachlich begründeten distanzierten Position sieht, die Beziehung zu ihnen vielmehr als »Neuauflagen« der Beziehung zu den Eltern, vor allem zum Vater, konzipiert. Der Depressive erfährt den Vorgesetzten nicht in seiner »Sozialrolle«, sondern in einer väterlichen »Übertragungsrolle«. Er tendiert dazu, wie *Arieti* formuliert, »seine Vorgesetzten oder Lehrer in eine elterliche, autoritäre Rolle zu versetzen« (1959, S. 434; zitiert nach Kraus). Gerät der so Strukturierte dann in eine Situation, die im Verhältnis zum Vorgesetzten diese Nachbildung einer fixierten Vater-Sohn-Beziehung gefährdet, droht er in die melancholische Abwandlung zu entgleisen. So konnten wir sehen, wie ein beruflich äußerst tüchtiger Patient im Alter von 30 Jahren genau in dem Augenblick an einer Melancholie erkrankte, als er aufgrund dieser Tüchtigkeit von der bisherigen Position des Chefassistenten in eine Stellung aufrücken sollte, die ihn auf die annähernd gleiche Stufe mit dem bisherigen Vorgesetzten gehoben hätte. Diese Situation der Emanzipation und die damit verbundene Veränderung des Verhältnisses mit den bisherigen gleichgestellten Kollegen zu einer Rolle väterlich-autoritärer Verantwortung war für ihn nicht zu leisten.

So sehr nun der Melancholiker an das väterliche Vorbild, wie es das Phänomen dieser Übertragungsrolle zeigt, fixiert scheint – nicht zuletzt ist deshalb die Psychotherapie melancholisch Strukturierter so schwierig, weil sie ständig den Therapeuten als Autorität setzen und so das therapeutische Ziel einer Emanzipation hartnäckig verweigern (vgl. *Cohen* et al. 1954, *Bräutigam* 1969, *Tellenbach* 1975); so sehr also der Melancholiker an die paternale Imago gebunden scheint und dergestalt die in diese Übertragungsrolle Gedrängten nicht in ihrer je eigenen Identität gesehen, sie vielmehr nach diesem Schema einer Imago »anonymisiert« werden, so wenig scheint nun diese Imago selbst die Persönlichkeit des Vaters in ihrer je individuellen Ganzheit zu repräsentieren. Es sind vielmehr einzelne, bestimmte Züge, die aus einem Komplex herausselegiert und dann entsprechend übertragen werden: einmal das Merkmal unantastbarer Autorität, zum anderen der bis ins Wahnhafte gesteigerte Glaube, daß dieser internalisierte Andere unbedingtes »Ordentlichsein« und permanentes Leisten fordere. M. a. W.: der je reale Vater findet sich so nicht weniger anonymisiert als jene nachkommenden Vaterfiguren, die nach seinem Vorbild konzipiert werden. In psychoanalytischer Terminologie kann man sagen, daß der Depressive nicht vorzüglich von der Person Vater, sondern von dessen Über-Ich abhängig ist. Er findet sich so von Werten bestimmt, die den je individuellen Vater transzendieren, auf bestimmte Merkmale der weiteren sozialen Umwelt und Tradition verweisen. »Es genügt«, schreibt *Tellenbach*, der den »Typus melancholicus« in seinem Festgelegtsein auf Ordentlichkeit und hohes Leisten herausgearbeitet hat, »eine soziale Struktur der Umwelt, des ›Kosmos‹, die im Sinne einer hohen Validierung von Leistung und Ordentlichkeit die Verwirklichung dieser spezifischen Möglichkeit (des Typus melancholicus) begünstigen«. (1975, S. 530) Es liegt ganz auf dieser Linie, wenn transkulturelle Forschungen zeigen, daß die Melancholie mehr und mehr zur psychischen Krankheit schlechthin der Leistungsgesellschaft der hochzivilisierten Völker wird (vgl. *Tellenbach* 1969).

Erinnert man sich der Genese des Über-Ichs aus der Identifikation mit der paternalen Autorität und deren nun offensichtlich scheinender Generalisierung in Forderungen und Zwänge gesellschaftlicher Provenienz, dann nimmt es gewissermaßen nicht wunder, wenn Autoren, wie der Psychoanalytiker *Wilhelm Reich* und der Philosoph *Herbert Marcuse*, alles Üble dieser Welt dem Vaterrecht, den bösen Vätern anlasten. Unter Berufung auf die ethnologischen Forschungen *Malinowskis* und *Morgans* versucht *Reich* gegen patriarchalische Strukturen ein archaisches Mutterrecht zu setzen, das im Zustande eines Urkommunismus keinerlei Unterdrückung und Verdrängung kenne, ja »mit der Tatsache des Inzests... in vollem Einklang steht«. (1931, S. 51) Auch in der differenzierteren Konzeption *Marcuses* ist die harte und feindliche Gegenwart durch den Vater repräsentiert, ist er doch der Vertreter des Realitätsprinzips, während die archaisch libidinös-narzißtische Beziehung zur Mutter als Quelle und Vorbild aller Lust gilt. Das »Zurück zur Natur« wird ein »Zurück zu den Müttern«. Wenn in ähnlicher Weise *Freud* den Vater des Ödipuskomplexes vorwiegend als Störfaktor der lustbringenden Beziehung zur Mutter begriff und ihm häufig feindliche, hassenswerte

Züge verlieh, sah er auf der anderen Seite doch auch die »tödliche Gefahr des Verschlungen-Werdens im mütterlichen Schoß.« Nirwana-Prinzip und Todestrieb sind weitgehend dasselbe. Im Bemühen bei noch lebenden Kulturen Belege für seine mutterrechtliche Utopie zu sammeln, denkt *Reich* vor allem an das Avunkulat, denn hier ergäbe es sich, »daß die Kinder zu ihren Vätern nicht die Einstellung wie bei uns entwickeln; sie betrachten ihn (den Vater) als Freund, nicht als Autorität. Diese fällt... dem mütterlichen Onkel zu«, denn der »Mutterbruder ist das eigentliche Oberhaupt der Familie in der matriarchalischen Gesellschaft«. (1931, S. 31) *Reich* übersieht, *daß das Prinzip Vater keineswegs durch den je leiblichen Vater verkörpert werden muß.* Worauf es primär ankommt, ist eine Instanz, die Trieb und Gesetz unabtrennbar aneinander kettet. Ob dabei das Gesetz, das »Prinzip Vater«, durch den leiblichen Vater oder den Mutterbruder konkretisiert wird, ist in dieser Hinsicht letztlich gleichgültig. Und so muß »beiläufig« auch *Reich* eingestehen, daß die Bewohner der Trobriand-Inseln, die dem Mutterrecht folgen sollen, das Inzestverbot kennen und respektieren.

Im gleichen Jahr, als *Freud* auf den Ödipuskomplex mit seiner Inzestproblematik stieß, entdeckten die Ethnologen die universale Geltung des Inzestverbots, dessen Verletzung Ausstoßung und Tod nach sich zieht. Spätestens seit den umfassenden Forschungen von *Claude Lévi-Strauss* (1949) wissen wir, daß wir in diesem Gesetz die entscheidende Grundbedingung für das Sein menschlicher Gesellschaft, menschlicher Kommunikation vor uns haben. Im Vergleich zum Tier ist der Mensch ja eine Frühgeburt, weitgehend bar instinkthafter Festgelegtheit und so in einer absoluten Weise vom natürlichen Primordialobjekt Mutter abhängig. Dieses anfängliche Verhältnis kann sich sehr leicht als das eines perniziösen Zirkels einspielen, ein Verhältnis, das ein Außerhalb abzublenden und steril sich selbst zu genügen sucht. So erstaunt es nicht weiter, wenn nun in der postfreudianischen psychoanalytischen Literatur die Erforschung der Mutter-Kind-Relation zum alles überragenden Thema wurde. Diese Entwicklung entbehrt nicht einer inneren Logik, waren es doch narzißtische und im engeren Sinne psychotische Störungen, die mehr und mehr ins Zentrum des Interesses rückten. Im Lichte psychodynamischer Denkweisen war damit aber die Genealogie der Erkrankung immer weiter in der Lebensgeschichte bis in die frühesten Anfänge der Kindheit zurückzuverlegen. Die Narzißmustheorie *Freuds* hatte dieser Ausrichtung Wege gewiesen, ebenso die Stadienlehre *Melanie Kleins*. Heute sind manche Autoren der Ansicht, die Psychogenese von Schizophrenie, Borderline und Melancholie innerhalb der ersten eineinhalb Jahre auf den Monat genau einteilen und datieren zu können. Es versteht sich quasi von selbst, daß bei einer solch frühen Ätiologie die Beziehung zur Mutter allein als pathogen imponierte. Der Vater blieb ohne Bedeutung. Der Ödipuskomplex und damit auch das Moment des Vaters waren für die weit später anzusetzenden Neurosen zu reservieren, hatte *Freud* doch selbst diese Situation zwischen dem dritten und sechsten Lebensjahr angesiedelt.

Wir sind nun der Meinung, daß diese Auffassung *Wesentliches verfehlt*. Sie vergißt das banale Faktum, daß der Mensch zu seiner Entstehung sowohl der Mutter wie des Vaters bedarf. Wir müssen freilich sehen, daß das vom Leben Vorgegebene sich von einer kulturellsozialen Konstellation abgelöst findet. Anders gesagt: *an die Stelle der biologischen Trias hat die »strukturale Triade« zu treten. Ein unabdingbares Glied dieser Struktur bildet der Vater.* Bestimmt nun die strukturale Triade von vornherein die Entwicklung menschlichen Daseins, ist es auch der Vater, der von Anfang an für diese Entwicklung mitverantwortlich zeichnet. Das wird sofort klar, wenn wir uns vergegenwärtigen, daß die Beziehung, welche die Mutter zum Kinde hat, ihrerseits entscheidend davon abhängt, wie die Mutter zum Vater und der Vater zur Mutter steht. Um das Konstituens »Vater« in seiner ganzen Tragweite zu verstehen, bedarf es einer *Revision der bisherigen Lesart des Ödipuskomplexes*, dergemäß, wie erwähnt, der Vater zwischen dem dritten und sechsten Lebensjahr auf den Plan tritt. Diese zu vordergründige Auffassung übersieht, daß der Vater von vornherein mit da ist. Von Bedeutung ist freilich zunächst nicht seine unmittelbare Gegenwart, maßgebend vielmehr ist seine *mittelbare Präsenz*, sofern sie über die eheliche Beziehung die Triade mitkonstituiert. So kann von Anfang an der Verweis auf ein Drittes, die reine Dualunion gar nicht Aufkommenlassendes, erfolgen, kann das väterliche Strukturmoment internalisiert, die Repräsentanz Vater errichtet werden. *Bleibt dieser primär strukturierende Bezug der Mutter zum Vater aus, findet sich das Kind mit der Mutter allein, kommt es zur Symbiose, zum phantasierten Inzest.* Eine primäre Identifikation mit dem Vater findet nicht statt. Sozialisation und mitmenschliche Kommunikation, Ergebnis des, wie wir oben andeuteten, für alle Menschen verbindlichen Inzestverbots (vgl. *Lang* 1973), welches das Prinzip Vater realisiert, werden tiefgreifend alteriert.

Welche Folgen resultieren nun, wenn die Ausbildung der strukturalen Triade im Kern unterbleibt, der Übergang der biologischen Trias zu dieser kulturell-sozialen Fundamentalstruktur mißglückt? Daß bei diesem Übergang von der biologischen Vorform zum familiär-sozialen Gefüge auch Erbfaktoren mitwirken und das weitere Schicksal beeinflussen können, sei unbestritten. Inwiefern ein Scheitern dieser primären Formung und damit das Verfehlen einer primären Identifikation mit dem Vater von pathogenetischer Relevanz sein kann, soll jetzt, im letzten Teil unserer Ausführungen, ein Beispiel aus der klinischen Empirie belegen.

Zur erstmaligen stationären Aufnahme des 24jährigen Physikstudenten Thomas P. kam es, als er am winterlichen Morgen des 3. Januar im Schlafanzug auf die Straße gelaufen war, um laut nach seinem Vater zu rufen. Kaum hatte er in Begleitung seiner Mutter die Station betreten, begann er sofort zu erzählen*: »Irgendwann bin ich mal angerufen worden. Ich bin rausgegangen, dann muß ich zwischen Leuten gewesen sein, die unterhielten sich über Krankheiten. Sonst bin ich in Krankenhäusern eigentlich ganz glücklich. Da saß einer, der war fürchterlich verschockt, und ich bemühte mich, ihm zuzureden.« Auf die Frage, welche Situation er denn meine, kommt: »Mein Vater war wohl einer von denen, so die Familie. Ich hatte den Eindruck der Vater hätte Angst gehabt. Er ist so nervös gewesen.« Der Patient berichtet weiter, daß er dann weggelaufen sei und sich sehr um den Vater geängstigt habe. Früher – seine Sprache wird jetzt klarer – habe er eigentlich nie Sorgen um den Vater gehabt. Der Vater habe ihm durch seine Tüchtigkeit imponiert, und deshalb habe ihn jetzt eine schreckliche Angst überkommen.

Fast beiläufig – Anlaß war eine Störung der Warmwasserversorgung der Station – tritt in den nächsten Tagen ein Wahn kosmischen Zuschnitts zutage. »Daß das warme Wasser in der Küche nicht läuft, der plötzliche Übergang vom Winter in den Sommer – das schreibe ich alles mir zu. Ich habe eine hypnotische Fähigkeit auf das Wetter zu wirken; im Sommer wird es ganz heiß werden und eine Katastrophe geben. In Rumänien gab es ja jetzt auch ein Erdbeben, das ist ganz ungewöhnlich. Es liegt auch an mir, daß sich diese Erdbeben immer mehr an uns heranschieben. Es wird immer heißer werden diesen Sommer, und dann bricht die Erde auf.« Unvermittelt geht es dann weiter: »Ich glaube, das Trauma meines Vaters erkannt zu haben. Weil ich ihn aber beschimpft habe an Silvester, das habe ich nicht verkraftet, das hätte ich nie tun dürfen. Nach Silvester war ein ganz glattes Wetter, das kann doch kein Zufall sein, daß das so zusammenfällt. Ich habe ihn angeschimpft, daß er zu seiner Frau zurückkommt. Als einziger Mensch habe ich Silvester unangenehm empfunden, und dann kam das Wetter, das genau meinen Vorstellungen entsprach: es war glatt. Im letzten Sommer ist der Professor X. gestorben, bei dem ich Examen machen wollte. Er ist in der Hitzeperiode gestorben. Diese Hitzeperiode muß wegen mir gewesen sein, weil ich vor und nach Silvester eine schlaflose Nacht gehabt habe … Ich schlief erst ganz spät ein morgens, und ich bin aufgestanden und auf die Straße gegangen. Es war glatt, ich bin gerutscht. Mitten auf der Straße ist mir ein Stich ins Herz gefahren, daß ich das überhaupt überstanden habe. Irgendjemand anders muß gestorben sein, wenn nicht ich es bin.«

Sieht man sich als Psychiater einer solchen Rede konfrontiert, einer Rede, durchsetzt von Wahnideen mit kosmischen Ausmaßen, bezogen auf den Patienten als den eigentlichen Demiurgen, erhebt sich die Frage, wie dieses Gewirr divergierender Fäden, in das sich Thomas P. verwickelt findet, wenigstens ansatzweise zu entflechten ist. Einen realen Anhalt scheint ein öfter wiederkehrendes Datum abzugeben. Mehrmals war von Silvester die Rede. Läßt sich hier anknüpfen?

Von der Mutter ist zu erfahren, daß an Silvester ein Gespräch des Patienten mit dem Vater stattgefunden hat, wobei Thomas dem Vater heftige Vorwürfe machte. Immer wieder habe er den Satz wiederholt: »Du kannst

---

* Fräulein A. Moritz, Diplompsychologin an unserer Abteilung, die vor allem mit dem Patienten sprach, danke ich sehr herzlich für die Überlassung ihrer Unterlagen.

doch nicht von einer Ehe in die andere springen.« Als der Vater offensichtlich seinen eindringlichen Bitten nicht entgegenkam, habe er ihn beschworen, doch bei der Familie zu bleiben und sei es unter Einbeziehung einer anderen Frau.

Obwohl unmittelbar nach Silvester die psychotische Entgleisung manifest wurde – der Patient wurde am 3. Januar in unserer Klinik aufgenommen – meinte die Mutter, daß der eigentliche Beginn der Dekompensation bereits in der Nacht vom 25. auf 26. Oktober eingesetzt habe – damals nämlich habe der Sohn ebenfalls ein Gespräch mit dem Vater geführt, ein Gespräch, das über drei Stunden währte. Thomas meinte dazu, daß er während dieses Gespräches auf einmal furchtbare Angst bekommen habe. Alles sei so übertrieben gewesen, so verwirrend, so »dahingefetzt«. Welches war die Thematik dieser Gespräche, was ihr Anlaß?

Der Vater, Rechtsanwalt in einer bayerischen Großstadt, hatte auf einer Juristentagung Mitte Oktober eine jüngere Frau kennengelernt. Der bislang offenbar eine harmonische Ehe führende Akademiker verprügelt nach der Rückkehr die Gattin und äußert, er wolle sich von seiner Familie trennen, um mit der anderen jüngeren Frau zusammenzuleben. Am Morgen des 25. Oktober ruft der jüngere Bruder den Patienten an und bittet ihn, zu kommen, da das Verhalten des Vaters immer »befremdlicher« und »merkwürdiger« werde. Am selben Tag noch kehrt Thomas P. von seinem Studienort nach Hause zurück. Er erfährt den Grund des Anrufs, es kommt zum ersten langen Gespräch, worin der Vater erneut heftige aggressive Äußerungen gegen die Mutter tut, auf einer Trennung insistiert, dabei jedoch megaloman-paranoide Ansichten in Richtung der Gottähnlichkeit verlauten läßt, die schließlich am darauffolgenden Tag zur Einweisung in eine psychiatrische Klinik führen. Als Diagnose wird festgehalten: »Atypisch phasische Psychose mit manischer Verworrenheit und religiösen Wahnideen.« Die Mutter berichtet, daß die beiden folgenden Monate – der Vater verbringt diese in der Klinik – der Sohn ständig ihr gegenüber heftige Anschuldigungen des Inhalts erhebt, daß sie ihn der Psychiatrie festhalten lasse. Immerzu habe er gesagt: »Der Mann muß raus, wie ich es auch anstelle.« Uns gegenüber kommentiert er, er habe das Gefühl gehabt, der Vater käme nie wieder zurück in die Familie, und diese stehe dann allein da. Der Vater sei ihm so sehr zum Vorbild geworden, daß er sich nicht vorstellen könne, ohne ihn zu leben. Er habe ihn immer als »Ideal« bewundert. »Der Vater war für mich die vorbildliche Figur. Es ist für mich unvorstellbar, daß ich ihn je hätte kritisieren sollen, können oder sogar müssen.«

Am Abend des 31. 12. kam es dann zum zweiten langen Gespräch mit dem Vater. Eindringlich, wie erwähnt, beschwört Thomas den Vater, bei der Familie zu bleiben, wird dabei immer heftiger, es kommt wegen der außerehelichen Beziehung zu massiven Beschimpfungen.

»Das habe ich nicht verkraftet, daß ich den Vater angebrüllt und beschimpft habe. Im Grunde habe ich mit dem Vater nur zweimal richtig gesprochen und dann auf diese Weise. Ich konnte die ganze Silvesternacht nicht mehr schlafen, alles war ganz wirr geworden.« Am übernächsten Morgen rannte Thomas P. auf die Straße, rief laut nach dem Vater, empfand den katastrophalen Herzstich. Am gleichen Tag kam er auf unsere Abteilung, enthüllte nach und nach den geschilderten Wahn. Die Diagnose Schizophrenie war zu stellen.

Wie konnte es zu dieser psychotischen Entgleisung kommen? Wie vermochten hier der Fehltritt des Vaters, die beiden Gespräche, die väterliche Psychose selbst dieses Schizophrenie-Syndrom auszulösen?

Präziser gefragt: wie mußten die prämorbide Persönlichkeit des Patienten, die familiäre Struktur, innerhalb deren er sich sozialisierte, beschaffen sein, damit die beschriebene Situation zur schizophrenen Entordnung führen konnte? Was lehrt hier die Biographie? Die Mutter informiert, daß der Sohn großer finanzieller Schwierigkeiten und beengter Wohnverhältnisse der noch studierenden Eltern wegen das erste Lebensjahr auf der Pflegestation des Krankenhauses verbracht habe, wo er geboren worden war. Sogleich fügt sie hinzu, daß er von den Schwestern sehr verhätschelt worden sei, weil es sich bei ihm um ein ganz besonders liebebedürftiges Kind gehandelt hätte. Das zweite Lebensjahr habe er dann mit ihr in England verlebt. Sie meint selbst, daß sie in dieser Zeit aus Schuldgefühlen heraus dem Sohne sehr überfürsorglich begegnet sei. Den Vater hätte er erst dreijährig kennengelernt, als sie eine größere Wohnung in der Stadt beziehen konnten, in der sie heute noch leben. Thomas sei immer ein bißchen ungewöhnlich, ein Grübler und Eigenbrötler gewesen. Zur familiären Situation befragt, betont sie zunächst, daß diese immer sehr harmonisch gewesen sei. In ihren Untersuchungen über die familiäre Situation von Jugendlichen, die an Schizophrenie erkrankten, waren *Kisker* und *Strötzel* vor allem eine »verdeckende Intimität«, eine »Kaschierungstendenz im Austragen innerfamiliärer Konflikte«, aufgefallen. Analoges war auch hier zu notieren. In den weiteren Gesprächen zeigte sich nämlich mehr und mehr, daß dieses harmonische Zusammensein darin bestand, daß der Vater faktisch sein Leben in der Anwaltskanzlei lebte. Von seiner Frau fand er sich ständig kritisiert und herabgesetzt. Sie hatte es wohl nie verwinden können, seines Studiums wegen zur Bestreitung des Lebensunterhaltes die eigenen Berufsziele aufgegeben zu haben. In den Einzelgesprächen betonte der Patient immer wieder, daß die Mutter die die Familie dominierende Person war und ist. »In der Familie behielt sie immer das letzte Wort«. Den Vater schimpfte sie einen Außenseiter, der nur für seine Arbeit lebe. Im Familiengespräch fiel sofort auf, wie die Mutter dem jetzt nahezu genesenen Gatten fortwährend das Wort aus dem Munde nahm, für ihn antwortete. »Der Vater war nie da. Ich kenne ihn überhaupt nicht. Das, sowohl als er an der Universität arbeitete, wie auch dann, wo er eine eigene Kanzlei eröffnete. Erst seit er krank ist, fragt er auch mal, wie es mir geht. Ich war eigentlich immer nur mit der Mutter zusammen. Wie ein Vater ist, das weiß ich gar nicht. Für mich ist der Vater nie in Erscheinung getreten.«
Folgende familiäre Konstellation zeichnet sich ab: in den beiden ersten Lebensjahren völlige Abwesenheit des Vaters, sehr wahrscheinlich Fehlen jeglicher männlicher Bezugsperson. Doch auch dann, als der Vater »in Erscheinung trat«, blieb er für Thomas P. eine vakante Stelle. Es war die Mutter, die die familiäre Situation bestimmte, zur überragenden alleinigen Bezugsperson für den Patienten wurde.

Überblickt man all diese Informationen, drängt sich die Folgerung auf, daß jenes Fundamentalgefüge, das wir strukturale Triade nannten, sich in diesem Falle nicht gebildet hat. Nicht nur, daß ein Vater die ersten beiden Lebensjahre fehlte, nicht nur, daß dann, als er in Erscheinung trat, er auch weiterhin dem Sohne faktisch kaum begegnete – entscheidend scheint vor allem, daß die weiblichen Bezugspersonen, voran die Mutter, jenes, was Vatersein bedeutet, nicht appräsentierten. So konnte das väterliche Strukturierungsmoment nicht internalisiert, die Repräsentanz Vater nicht errichtet werden. In den Gesprächen nahm die perniziöse Verhakung mit der Mutter immer deutlichere Konturen an. Träume, die der Patient schließlich erzählen konnte, deuteten auf massive Inzestängste hin.

Weil aufgrund dieser fehlenden väterlichen Instanz eine primäre Identifikation mit dem Vater nicht zustande kommen konnte, erfolgte dann sekundär eine Idealisierung jenes Mannes, der die Position des Vaters hätte besetzen müssen. Der äußere, berufliche Erfolg war hier genug Anlaß. »Ich habe meinen Vater immer bewundert, er ist für mich das große Vorbild.« Diese imaginäre Repräsentation vermochte offensichtlich kompensatorisch eine Art väterlicher Repräsentanz zu bilden und aufrecht zu erhalten. Sie zerbrach beim Fehltritt jener Gestalt, die dieses Bild verkörperte, zerbrach, als diese Gestalt drohte, die Familie zu verlassen, zerbrach, als der Vater selbst psychotisch entgleiste. Die Labilität einer *scheinhaften Triade*, präsentiert durch das Bild eines angeblich harmonischen Familienlebens, trat grell zutage. Dieser Zusammenbruch bedeutete die eigene Entordnung selbst. Sie fand sich zunächst körperhalluzinatorisch in jenem katastrophalen Herzstich konkretisiert, der undifferenziert den eigenen Tod wie auch den Tod eines anderen, des imaginären Vaterbildes, verkörperte. Vorweggenommen fand sich dieses Ereignis des Verlustes des »imaginären Vaters« offensichtlich im plötzlichen Tod jener Vaterfigur des Professors X., den der Patient in der Retrospektive ja auf sich bezog. In konkretistischer Weise war Thomas P. auf »Glatteis« geraten, die bisherige Ordnung war ins Rutschen gekommen. Doch diese »Glätte« blieb nicht nur Angelegenheit seiner zerbrechenden Identität, Angelegenheit seiner fragilen Familie; sie fand sich auf die ganze Welt ausgedehnt, zum Erlebnis des Weltuntergangs geweitet.

Daß hinter all dem mit das Scheitern der Internalisierung einer ursprünglichen Vaterrepräsentanz steht, wird noch einmal deutlich, wenn wir uns vor Augen halten, daß es zum manifesten psychotischen Ausbruch in jener Situation kam, als er selbst aufgerufen war, Vaterposition zu beziehen. Im Auftrag der Mutter hatte der jüngere Bruder den Patienten zu Hilfe gerufen. Plötzlich war er in die Rolle des Erwachsenen geraten, der die drohende Auflösung der Familie verhindern sollte. Mit allem Engagement, das er hatte, versuchte er, diesen Weg zu gehen. Eindringlich redete er dem Vater ins Gewissen. Doch er war

überfordert, war doch für keinen anderen die Situation bedrohlicher als für ihn. Der drohende Weggang des Vaters, seine Internierung, mußten die alte Inzestangst neu aufflackern lassen, denn damit wäre die Mutter quasi freigegeben. In seiner Verzweiflung wollte er den Münchner Familientherapeuten Kapuste, den er von einer TV-Sendung her kannte, um Intervention bemühen. Die Vorwürfe, die er dem Vater gegenüber erhob, der Versuch, sich zu dessen moralischem Über-Ich aufzuschwingen, demontierten zugleich jenes verehrungswürdige Bild vom Vater, das er all die Jahre gemalt hatte. *Weil der ursprüngliche Halt an einer primär internalisierten Vaterinstanz fehlte, das Über-Ich mit seinen Forderungen ohne diesen Boden war, in dem es hätte Wurzeln schlagen sollen, mußte es in jenem Augenblick, als das Kind zum Vater des Vaters aufgerufen war, zur Entgleisung kommen.* Die Bedeutung der »Bedeutungslosigkeit« des Vaters mögen noch einmal diese Sätze *Tellenbachs* beleuchten: »*Warum findet man als psychiatrischer Kliniker bei jugendlichen Schizophrenen ein Ausbleiben jener ambivalenten Auseinandersetzung mit dem Vater, aus deren Austrag in Opposition und Identifikation die ersten Konturen der Person des Kindes – des Sohnes vor allem – erwachsen? War es väterliche Autorität, die dem Sohn das Feld für den guten Krieg verwehrte? Ich erfuhr meistens Gegenteiliges: die Unverfügbarkeit des Vaters für den Sohn; sei es, daß der Vater zu sehr mit seiner Berufs-Rolle identifiziert war, als daß er sich den natürlichen Identifikationswünschen des Sohnes aufgeschlossen hätte; sei es, daß er die Ehe protestiert hatte; sei es, daß er nie eine Ehe eingegangen war; sei es, daß er schon tot war.«* (1976, S. 127)
Versuchen wir abschließend ein kurzes *Resümee* zu ziehen: Klinischer Psychiatrie und Psychopathologie kam der Vater des psychisch Kranken über viele Jahrzehnte hinweg als Träger des chromosomalen Erbes ins Blickfeld. Neue Sehweisen eröffnet hier die psychoanalytische Lehre. In der Konzeption des Ödipuskomplexes geriet auch der Vater als psychologisches Moment in das Zentrum der Betrachtung. Die Pferdephobie des »kleinen Hans« kann hier beispielsweise belegen. Die Neurose klang in jenem Augenblick ab, als in einer Identifikation mit dem Vater die ödipale Situation sich auflöste. Der Konzeption *Freuds* entsprechend, konstituiert diese den Untergang des Ödipuskomplexes markierende Identifikation mit der paternalen Autorität das sog. Über-Ich. Eine massive Abhängigkeit von den väterlichen Über-Ich-Forderungen scheint nun für die Persönlichkeit des Melancholikers charakteristisch zu sein. So fällt auf, daß der Depressive es nicht vermag, einen Vorgesetzten in der je ihm zukommenden sozialen Rolle zu sehen. Er konzipiert vielmehr diese Autorität nach dem Vorbild des Vaters, konzipiert ihn, wie *Kraus* gezeigt hat, in einer *väterlichen* Übertragungsrolle. Eine Änderung in diesem für ihn fixierten Rollengefüge bringt spezifische Gefährdungen mit sich. Der

dem Psychiater geläufige Begriff einer Erfolgs- bzw. Beförderungsdepression hat hier ihren Grund. Wird dergestalt der jeweilige Vorgesetzte der Vaterimago entsprechend anonymisiert, stellt gleichwohl diese Imago selbst kein genaues Abbild des je individuellen Vaters dar. Sie sieht sich vielmehr von Merkmalen dominiert, die Charakteristika der Leistungsgesellschaft der hochzivilisierten Völker sind. Unter dem Titel »Typus melancholicus« hat *Tellenbach* (1976 a) diese den Melancholiker in seinem Sein bestimmenden Eigenschaften herausgearbeitet und auf einen Nenner gebracht.

Je mehr nun *nach Freud* die psychoanalytische Bewegung einen Kurs nahm, der mehr und mehr narzißtisch-psychotische Störungen zur Thematik erhob, damit die Genese immer weiter in die frühe Kindheit zurückverlegte, desto deutlicher geriet der Vater aus den Augen. Eine Revision der bisherigen Auffassung des Ödipuskomplexes suchte unter dem Titel »Strukturale Triade« die ursprüngliche Bedeutung der Position des Vaters für die Entwicklung des einzelnen wieder ins Licht zu rücken. Die Darstellung der Krankengeschichte eines 24jährigen Schizophrenen sollte abschließend die verhängnisvolle Wirkung des Scheiterns der Herausbildung dieses Strukturgefüges und der damit mißglückten primären Identifikation mit dem Vater aufzeigen.

Zu H. Tellenbach, Einleitung: Diachronische Studien der Paternität, S. 7 ff.

1 Vgl. *H.-G. Gadamer*, Das Vaterbild im griechischen Denken, in: Das Vaterbild in Mythos und Geschichte, Stuttgart 1976.
2 Vgl. *H. Tellenbach*, Suchen nach dem verlorenen Vater, in: Das Vaterbild in Mythos und Geschichte, Stuttgart 1976.
3 In der Versenkung in sein Werk begann *A. Wlosoks* latinistisches Fündig-Werden.
4 Vgl. *R. Specht*: Über Funktionen des Vaters nach Thomas v. Aquino, S. 101.
5 *H. Tellenbach*, Die Bildung zum Arzt – Kernstück der Ausbildung des Medizinstudenten. Nervenarzt 45, 312–317, 1974.
6 Gewisse Äquivokationen, die Thema der Diskussion im »Vater«-Seminar waren, sollten nicht zu Mißverständnissen führen. Im IV. Gedicht des »Vorspiel« in »Der Teppich des Lebens« und »Die Lieder von Traum und Tod« ruft Stefan George unter Verwendung der Kennzeichnungen »Meister« und »Jünger« eine Szene aus Christi Leben auf. Die dem Dichter genehme Anrede »Meister« ist nicht anders zu verstehen als im Sinne des Sprachgebrauchs beim Handwerk. Die von ihm erzogenen Freunde sind seine Schüler. »Ihr meine schüler . sprossen von geblüt« heißt es im VIII. Gedicht des »Vorspiel«.
7 *M. Eliade*, Mythen, Träume und Mysterien, Salzburg 1961, S. 23.
8 Vgl. Anm. 2 (S. 7).

Zu A. Wlosok, Vater und Vatervorstellungen in der römischen Kultur, S. 18 ff.

Grundlegende Literatur

A. Alföldi, Der Vater des Vaterlandes im römischen Denken, Darmstadt 1971.
E. Burck, Die altrömische Familie, in: Das neue Bild der Antike II, 1942, S. 5–52 (= Römertum, hg. von H. Oppermann, WdF 18, 1962, S. 87–141).
M. Kaser, Das römische Privatrecht ²I 1971, S. 50 ff., 341 ff.; ²II 1975, S. 108 ff., 202 ff. (zitiert: Kaser, RPR).
M. Kaser, Der Inhalt der patria potestas: Sav. Zs., rom. Abt. (= SZ), 58, 1938, S. 62 ff.
U. Knoche, Zur Frage der epischen Beiwörter in Vergils Aeneis, in: Festschr. B. Snell, München 1956, S. 89–100.
A. Önnerfors, Vaterporträts in der römischen Poesie. Unter besonderer Berücksichtigung von Horaz, Statius und Ausonius, Leiden 1974 (Acta Inst. Romani Regni Sueciae XIII).
H. W. Rissom, Vater- und Sohnmotive in der römischen Komödie, Diss. Kiel 1971.
E. Sachers, Artikel »pater familias« in: RE 18,4 (1949), Sp. 2121–2157; Artikel »potestas patria« in: RE 22,1 (1953), Sp. 1046–1175.

A. Wlosok, Laktanz und die philosophische Gnosis, Heidelberg 1961, daraus S. 232–246 (Die Gottesprädikation pater et dominus bei Laktanz. Gott in Analogie zum römischen pater familias).

1 Die Porträtsmasken der Ahnen zogen bei jedem Begräbnis eines angesehenen Gliedes der Familie im Leichenzug mit, aufgesetzt von Personen, die die Tracht und Insignien des jeweils höchsten Amtes des Dargestellten trugen. In der Leichenrede auf den Verstorbenen wurden auch die Taten dieser Vorväter ins Gedächtnis gerufen. Eine eingehende Beschreibung dieser römischen Institution gibt Polybios in seinem Geschichtswerk (6,53 f.). Der Grieche bemerkt dazu, daß »auf diese Weise die Erinnerung an die Verdienste der hervorragenden Männer immer wieder erneuert wird, ... das ehrende Gedächtnis der Wohltäter des Vaterlandes bleibt im Volke wach und wird weitergegeben an Kinder und Enkel. Vor allem aber wird die Jugend angespornt...« (6,54; zitiert nach der deutschen Gesamtausgabe im Artemis-Verlag von H. Drexler). Mit der anspornenden Kraft der *memoria rerum gestarum* hat dann etwa hundert Jahre später Sallust seine Geschichtsschreibung begründet und gerechtfertigt (Iugurtha 4,1 ff., bes. 5 f.).

2 Begriffsgeschichtliche Spezialuntersuchungen: H. Rech, Mos maiorum, Diss. Marburg 1936; H. Roloff, Maiores bei Cicero, Diss. Leipzig 1938; zur Geltung der Vorbilder (*exempla*): H. Kornhardt, Exemplum, Diss. Göttingen 1936.

3 Information über diese Begriffe römischer Prägung in den von H. Oppermann herausgegebenen Sammelbänden: »Römische Wertbegriffe«, Wege der Forschung 34, Darmstadt 1967 (mit weiterführender Bibliographie S. IX f. und 23 ff.); »Römertum«, Wege d. Fo. 18, Darmstadt 1962. Speziell zu *auctoritas*: R. Heinze, Auctoritas: Hermes 60, 1925, 348 ff., abgedruckt in: Ders., Vom Geist des Römertums, hg. von E. Burck, Darmstadt 1960³; zu *cura*: M. Hauser, Der römische Begriff cura, Winterthur 1954.

4 Dritter Teil, § 175 und 180.

5 Ulpian, Digesten 50,16,195,2 (Klammerzusätze von mir).

6 1,55; vgl. Dionys von Halikarnass 2,26,2–4.

7 Sachers, RE 18, Sp. 2127.

8 Sachers, a. a. O., Sp. 2130.

9 Sie konnten jedoch von ihrem Vater mit einem Sondergut (*peculium*) ausgestattet werden, das »im gesellschaftlichen Bewußtsein als Eigentum des Kindes« galt; Kaser, RPR I 344.

10 Eine offizielle Begegnung zwischen Vater und Sohn Q. Fabius Maximus während des Hannibalischen Krieges, überliefert bei Livius (24,44,9 f.), in einem Auszug aus einem älteren Geschichtswerk (bei Gellius, Noctes Atticae 2,2,13) und in der Exempla-Sammlung des Valerius Maximus (2,2,4).

11 Das wird von Gellius, a. a. O., 2,2,9 f. ausdrücklich als Ergebnis einer philosophischen Erörterung festgehalten. Vgl. auch Pomponius, Digesten 1,6,9.

12 Als *exemplum* der Sohnespietas überliefert bei Valerius Maximus 5,4,5; vgl. E. Burck, Die altrömische Familie, S. 88.

13 Digesten 50,16,195,2.

14 Belegt z. B. in der alten, bei Gellius 5,19,9 überlieferten Arrogationsformel; vgl. Sachers, RE 22, Sp. 1084 ff.

15 Vgl. Kaser, RPR I 60 f.

16 Belege bei Sachers, RE 22, Sp. 1055 f.

17 De beneficiis 3,11,2.

18 Zusammengestellt von Valerius Maximus (5,8) unter der Überschrift »Strenge (*severitas*) von Vätern gegenüber Söhnen«.

19 Brutus, der Befreier Roms von der etruskischen Königsherrschaft, mußte als Konsul die Hinrichtung seiner an einer Verschwörung gegen die neue Republik beteiligten und zum Tode verurteilten Söhne vollstrecken: Livius 2,5,5–8; Kurzfassung bei Valerius Maximus 5,8,1.
Der ältere Titus Manlius Torquatus (4. Jh. v. Chr.) sah sich als Konsul und Feldherr genötigt, im Interesse der Aufrechterhaltung der militärischen Disziplin, seinen Sohn, der als Soldat gegen einen als Notstandsmaßnahme deklarierten Befehl der Konsuln verstoßen hatte, mit dem Tode zu bestrafen. Ausführliche Darstellung bei Livius 8,6,16–8, 8,1.
Bemerkenswert ist, daß Livius das Verhalten des Sohnes aus der Situation und psychologisch verständlich gemacht, aber nicht entschuldigt hat. Weiter, daß die Konfliktsituation des Vaters betont, die harte Bestrafung des Sohnes eingehend gerechtfertigt und die allgemeinnützliche Wirkung der angewendeten Strenge ausdrücklich vermerkt ist, daß Livius aber trotzdem die Maßnahme als unmenschlich und schrecklich empfindet und im Rahmen seiner Darstellung auch empfunden werden läßt. Die humane Lösung des Konfliktes wird wenig später an einem ähnlichen Fall des Verstoßes gegen den Befehl des obersten Imperienträgers vorgeführt (8,34 f.): es ist, wie im Prinzen von Homburg, die Begnadigung des Verurteilten – hier eines Q. Fabius – auf Bitten des Volkes. In diesem Fall gehörte der Vater, der nicht durch ein Amt gebunden war, zu den Bittenden.

20 So bes. bei Sallust, Catilina 52,30 (Catorede); vgl. 9,4. In der Catorede ist das Verhalten des Manlius Torquatus ein Beispiel der Strenge der *maiores* und als politisches Argument für die Hinrichtung der Catilinarier eingesetzt. Zur politischen Verwendung der historischen Exempla vgl.: M. Fuhrmann, Das Exemplum in der antiken Rhetorik: Poetik und Hermeneutik V, München 1973, 449–452.

21 6,54.

22 Cicero, De officiis 3,112; *acerbe serverus in filium*. Livius 8,7,30 (*imperia horrenda, exemplum triste*) und 8,8,1 (*atrocitas poenae*).

23 De finibus bonorum et malorum 3,64; vgl. 1,23.

24 Hierhin gehört das berühmte Verfahren des jüngeren Titus Manlius Torquatus aus dem Jahre 140 v. Chr. gegen seinen Sohn, der nach seiner Statthalterschaft in Makedonien von der Provinz angeklagt worden war: Valerius Maximus 5,8,3.

25 Sallust, Catilina 39,5; Valerius Maximus 5,8,5.

26 Seneca, De clementia 1,15,1.

27 Die Frage ist kontrovers: Sachers, RE 22, Sp. 1087–89; Kaser, RPR II 204.

28 Sachers, RE 22, Sp. 1089.

29 Fritz Schulz, Prinzipien des römischen Rechts, Berlin 1934, S. 14 ff.; M. Kaser, Römisches Recht als Gemeinschaftsordnung, 1939, 13 ff.; ders., Mores Maiorum und Gewohnheitsrecht: SZ 59, 1939, 52 ff.; vgl. SZ 1938, 66 ff. und RPR I 62.

30 Näheres zu dieser Unterscheidung bei Hermann Schmitz, System der Philosophie III 3: Der Rechtsraum, Bonn 1973, S. 105–110.

31 20,13,3; vgl. Plutarch, Cato maior 16. Zu den Verstößen gegen den *mos maiorum* gehörte auch »übermäßige Strenge oder Milde in der Kindererziehung«, Kaser, RPR I 62.

32 Vgl. W. Kunkel, Das Konsilium im Hausgericht: SZ 83, 1966, S. 219–251; Kaser, RPR I 63.

33 Sueton, Tiberius 35,1; Tacitus, Annales 2,50,3.

34 Ulpian, Digesten 48,8,2; vgl. dazu Kunkel, a. a. O., S. 248.
35 Einzelheiten zum Sklavenschutz durch kaiserliche Rechtssetzung bei Kaser, RPR I 285 f. Zum Humanitätsprinzip und zur Humanisierung des
   römischen Rechtes allgemein: F. Schulz, Prinzipien des römischen Rechts,
   S. 128–150, in bezug auf die *patria potestas* bes. S. 134 ff. und 148 f.;
   R. M. Honig, Humanitas und Rhetorik in spätrömischen Kaisergeset-
   zen, 1959 (Göttinger rechtswiss. Studien 30).
36 Papianus, Digesten 37,12,5. Die zunehmende Betonung der *pietas patris*
   ist in Zusammenhang mit dem Vordringen des Humanitätsgedankens
   zu sehen; vgl. Wlosok, Laktanz 235, Anm. 13.
37 De natura deorum 2,64.
38 Vgl. Önnerfors, Vaterporträts, S. 65 ff.; ferner H. Marrou, Geschichte
   der Erziehung im klassischen Altertum, deutsche Ausgabe 1957, S. 340 ff.
39 Übersetzung von K. Ziegler, in: Plutarch, Große Griechen und Römer,
   Artemis-Ausgabe Bd. I.
40 Ein besonders repräsentatives und zugleich lebensnahes Zeugnis ist ein
   noch ins 2. Jh. v. Chr. gehörendes Grabepigramm aus der Scipionen-
   gruft in Rom (Carmina Latina Epigraphica 958 Buecheler), das ich in
   der Übersetzung von Önnerfors (S. 154) wiedergebe: »Die Tugenden
   meines Geschlechtes vermehrte ich durch meine Gesittung (*moribus*). Ich
   setzte Nachkommen auf die Welt, ich suchte, die Taten des Vaters nach-
   zuahmen. Den Ruhm der Vorfahren führte ich weiter . . .«.
41 Seneca, De providentia 2,6; vgl. Wlosok, Laktanz, S. 238 f.
42 Juristische Belege bei Sachers, RE 22, Sp. 1130 f.
43 Als Exempla solcher Sohnespietas galten der zurechtgewiesene Volkstribun C. Flaminius (s. oben S. 20) und der gestrenge T. Manlius Torquatus. Dessen Jugendgeschichte bei Livius 7,5 und Valerius Maximus
   5,4,3. Vgl. zu beiden Burck, Altrömische Familie, S. 87 ff.
44 Einzelheiten bei Önnerfors, S. 50–55.
45 Vgl. F. Klingner, Cato Censorius und die Krisis Roms: Antike 10,
   1934, S. 239 ff., abgedruckt in: Ders., Römische Geisteswelt ¹1943 und
   allen späteren Auflagen; U. Knoche, Der Beginn des römischen Sittenverfalls: Neue Jahrbücher 1938, S. 99 f., 145 ff., abgedruckt in: Ders.,
   Vom Selbstverständnis der Römer, Gymnasium Beiheft 2, 1962,
   S. 99–123; F. Hampl, Römische Politik in republikanischer Zeit und
   das Problem des »Sittenverfalls«: Historische Zeitschrift 188, 1959,
   S. 497–525, abgedruckt in: Das Staatsdenken der Römer, Wege der
   Forschung 46, hg. von R. Klein, Darmstadt 1966, S. 143–177.
46 s. zuletzt R. Rieks, Homo, humanus, humanitas. Zur Humanität in der
   lateinischen Literatur des 1. nachchr. Jh.s, München 1967 (enthält
   S. 14 ff. einen Überblick über die Forschung zur römischen *humanitas*
   und die verschiedenen Ableitungstheorien) und W. Schadewaldt, Humanitas Romana, in: Aufstieg und Niedergang der römischen Welt, hg.
   von H. Temporini, Bd. I 4, 1973, S. 43–62. Den Aspekt des Urbanen
   hat vor allem F. Klingner betont: Humanität und humanitas (1947),
   in: Ders., Römische Geisteswelt ³1956, S. 620 ff.; vgl. K. Büchner, Studien zur römischen Literatur V (1965), S. 47–65.
47 Bei den folgenden Ausführungen zu den Adelphen des Terenz bin ich
   K. Gaiser für kritische Hinweise zu großem Dank verpflichtet. Ferner
   verdanke ich seinem am 16. Mai 1977 in Mainz gehaltenen, bisher
   unpublizierten Vortrag über »Autorität und Liberalität in den Erzie-
   hungsidealen der Griechen« Anregungen und Bestärkung.
48 So etwa G. B. Philipp, Gymnasium 83, 1976, S. 487.
49 K. Gaiser, Zur Eigenart der römischen Komödie: Plautus und Terenz
   gegenüber ihren griechischen Vorbildern, in: Aufstieg und Niedergang
   der römischen Welt I 2, 1972, S. 1027–1113; K. Büchner, Das Theater

des Terenz, Heidelberg 1974 (fortlaufende Interpretationen der einzelnen Stücke).

50 Das hat H. W. Rissom in seiner Kieler Dissertation 1971 gezeigt.

51 Ihnen gilt Ciceros Bemerkung (in der Rede pro Caelio 37) über die ›eisernen Väter‹ (*ferrei patres*), die kaum zu ertragen seien.

52 Vgl. Rissom, S. 29 ff., 48 f.

53 Vgl. Gaiser, a. a. O., S. 1079–1088.

54 Dazu Gaiser, a. a. O., S. 1088–1095.

55 Rissom, S. 208; vgl. auch M. Fuhrmann, Lizenzen und Tabus des Lachens, in: Das Komische, Poetik und Hermeneutik VII, München 1976, S. 80 und 84.

56 Einzelheiten zu den in der neueren Forschung stärker beachteten Unterschieden zwischen Plautus und Terenz in den Dissertationen von Rissom und P. Flury, Liebe und Liebessprache bei Menander, Plautus und Terenz, Heidelberg 1968; vgl. ferner H. Haffter, Terenz und seine künstlerische Eigenart: Museum Helveticum 10, 1953, S. 1 ff., 73 ff. sowie Gaiser, a. a. O., bes. S. 1104 ff.

57 Vgl. Vers 411 und 409.

58 Adelphen 40–77, übersetzt, eigens für diesen Beitrag, von A. Thierfelder, dem ich herzlich dafür danke.

59 Zur Erziehungslehre der Adelphen siehe jetzt auch P. Schmitter, Die hellenistische Erziehung im Spiegel der NEA KOMOIDIA und der FABULA PALLIATA, Diss. Bonn 1972, S. 135 ff.

60 Grundlegende Arbeit wurde geleistet von O. Rieth, Die Kunst Menanders in den ›Adelphen‹ des Terenz, mit einem Nachwort herausgegeben von K. Gaiser, Hildesheim 1964; vgl. dazu Gaiser, a. a. O., S. 1100–1104.

61 Vgl. Rieth, a. a. O., S. 3 ff.; Gaiser, a. a. O., S. 1100 ff.; H. Tränkle, Micio und Demea in den terenzischen Adelphen: Museum Helveticum 29, 1972, S. 241 ff.

62 So zuletzt V. Pöschl, Das Problem der Adelphen des Terenz: Sitzungsber. Akad. Heidelberg 1975,4; vgl. dazu G. B. Philipp, Gymnasium 83, 1976, S. 484 ff.

63 Durch H. Tränkle, a. a. O.

64 Vgl. vor allem Gaiser, a. a. O., S. 1100–1104 (mit Literaturverweisen) und Büchner, Theater des Terenz, bes. S. 422–426; 475–477; s. auch Schmitter, Diss. Bonn 1972, S. 196–198 und F. H. Sandbach, The Comic Theatre of Greece and Rome, London 1977, S. 145 f.

65 Vers 984–996.

66 Das ist die Auffassung W. Schadewaldts, a. a. O. (oben in Anm. 46), S. 52–58.

67 Schadewaldt, a. a. O., S. 52, 56; vgl. auch R. Pfeiffer, Humanitas Erasmiana, Leipzig–Berlin 1931, S. 3.

68 Cicero, De legibus 3,1 (Atticus habe die *difficillima societas gravitatis cum humanitate* erreicht); vgl. allgemein Epistulae ad familiares 12,27: *ut summa severitas summa cum humanitate iungatur.*

69 Cicero, ad Quintum fratrem 1,1,18–23.

70 Vgl. R. Rieks, a. a. O. (oben in Anm. 46), S. 225 ff.

71 Zur Bezeichnung der Senatoren als *patres* vgl. Mommsen, Römisches Staatsrecht III, S. 13 ff.; B. Kübler, RE 18, 4 (1949), S. 2222 ff.; H. Volkmann, Kleiner Pauly 4 (1972), S. 551.

72 Das geht aus der bei Festus (S. 304 Lindsay = 254 Mueller) überlieferten Ladungsformel hervor; vgl. Livius 2,1,10.

73 Cicero, Philippica oratio 13,28.

74 Römisches Staatsrecht III, S. 13 f.

75 Livius 1,8,7: *ab honore*; Sallust, Catilina 6,6: *vel aetate vel curae similitudine* – entweder wegen ihres Alters oder wegen der Ähnlichkeit ihrer Fürsorge.

76 Belege und Literatur bei Wlosok, Laktanz, S. 236.

77 s. Walde-Hofmann, Lateinisches Etymologisches Wörterbuch, 3. Aufl., s. v. Iuppiter.

78 Eine eingehende Beschreibung des altertümlichen Zeremoniells des Bündnisschlusses und der Kriegserklärung findet sich bei Livius 1,24,3 ff. und 1,32,5 ff. Die Institution dieses Priestertums scheint gemeinlatinisch gewesen zu sein, da den Formeln zufolge auch auf der Gegenseite ein *pater patratus* fungierte.

79 Dazu vgl. vor allem Cicero, De legibus 2,20 (mit 2,29); G. Wissowa, Religion und Kultus der Römer, ²1912, S. 158 f.; G. Radke, Kleiner Pauly 5 (1975), S. 1227 ff.

80 K. Latte, Römische Religionsgeschichte, 1960, S. 110.

81 K. Latte, a. a. O., S. 395.

82 Vgl. dazu die umfassende Untersuchung von A. Alföldi, Der Vater des Vaterlandes im römischen Denken, Darmstadt 1971; ferner St. Weinstock, Divus Julius, Oxford 1971, S. 200–227.

83 Alföldi, a. a. O., S. 83 ff.

84 Das betont Weinstock, a. a. O., S. 204 und 256–258.

85 Einzelheiten in meiner im Druck befindlichen Einführung zu dem von mir herausgegebenen Sammelband »Römischer Kaiserkult« (Wege der Forschung 372).

86 Seneca, De clementia 1,14,2 (Übersetzung von K. Büchner, Reclam-Ausgabe, Stuttgart 1970).

87 Vgl. Kaser, RPR I, S. 115–119; 298–301 und SZ 58, 1938, 88–135. Zum Munizipal-Patronat: E. Kornemann, RE 16 (1933), S. 625 f.; E. Sachers, RE 4 A (1932), S. 1955 f.; s. auch W. Neuhauser, Patronus und Orator. Eine Geschichte der Begriffe von ihren Anfängen bis in die augusteische Zeit, Innsbruck 1958.

88 Cicero, De officiis 2,27; vgl. 1,37.

89 Vgl. Ulpian, Digesten 37,15,9; Kaser, RPR I, S. 298 f.; SZ 1938, S. 112 ff.

90 Dazu vor allem R. Heinze, Fides: Hermes 64, 1929, S. 140 ff., abgedruckt in: Ders., Vom Geist des Römertums, hg. von E. Burck, Darmstadt ³1960, S. 59 ff., bes. 68 ff.

91 Eine »fiduziarisch gemilderte Herrengewalt«, Kaser, RPR I, S. 119.

92 Vgl. W. Fuchs, Die Bildgeschichte der Flucht des Aeneas, in: Aufstieg und Niedergang der römischen Welt I 4, 1973, S. 615–632.

93 s. F. Bömer, Rom und Troja, Baden-Baden 1951; A. Alföldi, Die trojanischen Urahnen der Römer 1957 (Rektoratsprogramm Basel 1956); K. Schauenburg, Aeneas und Rom: Gymnasium 67, 1960, S. 176–191.

94 Die wichtigsten Zeugnisse: Polybios 6,56,6–8; Cicero, De haruspicum responso 19; De natura deorum 2,8; Sallust, Catilina 12,3; Valerius Maximus 1,1,8. Vgl. A. Wlosok, Rom und die Christen, Stuttgart 1970 (Altsprachl. Unterricht, Beiheft 1 zu Reihe XIII), darin das Kapitel: Die Rolle der religio im Staatsleben und Selbstverständnis der Römer (S. 53 ff. und 77).

95 Zur Aeneasgestalt bei Vergil vgl. vor allem: V. Pöschl, Die Dichtkunst Virgils, Berlin ³1977 (¹1950), bes. S. 35 ff.; E. Burck, Das Menschenbild im römischen Epos: Gymnasium 65, 1958, S. 121–146, abgedruckt in: Wege zu Vergil, hg. von H. Oppermann (Wege der Forschung 19), Darmstadt 1963, S. 233 ff.; ferner U. Knoche, Festschr. Snell,

S. 89–100; A. Wlosok, Die Göttin Venus in Vergils Aeneis, Heidelberg 1967, passim (s. Register S. 159).
96 Aeneis 8,554 f.; vgl. dazu 514 ff.
97 Aeneis 11,139–181; vgl. dazu die Worte des Aeneas 11,53 ff.
98 Aeneis 10,824; vgl. 812 und 789.
99 Aeneis 10,846 ff.
100 Aeneis 2,634 ff.
101 So gleich Aeneis 3,9; weiter 267 und 472 f. Gelegentlich heißt es: »wir gehorchen seinem Wort« (189).
102 Vgl. die Motivierung durch Aeneas gegenüber der Sibylle (6,106–117) und dann durch die Sibylle selbst (6,403–405).
103 K. Büchner hat sie in seinem Vergil-Artikel (RE VIII A, S. 1431 ff.) für die einzige eingehende Interpretation ausgewählt.
104 Die klassischen griechischen Vorbilder sind der Abschied Hektors im 6. Buch der Ilias (bes. 474 ff.) und vor allem die Worte des Aias an seinen Sohn in der Tragödie des Sophokles (Aias 550 f.).
105 Vgl. N. Moseley, Characters and Epithets, New Haven 1926, S. 70 ff. und vor allem U. Knoche, Zur Frage der epischen Beiwörter in Vergils Aeneis, in: Festschr. B. Snell, München 1956, S. 89–100.
106 So bes. Aeneis 7,61 f. 92. 274. 593. 618; 11,469. Aeneis 12,211 sind die Könige von Latium als *patres Latini* zusammengefaßt.
107 Vgl. dazu meine Interpretation in: Die Göttin Venus in Vergils Aeneis, S. 20 ff.
108 Dagegen fehlt das Epitheton *pater* für Aeneas im 6. Buch, der Katabasis, in der Aeneas unter dem Aspekt der Sohnespietas gezeigt ist. Demgemäß heißt er hier wiederholt *pius*, während der Vatertitel auf Anchises angewandt ist (679. 713. 854), der hier auch als Stammvater des künftigen Heldengeschlechtes erscheint, das er dem Sohn offenbart (vgl. 5,737; 6,756 f.).
109 z. B. Aeneis 1,544.553 und 7,220; vgl. 267.
110 Zu den Schwierigkeiten, die dem modernen Verständnis gerade die Kriegsführung des Aeneas und die Tötung des besiegten Turnus macht, bei der Aeneas das in seinem Auftrag eingeschlossene Straf- und Vergeltungsamt ausübt, siehe A. Wlosok: Gymnasium 80, 1973, S. 141 ff.
111 Zu beiden Vergleichen s. V. Pöschl a. a. O., S. 162 f.
112 Aeneis 12,701–703 (Übersetzung nach V. Pöschl, a. a. O., S. 163).
113 Hesiod sieht in der harten Weltordnung eine Strafe, erklärt also religiös-kausal, nicht final wie Vergil. Lukrez dagegen erklärt antiprovidentiell, für ihn gehören die Plagen zu den Beweisen gegen eine göttliche Providenz und Weltordnung überhaupt. Vgl. dazu F. Klingner, Virgil 1967, S. 198–203 (= Ders., Virgils Georgica 1963, S. 33–39).
114 Vergil, Georgica 1,121 f.: *pater ipse colendi/haud facilem esse viam voluit.*
115 Aeneis 1,223 ff.; vgl. dazu A. Wlosok, Die Göttin Venus, S. 27 f. und 60 ff.
116 Das soll, da Aeneas bei Vergil als Vorläufer und typologische Entsprechung des Augustus gesehen ist, auch für diesen gelten. Vgl. G. Binder, Aeneas und Augustus, Meisenheim am Glan 1971 (Beiträge z. klass. Phil. 38); zur Typologie in der Aeneis zuletzt V. Buchheit, Vergilische Geschichtsdeutung: Grazer Beiträge 1, 1973, S. 23 ff. – Die Analogie zwischen Iuppiter und Augustus ist, unter Betonung des väterlichen Aspektes, vorsichtig ausgesprochen in einer frühen Ode des Horaz (1,12,49 ff.): »Der Menschheit Vater du und Hüter (*Pater atque Custos*), Sproß Saturns, in deine Obhut (*cura*) hat das Geschick den großen Caesar gegeben: herrsche du und Caesar als Zweiter ... Unter dir wird er gerecht den weiten Erdkreis lenken.« Ovid kann dann in den

Metamorphosen (15,858) konstatieren: Iuppiter herrscht im Himmel, »die Erde ist Augustus unterstellt: Vater und Lenker sind beide *(pater est et rector uterque)*«.

117 Aeneis 10,100–103 (in der Übersetzung V. Pöschls, a. a. O., S. 16).
118 So Aeneis 6,592; 7,770; vgl. 4,25.
119 s. dazu A. Wlosok, Römischer Religions- und Gottesbegriff in heidnischer und christlicher Zeit: Antike und Abendland 16, 1970, S. 39 ff. (mit weiterführenden Literaturangaben).
120 Cicero gibt De natura deorum 2,72 folgende Erklärung des Worte *religio*: »alles was für die Verehrung der Götter wichtig ist, sorgfältig bedenken und gleichsam immer wieder durchgehen *(relegere)*«. Vgl. R. Muth, Römische Religio: Serta philol. Aenipontana 1962, S. 247–271.
121 Festus, S. 178 (Lindsay) und Varro, De lingua Latina 7,85. Zu Vorkommen und Bedeutung des Wortes *numen* siehe vor allem W. Pötscher, Gymnasium 66, 1959, S. 353 ff.
122 Zu dieser ›aktuosen‹ Gottesvorstellung siehe vor allem F. Altheim, Römische Religionsgeschichte I [2]1956 (Sammlung Göschen), S. 49–62.
123 Vgl. bes. Cicero, De natura deorum 2,6 ff. und dazu die oben in Anm. 94 angeführte Literatur.
124 Näheres bei A. Wlosok, Die Göttin Venus, bes. S. 115 f.
125 Sie war das Ergebnis einer in der ausgehenden Republik geführten Diskussion über den Sinn der Väterreligion mit ihren überkommenen Institutionen. Vgl. Cicero, De legibus 2,32, und dazu C. Koch, Der altrömische Staatskult im Spiegel augusteischer und spätrepublikanischer Apologetik, in: Festschr. Ziegler, 1954, S. 85 ff., abgedruckt in: Ders., Religio 1960, S. 187 ff. Die gültige Formulierung hat ihr Cicero, De natura deorum 3,6 gegeben: *maioribus autem nostris etiam nulla ratione reddita credere* – den Vorfahren glauben auch ohne Erklärung oder Begründung.
126 Zum Folgenden s. meine Ausführungen in: Laktanz, S. 234 ff., an die ich mich z. T. eng anlehne.
127 Vgl. Gaius 1,52; der Terminus nur: Ulpian, Digesten 21,1,17,10.
128 Die Konsequenz ist der Satz: *deos nemo sanus timet* – »kein Mensch, der bei Sinnen ist, fürchtet die Götter« (Seneca, De beneficiis 4,19,1).
129 T. Adam, Clementia principis. Der Einfluß hellenistischer Fürstenspiegel auf den Versuch einer rechtlichen Fundierung des Prinzipats durch Seneca, Stuttgart 1970.
130 Tertullian, De oratione 2,4; vgl. Apologeticum 34,2.
131 s. die zweisprachige Ausgabe von H. Kraft / A. Wlosok, Darmstadt [2]1971 (Texte zur Forschung 4); Einführung in die Thematik, S. XIX ff.
132 Grundlegend: A. v. Harnack, Marcion. Das Evangelium vom fremden Gott, [2]1924 (Nachdruck Darmstadt 1960).
133 Belege: Wlosok, Laktanz, S. 232 Anm. 2.
134 Übersetzung nach Kellner 1882. Lateinische Ausgabe im Corpus Christianorum I 1954 (Kroymann).
135 In der Schrift ›Gegen Hermogenes‹ 3,2 f. erklärt Tertullian ausdrücklich, Herr sei »eine Bezeichnung der *potestas* und nicht der *substantia*«. Entsprechendes gelte für die Benennungen Gottes als Vater und als Richter.
136 De opificio dei (vel formatione hominis); vgl.: Laktanz, S. 180 ff.
137 div. inst. 4,4,11 und 3,14 f.; 5,18,16 u. ö.
138 div. inst. 2,11,19; vgl. De opificio 19,4 f.
139 div. inst. 5,18,15.
140 div. inst. 4,4,11; vgl. 4,3,14 f. Wie E. Heck (Vigiliae Christianae 30, 1976, S. 72 ff. beobachtet hat, entzieht der christliche Dichter Commodian in dem apologetischen 1. Buch seiner Instructiones Iuppiter,

nachdem er ihn durch Aufweis seiner Menschlichkeit entgöttlicht hat, auch konsequent das Vaterprädikat: er nennt ihn nur noch *Iovis*.

141 Epitome 36,3; vgl. div. inst. 5,18,14 ff.; s. dazu oben Anm. 42.
142 Laktanz muß beide Anreden im kirchlichen Sprachgebrauch vorgefunden haben. Er selbst verwendet sie gegen zwanzigmal (Belege in meinem Laktanzbuch, S. 232 Anm. 1) und hält sie für die einzig zulässigen Gottesprädikate.
143 div. inst. 4,4,1 und 11; De ira 24,2.
144 div. inst. 4,3,17.
145 div. inst. 4,3,15; De ira 24,5.
146 div. inst. 4,3,17.
147 Epitome 54,4: »Die erste Aufgabe *(officium)* der Gerechtigkeit ist: Gott anzuerkennen, ihn fürchten als Herrn, lieben als Vater. Derselbe nämlich, der uns geschaffen hat, der uns mit Lebensodem beseelt hat, der uns ernährt, der uns gesund erhält, hat uns gegenüber nicht nur als Vater, sondern auch als Herr die Berechtigung *(licentia)* zum Züchtigen und die Gewalt über Leben und Tod *(vitae necisque potestatem)*, weshalb ihm vom Menschen zweifache Ehre *(duplex honos)* gebührt: Liebe und Furcht.«

Zu A. Schindler, Gott als Vater in Theologie und Liturgie der christlichen Antike, S. 55 ff.

1 G. Bornkamm, Das Vaterbild im Neuen Testament, in: Das Vaterbild in Mythos und Geschichte, hg. v. H. Tellenbach, Stuttgart 1976, S. 136. Soweit im folgenden Bemerkungen zum Alten Testament gemacht werden, ist jeweils L. Perlitts Studie ebenda, S. 50–101, zu vergleichen.
2 Es handelt sich um die zwei Klemensbriefe (der erste stammt aus dem Ende des 1. Jh.s), die Briefe des Ignatius von Antiochien, (gest. etwa 110), Polykarps Brief und Martyrium (gest. um 160), den Barnabasbrief (um 140), den »Hirten« des Hermas (140–150) sowie weitere Schriften. Übersetzung: Bibliothek der Kirchenväter (BKV), 2. Aufl., Kempten/ München, Band 35, 1918. Einen Überblick gibt B. Altaner, Patrologie, Freiburg/Basel/Wien [7]1966, S. 43–58.
3 Die wichtigsten Apologeten sind: Aristides, Justin der Märtyrer, Tatian, Athenagoras, Theophilus von Antiochien, vgl. Altaner a. a. O., S. 58–79. Übersetzung: BKV[2] (s. Anm. 2), Bde. 12, 14, 33, Kempten/München 1913 und 1917.
4 Am ehesten Matthäus 5,45 und Epheser 4,6, auch 1. Klemens 19,2; 35,3, dagegen gerade nicht 1. Korinther 8,6.
5 Übersetzung und Erläuterung bei M. Pohlenz, Die Stoa. Geschichte einer geistigen Bewegung, Göttingen [4]1970, S. 108–110.
6 Platonicae Quaestiones, 1001 b u. c, hg. v. C. Hubert und H. Drexler, Leipzig 1959 (Moralia VI/1). – Zusammenfassendes Referat zum Thema von G. Schrenk, Theolog. Wörterbuch zum Neuen Testament, Bd. V, Stuttgart 1954, S. 954–956.
7 Seneca, De providentia 2,5. Übersetzung und Text hg. v. M. Rosenbach, Wiss. Buchges. Darmstadt 1969; Epiktet, Dissertationes I,3,1–3; 9,1–9; 13,3. Übersetzung v. H. Schmidt, Stuttgart 1973 (Auswahl).
8 Vgl. die Seneca-Stelle in Anm. 7, zum monarchischen Gottesbild Dion Chrysostomos, Orationes 1–4 (die vier Reden über das Königtum).
9 Z. B. 56,15; 60,3; 61,3; 63,3.
10 Peter Nemeshegyi, La paternité de dieu chez Origène, Tournai 1960.
11 De oratione 15 f., Übersetzung in BKV[2] (s. Anm. 2), Bd. 48, 1926.

12 Zum pädagogischen Gedanken und zum Gesamtentwurf bei Orignenes vgl. z. B. Hal Koch, Pronoia und Paideusis, Berlin 1932.

13 Wichtigster Repräsentant: Euseb von Cäsarea. Zum Thema vgl.: Die Kirche angesichts der Konstantinischen Wende, hg. v. G. Ruhbach, Wiss. Buchges. Darmstadt 1976.

14 Vgl. Basilius, De spiritu sancto, bes. 1,3. Übersetzung v. M. Blum, Freiburg i. Br. 1967.

15 A. Schindler, Wort und Analogie in Augustins Trinitätslehre, Tübingen 1965, S. 212 ff.

16 Franz K. Mayr, Patriarchalisches Gottesverständnis? Historische Erwägung zur Trinitätslehre, Theologische Quartalschrift 152 (1972), S. 224–255.

17 Z. B. Confessiones II,6,10; V,3,5; VII,5,7 (lat. und dt. v. J. Bernhart, München 1955, 1966[3]).

18 Z. B. Confessiones III,6,11; IV,16,30; X,4,6.

19 Z. B. Traktat 21,3, zum Johannesevangelium, BKV[2] (s. Anm. 2), Bd. 8, 1913.

20 So in MYSTERIUM SALUTIS. Grundriß heilsgeschichtlicher Dogmatik, hg. v. J. Feiner und M. Löhrer, Band II, Einsiedeln/Zürich/Köln 1967, S. 328.

21 Wie Anm. 20, aber Band III/1, 1970, S. 47.

22 Zu diesem Themenkreis vgl. vor allem: A. Hamman, Le Pater expliqué par les Pères, Paris 1962; ders., La Prière, Bd. I: Le Nouveau Testament, 1959, Bd. II: Les trois premiers siècles, 1963; ders. (Hg.), Gebete der ersten Christen, 1963; ders., Die Trinität in der Liturgie und im christlichen Leben, in: Mysterium Salutis (s. o. Anm. 20) II, S. 132–145.

23 Breviarium Hipponense 21: Cum altari assistitur, semper ad patrem dirigatur oratio (Concilia Africae, ed. Ch. Munier, Corpus Christianorum, Bd. 149, Tournai 1974, S. 39).

24 Didache 9,2 f. (um 100, in der Regel zu den Apostolischen Vätern gerechnet, s. o. Anm. 2). Das für Christus verwendete griechische Wort »pais« kann »Knecht« und »Sohn« bedeuten.

25 Hans Jonas, Gnosis und spätantiker Geist, Erster Teil: Die mythologische Gnosis, Göttingen [3]1964, Zweiter Teil, erste Hälfte: Von der Mythologie zur mystischen Philosophie, ebenda [2]1966.

26 Vgl. Jonas a. a. O., Bd. I, unter dem Stichwort »Vater« im Index.

27 Da catholicae ecclesiae unitate 6: habere non potest Deum patrem qui ecclesiam non habet matrem. Übersetzung: BKV[2] (s. Anm. 2), Bd. 34, 1918.

28 2. Klemens 14,1, Hirte des Hermas, Visio II,4,1. Übersetzung: BKV[2] (s. Anm. 2).

29 G. Kretschmar, Studien zur frühchristlichen Trinitätstheologie, Tübingen 1956, S. 27–61.

30 Auf eine von Freud angeregte sozialpsychologische Gesamtdeutung der dogmatischen Entwicklung sei ergänzend hingewiesen: E. Fromm, Die Entwicklung des Christusdogmas (urspr. 1930), in: Das Christusdogma und andere Essays, München 1965, S. 9–91. Ich halte den Versuch für gänzlich mißglückt.

Zu A. Schindler, Geistliche Väter und Hausväter in der christlichen Antike, S. 70 ff.

1 Vgl. P. Gutierrez, La paternité spirituelle selon saint Paul, Paris 1968.

2 Zusammenfassend G. Schrenk, Theologisches Wörterbuch zum Neuen Testament, Bd. V, 1954, S. 975–977.

3 a. a. O. S. 977 und S. 953 ff.
4 Epistula Apostolorum 41 f., übersetzt bei E. Hennecke/W. Schneemelcher, Neutestamentliche Apokryphen, Band I, Tübingen 1959, S. 149 f.
5 Zusammenfassend zu der hier und im folgenden geschilderten Entwicklung: O. Bardenhewer, Geschichte der altkirchlichen Literatur, Bd. I, 1913 (Nachdruck Darmstadt 1962), S. 37 ff. Zu Paulus, Epistula Apostolorum, Ignatius und der Didaskalia: E. Neuhäusler, Der Bischof als geistlicher Vater nach den frühchristlichen Schriften, München 1964.
6 So Epistula 30,8. Übersetzung: BKV[2] (s. o. S. 200, Anm. 2), Bd. 60, 1928.
7 Nachweise im einzelnen bei A. Blaise/H. Chirat, Dictionnaire latin-français des auteurs chrétiens, Turnhout 1954 (und spätere Aufl.), unter den entsprechenden Stichworten. Vgl. É. Lamirande, Cheminement de la pensée de saint Augustin sur la paternité spirituelle, Recherches Augustiniennes III, Paris 1965, S. 167–177.
8 Vgl. Euseb, Historia ecclesiastica VII,7,4 f.: Zitate aus dem 3. Jh. (Kirchengeschichte, deutsch hg. v. H. Kraft, München 1967).
9 Bardenhewer, a. a. O., S. 39–41.
10 Commonitorium 2,5. Übersetzung: BKV[2] (s. o. S. 200, Anm. 2), Bd. 20, 1914.
11 Zu den Begriffen vgl. G. Krüger, Realencyklopädie für prot. Theologie und Kirche, Bd. XV, 1904, bes. S. 9.
12 Altaner, a. a. O. (s. o. S. 200, Anm. 2), S. 4.
13 A. Adam, Artikel »Papa«, in: Die Religion in Geschichte und Gegenwart, Bd. V, 1961, Sp. 42 f.
14 Zu »Abbas« im ältesten Mönchtum H. Bacht, Das Vermächtnis des Ursprungs. Studien zum frühen Mönchtum I, Würzburg 1972, S. 213–224.
15 Die Aussprüche der Wüstenväter sind deutsch zugänglich in »Weisung der Väter« (Apophthegmata Patrum), hg. und übers. v. B. Miller, Freiburg i. Br. 1965. Der angedeutete Fall: Nr. 316.
16 Bacht, a. a. O., bes. S. 217–224.
17 Vgl. K. S. Frank, Artikel »Gehorsam« in: Reallexikon für Antike und Christentum (RAC), Bd. IX, 1976, Sp. 390–430, hier bes. Sp. 427.
18 So in Kap. 11 der sog. dritten Augustinus-Regel. Übersetzung bei H. U. von Balthasar, Die großen Ordensregeln, Einsiedeln 1948, S. 123–133.
19 Bei Origenes, Contra Celsum III, 55. Übersetzung: BKV[2] (s. o. Anm. 2, S. 200), Bd. 52, 1926.
20 Übersetzung v. J. Glagla, Paderborn 1968; griechisch und französisch hg. v. A.-M. Malingrey, in der Reihe »Sources Chrétiennes«, Nr. 188, Paris 1972.
21 Vgl. vor allem die Kapitel 39 und 79 bei Chrysostomos.
22 Zu diesem ganzen Komplex vgl. A. Lumpe/H. Karpp, Artikel »Eltern« in RAC (s. o. Anm. 17), Bd. IV, 1959, Sp. 1190–1219, und P. Blomenkamp, Artikel »Erziehung«, edb., Bd. VI, 1966, Sp. 502–559.
23 Confessiones I,9,14. Übersetzung s. o. Anm. 17, S. 201.
24 Confessiones IX,12,29.
25 Ch. Kligerman, A psychoanalytic study of the Confessions of St. Augustine, Journal of the American Psychoanalytic Association 5 (1957) 469–484.
26 Vgl. Confessiones V,6,10 – 7,12 zu Faustus, VI,3,3 und IX,5,13, zu Ambrosius.
27 Vgl. dazu Lamirande, o. Anm. 7. – Wenn es einem Dilettanten gestattet ist, für einmal mit analytischen Klischees zu hantieren, so würde ich eher sagen: Viel auffallender als der Vaterkonflikt sind bei Augustin – sublimierte! – homoerotische und narzißtische Züge, wie sie in den intensiven Männer-Freundschaften und der hochdifferenzierten Introspektion zum Ausdruck kommen. Unter einem ähnlichen Gesichtspunkt, ausgehend

von H. Blühers »Rolle der Erotik in der männlichen Gesellschaft«, behandelt W. Achelis Augustin in seinem Buch: Die Deutung Augustins, Bischofs von Hippo, Analyse seines geistigen Schaffens auf Grund seiner erotischen Struktur, Prien am Chiemsee 1921.

Zu F. Heyer, Vatertum im orthodoxen Äthiopien, S. 83 ff.

1 F. Heyer, Die Kirche Äthiopiens. Eine Bestandsaufnahme, Berlin–New York 1971, S. 102.

2 Corpus Scriptorum Christianorum Orientalium (CSCO) Scriptores Aethiopici Band 60: Les vies Ethiopiennes de Saint Alexis l'Homme de Dieu, übers. E. Cerulli, Louvain 1969, S. 13 ff., 17, 36, 47, 59.

3 CSCO, Scriptores Aethiopici Band 61: Vita di Walatta Pietros, übers. L. Ricci, Louvain 1970.

4 Ergebnis des Kampfes der Walatta Petros war, daß Kaiser Susenyos abdanken und die Jesuiten das Land verlassen mußten. Vgl. F. Heyer, a. a. O., S. 292 ff.

5 CSCO, Scriptores Aethiopici Bd. 58, Actes de Samuel de Dabra Wagag, übers. St. Kur, Louvain 1968.

6 F. Heyer, a. a. O., S. 39 ff.   7 F. Heyer, a. a. O., S. 250 f.

8 F. Heyer, a. a. O., S. 103   9 F. Heyer, a. a. O., S. 111 f.

10 Beispielhaft ist das sakrale Ausreißertum von Knaben in der vita des Iyasus Mo'a zu erkennen, der vom Engel in der Nacht dreimal aufgerufen wird, das Elternhaus zu verlassen, um sich zu dem berühmten Kirchenlehrer aba Yohanni nach Dabra Damo zu begeben. CSCO, Scriptores Aethiopici Band 50, Actes de Iyasus Mo'a, übers. St. Kur, Louvain 1965, S. 7. – Ein Beispiel für gewalttätiges Herausholen des ins Kloster geflüchteten Knaben durch einen Vater, der verhindern will, daß der Sohn den Mönchsstand wählt, bietet die Legende des Basalota Mikael. Um den Knaben zum Brechen des mönchischen Fastens zu bringen, schmiert der Vater dem Widerwilligen Speise in den Mund. Die Freiheit der Lehrerwahl ist demonstriert, wo der Knabe die gelehrten Mönche, die der Vater für ihn ausgesucht hat, ablehnt. CSCO, Scriptores Aethiopici Bd. 20, Vitae Sanctorum Indigenarum, übers. C. Conti Rossini Leipzig 1905, S. 6–11.

11 CSCO, Scriptores Aethiopici Bd. 18, S. 8.

12 CSCO, Scriptores Aethiopici Bd. 20, S. 45.

13 F. Heyer, a. a. O., S. 72 f.

Zu R. Specht, über Funktionen des Vaters nach Thomas von Aquino S. 95 ff.

1 Contra Gentes 2.83 (1675).

2 Summa Theologica 1, qu.32, a.2, ad 4; ebd. qu.31, a.3, ad 3.

3 Contra Gentes 4.1 (3354): »Quia vero nomina patris et filii generationem aliquam consequuntur . . .«. Vgl. Summa Theologica 1, qu.27, a.2, c und ebd. 3, qu.32. a.3, c.

4 Contra Gentes 4.11 (3461).

5 Ebd. (3462–3467).

6 Summa Theologica 3, qu.23, a.2, ad 3.

7 Summa Theologica 1, qu.27, a.2, c; ebd. 3, qu.32, a.3, c und ad 3.

8 Ebd. 1 a 2 ae, qu.26, a.10.

9 Aristoteles, De generatione animalium 1, 728 a 18: »hōsper arren agonon«.

10 Z. B. Commentarium Magnum in Aristotelis De Anima Libros (Cambridge, Mass. 1953), II v.44; 182, auch v.40; 258, und v.14; 259. Ferner III v.18; 513 sowie die Übersetzung des aristotelischen 425 a 10; ebd. S. 330.
11 Contra Gentes 3.94 (2695).
12 Contra Gentes 4.11 (3479).
13 Contra Gentes 4.45 (3817–3822).
14 Summa Theologica 3, qu.66, a.5, ad 7.
15 Zum Sachverhalt: Aristoteles De Anima 3.5.
16 Aristoteles: De generatione animalium 2.3, 736 b 27.
17 Summa Theologica 2 a 2 ae, qu.26, a.10, ad 1.
18 s. dort im 1. Buch 1253 b ff.
19 Summa Theologica 2 a 2 ae, qu.57, a.4, ad 2.
20 Vgl. 1259 a, b; die Stelle schließt an Eth. Nicom. 8.14, 1161 b an.
21 Contra Gentes 3.122 (2594).
22 Summa Theologica 2 a 2 ae, qu.50, a.3, ad 3.
23 Summa Theologica 2 a 2 ae, qu.65, a.2, ad 3.
24 Ebd. qu.65, a.2.
25 Ebd. qu.26, a.8, ad 2.
26 Z. B. Summa Theologica 1, qu.45, a.5, ad 1.
27 De Veritate qu.11, a.1, ad 11 und c.
28 Contra Gentes 2.75 (1547), De Veritate qu.11, a.1, c.
29 Contra Gentes 2.75 (1547).
30 Contra Gentes 2.75 (1547), De Veritate qu.11, a.1, c und ad 12.
31 Summa Theologica 2 a 2 ae, qu.26, a.8, ad 2, qu.26, a.10, ad 2 und qu.101, a.1, c.
32 Summa Theologica 1 a 2 ae, qu.65, a.5, c und 2 a 2 ae qu.23, a.1, c.
33 Eth. Nicom., z. B. 1158 b, 1160 b–1162 b, 1163 b.
34 Summa Theologica 1 a 2 ae, qu.65, a.5, c und qu.66, a.6, ad 2, ferner 2 a 2 ae, qu.23, a.1 und qu.24, c.
35 Summa Theologica 2 a 2 ae, qu.114, a.1, ad 1.
36 Summa Theologica 1, qu.20, a.2, ad 3 und 2 a 2 ae, qu.23, a.1, c.
37 Im Zusammenhang mit der Abraham-Geschichte verweist Thomas lediglich darauf, daß Gott über Leben und Tod verfügen kann (Summa Theologica 1 a 2 ae, qu.94, a.5, ad 2 sowie 2 a 2 ae, qu.64, a.6, ad 1 und qu.104, a.4, ad 2), und daß man Gott zu gehorchen hat (2 a 2 ae, qu.100, a.4, ad 3).
38 Summa Theologica 3, qu.46, a.1.

Zu G. Frühsorge, Die Begründung der »väterlichen Gesellschaft« ..., S. 110 ff.

1 Christian Wolff, Vernünfftige Gedancken von dem gesellschaftlichen Leben der Menschen und in sonderheit dem gemeinen Wesen. Hg. u. eingel. v. H. W. Arndt, in: Chr. W., Gesammelte Werke. I. Abt.: Deutsche Schriften. Bd. 5, 1975. I. Th. Cap. 5, S. 135.
2 Ders., a. a. O., S. 137 u. ö.
3 Ebd. u. ö.
4 Vgl. die Einleitung von H. W. Arndt, S. VII ff.
5 Oeconomica Methodo Scientifica Pertracta. Halle, Magdeburg 1754, in: Chr. W., Gesammelte Werke. Hg. u. bearb. v. J. Eole u. a. Bd. 27, Hildesheim 1972 (Bd. 28 zu Ende geführt v. M. Chr. Hanov).
6 Christian Wolff, Vernünfftige Gedancken. a. a. O. II. Th. Cap. 2, S. 200 ff.
7 J. H. G. v. Justi, Die Grundfeste zu der Macht und Glückseligkeit der

Staaten; oder ausführliche Vorstellung der gesamten Policey-Wissenschaft, Leipzig 1760. »Vorrede« (unpag.).

8 a. a. O., S. 103.

9 Johann Georg Krünitz, Oeconomisch-technologische Encyklopädie oder allgemeines System der Staats-Stadt-Haus- und Land-Wirthschaft. Th. 22, Berlin[2] 1789, S. 411 ff.

10 Reinhart Koselleck, Preußen zwischen Reform und Revolution. Allgemeines Landrecht, Verwaltung und soziale Bewegung von 1791–1848. Stuttgart [2]1975, S. 54 ff.

11 J. H. G. v. Justi, Oeconomische Schriften über die wichtigsten Gegenstände der Stadt- und Landwirthschaft. Bd. I/II. Berlin, Leipzig 1760.

12 Diese Bezeichnung der Reihe ist problematisch: der ›Hausvater‹ als Adressat kommt auch in einer Reihe ganz anders gearteter Schriften vor. Die konstitutiven Kriterien der Reihe setzen am Quellenbegriff der oeconomia an: die in einem Buch integrierte Information für das ›ganze Haus‹. Es ist zu überlegen, statt von ›Hausväterliteratur‹ besser von frühneuzeitlicher Ökonomieliteratur oder Literatur der ›Hausbücher‹ sprechen zu sollen.

13 Wilhelm Roscher, Geschichte der National-Oekonomik in Deutschland. Bd. I, München 1874, S. 137.

14 Vgl. Berndt Tschammer-Osten, Der private Haushalt in einzelwirtschaftlicher Sicht. Prolegomena zur einzelwirtschaftlichen Dogmengeschichte und Methodologie (Beitr. zur Ökonomie von Haushalt und Verbrauch. H. 7), Berlin 1973.

15 Zur Forschungslage in soziologischer u. sozialhist. Sicht u. a. Georg Schwägler, Soziologie der Familie. Ursprung und Entwicklung (Heidelberger Sociologica 9), Tübingen 1970, bes. S. 13 ff. Dieter Schwab, Art. ›Familie‹, in: Geschichtl. Grundbegriffe. Hist. Lexikon zur politischsozialen Sprache in Deutschland. Stuttgart Bd. II, 1975, S. 253 ff.

16 Otto Brunner, Adeliges Landleben und europäischer Geist. Leben und Werk Wolf Helmhards von Hohberg 1612–1688. Salzburg 1949, bes. S. 248 ff. Ders., Das ›ganze Haus‹ und die alteuropäische ›Ökonomik‹, in: O. B., Neue Wege der Verfassungs- und Sozialgeschichte, Gött. [2]1968, S. 103–127. Den Ansatz Brunners auf erhebl. breiterer Quellenbasis zur antiken u. mittelalterl. Ökonomik weiterführend: Sabine Krüger, Die Oeconomica Konrads von Megenberg. Griechische Ursprünge der spätmittelalterl. Lehre vom Hause, in: Deutsches Archiv f. Erforschung des Mittelalters. 20, 1964, S. 475–561.

17 Werner Sombart, Der moderne Kapitalismus. Hist.-system. Darst. des gesamteurop. Wirtschaftslebens von seinen Anfängen bis zur Gegenwart. Bd. I, 1, [2]1928, S. 33.

18 Zur ersten Aufarbeitung dieser Tradition vgl. Julius Hoffmann, die ›Hausväterliteratur‹ und die ›Predigten über den christl. Hausstand‹. Ein Beitrag zur Geschichte der Lehre vom Haus und der Bildung für das häusl. Leben, Weinheim 1959.

19 Justus Menius, Oeconomia christiana. Vorrede Luthers (unpag.).

20 Oeconomia christiana (unpag.).

21 Wolf Helmhard von Hohberg, Georgica Curiosa. Das ist: umständlicher Bericht und klarer Unterricht Von dem Adelichen Land- und Feld-Leben, Nürnberg 1682 (unpag.).

22 Vgl. Adolf v. Harnack, Lehrbuch der Dogmengeschichte. Bd. I. Tübingen [5]1931, bes. S. 563 ff.

23 Universal-Lexicon aller Wissenschaften u. Künste. Bd. 25, Leipzig 1740, Sp. 527.

24 Franz Philipp Florinus, Oeconomus Prudens et legalis Continuatus. Oder Großer Herren Stands und Adelicher Haus-Vater, bestehend in

Fünf Büchern. Nürnberg, Frankfurt, Leipzig 1719. I. Buch, Cap. 4. Zur Druckgeschichte der »Oeconomus prudens«-Bände vgl. Kurt Linder, Bibliographie der dt. und der niederl. Jagdliteratur v. 1480–1850, Berlin 1976, Sp. 233 ff.

25 Zur Genesis des Colerschen Werks vgl. Kurt Linder, Das Hausbuch des Johann Coler. Druckgeschichte und Bibliographie, in: Festschrift f. Claus Nissen, Wiesbaden 1973, S. 503–564.

26 Georg Andreas Böckler, Nützliche Hauß- und Feldschule / das ist: Wie man ein Land-Feld-Guth und Meyerey mit aller Zugehöre (...) mit Nutzen anordnen solle, Nürnberg (1683) (Erstausg. 1678).

27 Andreas Glorez von Mähren, Vollständige Hauß- und Land-Bibliothec, Regensburg 1700. »Abgetheilt in Vier Theil« (1. u. 3. Teil 1699 dat.) »Vorrede«.

28 a. a. O., S. 3.

29 a. a. O., S. 10. Dieses Sprichwort ist registiert (ohne Quellenang.) bei K. F. W. Wander, Deutsches Sprichwörter-Lexikon. Bd. II, Leipzig 1870, Nr. 117, Sp. 1276.

30 Vgl. Ulrich Troitzsch: Ansätze technologischen Denkens bei den Kameralisten des 17. uu 18. Jahrhunderts (Schriften zur Wirtschafts- u. Sozialgeschichte. Bd. 5), Berlin 1966, S. 45 ff.

31 Julius Bernhard v. Rohr, Compendieuse Haußhaltungs-Bibliothedc, Leipzig 1716, S. 11.

32 a. a. O., S. 83.

33 Otto v. Münchhausen, Der Hausvater, Hannover, Th. IV, 1–13. Abth. 1769.

34 a. a. O., Th. I, 1. Stück. 1764.

35 a. a. O., Th. IV, 3. Abth., 1769, S. 128.

36 J. W. Goethe, Götz von Berlichingen mit der eisernen Hand. Ein Schauspiel (Artemis-dtv-Ausgabe) Bd. 8, III. Akt, S. 66, 67.

37 W. F. Pistorius (Hg.), Lebens-Beschreibung Herrn Gözens von Berlichingen, Nürnberg 1731. »Anrede« an Hans Hoffmann, Bürgermeister von Heilbronn.

38 a. a. O., IV. Akt., S. 79.

Zu L. Schuckerts, Geistige Väter und Söhne, S. 124 ff.

1 Plut. Alex. 8.

2 Hom. Il. 9,607; Vgl. dazu auch 9,430–659.

3 Grundlegend dazu: H.-H. Groothoff, Funktion und Rolle des Erziehers, 1972. Vgl. auch Georges Gusdorf, Pourquoi des professeurs?, Paris 1963 (deutsch: Wozu Lehrer? Hrsg. L. Schmidts, 1970).

4 Benedikt von Nursia, Die Benediktusregel, lat.-deutsch, Hrsg. B. Steidl, o. J. – Zitate aus capp. 2 und 64.

5 Röm. 8,15. In dieser Textstelle ist die Anrede »Abba« nicht auf Christus, sondern auf Gott bezogen.

6 Mat. 23,8. Vgl. dazu auch Clemens von Alexandrien, Paidagogos 53,1; 56,1; 61,1.

7 Alcuinus Flaccus, Ausgewählte pädagogische Schriften, 2. Aufl. 1906. Vgl. dazu Th. Ballauf, Pädagogik, Band I, 1969, S. 352 ff.

8 W. Edelstein, eruditio und sapientia. Weltbild und Erziehung in der Karolingerzeit, 1965.

9 Vgl. E. Reicke, Magister und Scholaren, 1901; W. Wühr, Das abendländische Bildungswesen im Mittelalter, 1950; A. Dolch, Lehrplan des Abendlandes, ²1965.

10 Jean-Jacques Rousseau, Emil oder über die Erziehung. Hrsg. J. Esterhues, ²1963. Zitiert wurde nach der älteren Übersetzung von E. v. Sall-

würk, 1876 = Esterhues S. 16; 80 f.; 70. Vgl. dazu H. Röhrs, Jean-Jacques Rousseau. Vision und Wirklichkeit, ²1966.
11 F. D. Schleiermacher, Theorie der Erziehung. Nachschriften der Vorlesungen aus dem Jahre 1826, in: Ausgewählte pädagogische Schriften, besorgt von E. Lichtenstein, ²1964.
12 Vgl. die immer noch beste Darstellung: H. Nohl, Die pädagogische Bewegung in Deutschland und ihre Theorie, ⁶1963.
13 a. a. O., S. 126 f.
14 a. a. O., S. 134 f.
15 Aloys Fischer, Leben und Werk, Hrsg. K. Kreitmair, Bd. 1, 1950, S. 282.
16 Th. Litt, Führen oder Wachsenlassen?, 1927. Später: Berufsbildung und Allgemeinbildung, 1947; Das Bildungsideal der deutschen Klassik und die moderne Arbeitswelt, 1955.
17 Th. Adorno, in: Zum Bildungsbegriff der Gegenwart, 1967, S. 111 ff.
18 Vgl. H. Schelsky, Anpassung oder Widerstand?, 1967, S. 134–164.
19 Der entscheidende Satz der »Meißner-Formel« vom Oktober 1913 lautete: »Die Freideutsche Jugend will ihr Leben nach eigener Bestimmung, vor eigener Verantwortung, in innerer Wahrhaftigkeit gestalten.«
20 Vgl. Grundschriften der deutschen Jugendbewegung, Hrsg. W. Kindt, 3 Bände, 1963 ff.
21 Vgl. B. Gerner, Selbstverständnis von Lehrern, 1976; W. Brinkmann, Der Beruf des Lehrers, 1975.
22 Vgl. K. H. Flechsig, in: Konstanzer Universitätsreden, Hrsg. G. Hess, Nr. 23, 1969.
23 Vgl. H. Blankertz, Theorien und Modelle der Didaktik, 1969; kritisch: H. Flügge (Hrsg.), Zur Pathologie des Unterrichts, 1970.
24 Nach Christine Möller, Technik der Lernplanung, 1969.
25 Vgl. dazu: L. Kerstiens, Modelle emanzipatorischer Erziehung, 1974.
26 So etwa bei H. Giesecke, Einführung in die Pädagogik, ²1971, S. 219 ff.
27 Deutscher Bildungsrat, Empfehlungen der Bildungskommission: Strukturplan für das Bildungswesen, 1970, speziell S. 25–40; 217–220.
28 Sen. epist. 106,12. Gewöhnlich in Umkehrung zitiert.
29 Vgl. z. B. E. Weber, Autorität im Wandel, 1974. W. Hammel, Autorität!?, 1973.
30 Vgl. hierzu und im Folgenden E. Weber, a. a. O., S. 183–302.
31 Vgl. K. Erlinghagen, Autorität und Antiautorität, 1973; J. Claßen (Hrsg.), Antiautoritäre Erziehung in der wissenschaftlichen Diskussion, 1973; W. Kron (Hrsg.), Antiautoritäre Erziehung, 1973.
32 Arist. Pol. I,2 f.; 12 f.; NE III,15; VIII,1. Dazu und in diesem Zusammenhang: H.-G. Gadamer, Das Vaterbild im griechischen Denken, in: H. Tellenbach (Hrsg.), Das Vaterbild in Mythos und Geschichte, 1976, S. 114 f.
33 Vgl. hierzu besonders den 3. Band der Grundschriften der deutschen Jugendbewegung, Hrsg. W. Kindt, 1975. Informativ für die gegenwärtige Generation: T. Brocher, Aufstand gegen die Tradition. Über den Konflikt zwischen den Generationen, ²1973.
34 Verse 6689–6810.
35 Emile ou de l'éducation, Esterhues S. 77 f.
36 Ellen Key, Das Jahrhundert des Kindes, 1902.
37 Maria Montessori, Das Kind in der Familie, 1923.
38 Vgl. J. H. Pestalozzi, Ausgewählte pädagogische Schriften, Hrsg. W. Flitner, 1949.
39 W. Klafki, Pestalozzis Stanser Brief, ⁸1970.
40 Vgl. dazu W. Brinkmann, Der Beruf des Lehrers, 1976, S. 106 ff.

41 Vgl. Haug/Maessen, Was wollen die Schüler?, 1969 und M. Liebel/
F. Wellendorf, Schülerselbstbefreiung, 1969.
42 Plat. Polit. VIII,14 (St. 562 A–569 B).

Zu G. Schwägler, Der Vater in soziologischer Sicht, S. 149 ff.

1 s. hierzu: A. Ammen, Die außerhäusliche Berufstätigkeit des Vaters. Eine empirische Untersuchung zur Familiensoziologie, Stuttgart 1970.
2 s. hierzu die umfassenden Darstellungen der Vater-Sozialisation in: H. B. Biller, Father, child, and sex role, Lexington 1971. H. B. Biller, Paternal deprivation, Lexington 1974. H. B. Biller und D. Meredith, Father power, Garden City 1975. D. B. Lynn, The father: his role in child development, Monterey 1974. D. L. Scharmann und Th. Scharmann, Die Vaterrolle im Sozialisations- und Entwicklungsprozeß des Kindes, S. 270 bis 316, in: Friedhelm Neidhardt (Hrsg.), Frühkindliche Sozialisation. Stuttgart 1975.
3 D. L. Scharmann und Th. Scharmann, a. a. O.
4 Ebd., S. 314.
5 Ebd., S. 314.
6 Auch bei M. Horkheimer et al., Studien über Autorität und Familie, Paris 1936.
7 G. Schwägler, Soziologie der Familie, Tübingen 1975, S. 85.
8 W. H. Riehl, Die Naturgeschichte des Volkes als Grundlage der deutschen Social-Politik. 3. Band. Die Familie, Stuttgart und Augsburg 1855, S. 29.
9 T. Parsons und R. F. Bales, Family socialisation and interaction process, Glencoe (Ill.) 1955.
10 R. O. Jr. Blood und D. M. Wolfe, Husbands and wives: the dynamics of married living, Glencoe (Ill.) 1960.
11 D. M. Heer, The measurement and bases of family power: an overview. Marriage and family living 25; 1963, S. 133–139.
12 s. hierzu: E. Duvall, Family development. Rev. ed., Philadelphia 1962. R. Hill und R. H. Rodgers, The developmental approach. Pp. 171–211, in: H. T. Christensen (ed.), Handbook of Marriage and Family, Chicago 1964. R. H. Rodgers, Toward a theory of family development. Journal of Marriage and the Family 26, 1964, S. 262–270. G. P. Rowe, The developmental conceptual framework in the study of the family. S. 198–222, in: F. I. Nye and F. M. Berardo (eds.), Emerging conceptual frameworks of family analysis, New York, London 1966.
13 H. B. Biller, a. a. O., 1971. H. B. Biller, a. a. O., 1974.
14 D. B. Lynn, a. a. O., 1974. H B. Biller, a. a. O., 1971.
15 S. B. Coley Jr. und B. E. James, Delivery: a trauma for fathers? The Family Coordinator 25, 1976, S. 359–363. A. P. Jacoby, Transition to parenthood: a reassessment. Journal of Marriage and the Family 31, 1969, S. 720–727.
16 K. Szemkus, Geburt des ersten Kindes und Übernahme der Elternrolle, S. 51–61, in: Hans Braun und Ute Leitner (Hrsg.), Problem Familie – Familienprobleme, Frankfurt/New York 1976, S. 53.
17 K. Szemkus, a. a. O., S. 55.
18 R. A. Fein, Men's entrance to parenthood. The Family Coordinator 25, 1976, S. 341–348. A. S. Wente und S. Crockenberg, Transition to fatherhood: lamaze preparation, adjustment difficulty and the husband – wife relationship. The Family Coordinator 25, 1976, S. 351–357. R. D. Parke und D. B. Sawin, The father's role in infancy: a re-evaluation. The Family Coordinator 25, 1976, S. 365–371.

19 M. E. Lamb und J. E. Lamb, The nature and importance of the father-infant relationship. The Family Coordinator 25, 1976, S. 379–385.
20 R. D. Parke und D. B. Sawin, a. a. O.
21 H. Braun, Der Rückzug der Kinder aus dem Familienzusammenhang, S. 70–79, in: H. Braun und U. Leitner (Hrsg.), a. a. O., 1976, S. 74.
22 Ebd., S. 75.
23 J. A. Watson und V. R. Kivett, Influences on the life satisfaction of older fathers. The Family Coordinator 25, 1976, S. 482–488.
24 J. W. Maxwell, The keeping fathers of America. The Family Coordinator 25, 1976, S. 387–392.
25 D. Barber, Unmarried fathers, London 1975. R. Pannor, F. Massarik und B. Evans, The unmarried father, New York.
26 E. M. Hetherington, M. Cox und R. Cox, Divorced fathers. The Family Coordinator 25, 1976, S. 417–428.
27 S. V. George und P. Whiting, Motherless families, London 1970.
28 M. Mitterauer und R. Sieder, Vom Patriarchat zur Partnerschaft. Zum Strukturwandel der Familie, München 1977, S. 178.
29 S. V. George und P. Whiting, a. a. O.
30 R. D. Gasser und C. M. Taylor, Role adjustment of single parent fathers with dependent children. The Family Coordinator 25, 1976, S. 397–401.
31 D. Orthner, T. Brown und D. Ferguson, Single-parent fatherhood: an emerging life style. The Family Coordinator 25, 1976, S. 429–437. S. V. George und P. Whiting, a. a. O. A. Kadushin, Single-parent adoptions: an overview: some relevant research. Social Science Review 44, 1970, S. 263–274. H. A. Mendes, Single fathers. The Family Coordinator 25, 1976, S. 439–444.
32 D. Orthner, T. Brown und D. Ferguson, a. a. O., S. 435 f.
33 Bundesminister für Jugend, Familie und Gesundheit. Zweiter Familienbericht, Bonn-Bad Godesberg 1975, S. 24.
34 Ebd., S. 24.
35 E. M. Rallings, The special role of stepfather. The Family Coordinator 25, 1976, 445–449. L. Duberman, Step-kin relationships. Journal of Marriage and the Family 35, 1973, S. 283–292.
36 K. Wilson, L. A. Zurcher, D. C. McAdams und R. L. Curtis, Stepfathers and children: an exploratory analysis from two national surveys. Journal of Marriage and the Family 37, 1975, S. 526–536.

Zu K. Stichweh, Erscheinungsformen der Vateridee bei Karl Marx, S. 166 ff.

1 Vgl. Engels' Brief an Marx vom 17. 3. 1845 (MEGA² III/1, S. 273, 20; MEW 27, S. 27). Zitiert wird nach folgenden Ausgaben:
MEGA² Karl Marx/Friedrich Engels, Gesamtausgabe (MEGA). Berlin 1975 ff. (diese Ausgabe unterscheidet sich sowohl im Textbestand als auch in Bandaufteilung und Paginierung von der 1925 bis 1935 erschienenen, unvollständig gebliebenen Historisch-kritischen Gesamtausgabe, MEGA¹).
MEW Karl Marx/Friedrich Engels, Werke. Berlin 1956–1968.
Frühschriften: Karl Marx, Die Frühschriften, hrsg. v. Siegfried Landshut, Stuttgart 1953.
2 »Das Kapital ist (...) keine persönliche, es ist eine gesellschaftliche Macht.« »Kapitalist sein, heißt nicht nur eine rein persönliche, sondern eine gesellschaftliche Stellung in der Produktion einnehmen.« Manifest der Kommunistischen Partei, II. Teil (Frühschriften, S. 540 f.; MEW 4, S. 475 f.).

3 Vgl. etwa David McLellan, Karl Marx. Leben und Werk, München 1974, S. 40.

4 Isaiah Berlin (Karl Marx. Sein Leben und sein Werk. München: Piper, 1959, S. 36) nennt Heinrich Marx »feige« und »unterwürfig«, Arnold Künzli (Karl Marx. Eine Psychographie, Wien etc. 1966, S. 38, 44) »servil« und »ängstlich-opportunistisch«. Beide verkennen die Lebensbedingungen in einem Polizeistaat des frühen 19. Jahrhunderts.

5 Brief vom 18. 11. 1835 (MEGA² III/1, S. 291).

6 Kölnische Zeitung, 23. 1. 1834, zitiert nach Heinz Monz, Karl Marx. Grundlagen der Entwicklung zu Leben und Werk, Trier 1973, S. 134.

7 Vgl. Anm. 4. Werner Blumenberg (Karl Marx in Selbstzeugnissen und Bilddokumenten [rm 76], Reinbek 1962, S. 16 f.) versichert, Heinrich Marx' Worte seien »durchaus nicht ironisch gemeint« gewesen. David McLellan (a. a. O., S. 16) hält sie für »maßvoll, ja ehrerbietig«. B. Nicolaevsky/O. Maenchen-Helfen (Karl Marx. Eine Biographie, Hannover 1963, S. 10) bezeichnen die Rede als »loyal« – »und doch war die Stimme der Opposition in ihr deutlich zu hören«. Nur Monz (a. a. O., S. 134), der sie als einziger vollständig abdruckt, findet sie »geradezu revolutionär«.

8 Vgl. die Reaktion des Justizministers v. Kamptz in Monz, a. a. O., S. 135.

9 Monz, a. a. O., S. 134.

10 MEGA² I/1, S. 454, 18–20.

11 Rheinische Zeitung, 14. 7. 1842 (MEGA² I/1, S. 186,7 und 187,11–14).

12 Rheinische Zeitung, 10. und 14. 7. 1842 (MEGA² I/1, S. 172 ff.). Marx kritisiert hier einen Leitartikel der Kölnischen Zeitung, in dem es u. a. geheißen hatte: »Die Religion ist die Grundlage des Staates, wie die notwendigste Bedingung jeder nicht bloß auf die Erreichung irgend eines äußerlichen Zweckes gerichteten gesellschaftlichen Vereinigung.« (S. 176) Er zerpflückt die »selbstgefällige Oberflächlichkeit«, mit der der Artikel die Religion zum Rechtfertigungsinstrument willkürlicher und unzusammenhängender staatlicher Maßnahmen degradiert: »Was könnte die Philosophie von der Religion, was von sich selbst Schlimmeres sagen, was Euer Zeitungsgeschrei nicht schon längst schlimmer und frivoler ihr imputiert hätte?« (S. 184 f.)

13 Das Kapital, 1. Buch, 1. Kap., 4 (MEW 23, S. 93).

14 s. Anm. 18.

15 »Es erdrückt mich beinahe das Gefühl, Dir weh zu tun, und schon weht mich wieder meine Schwäche an, aber (...) ich will nicht weich werden, denn ich fühle es, daß ich zu nachsichtig war, zu wenig mich in Beschwerden ergoß, und dadurch gewissermaßen Dein Mitschuldiger geworden bin.« Brief vom 12. 8. 1837 (MEGA² III/1, S. 325).

16 Immerhin hat er gewußt und (in einem verlorenen Brief) auch ausgesprochen, welch große Bedeutung die Vater für ihn hatte. Dieser antwortete darauf: »Es schadet nichts, daß Du eine große Meinung von Deinem Vater hast. In meiner Lage habe ich auch etwas geleistet, genug um Dich zu haben, lange nicht genug um mich zu befriedigen.« Brief vom 12.–14. 8. 1837 (MEGA² III/1, S. 313). Am Anfang dieses Briefes (S. 311) heißt es: »So sehr ich Dich über alles – die Mutter ausgenommen – liebe, so wenig bin ich blind, und noch weniger will ich es sein. Ich lasse Dir viele Gerechtigkeit widerfahren, aber ich kann mich nicht ganz des Gedankens entschlagen, daß Du nicht frei von Egoismus bist, etwas mehr als zur Selbsterhaltung nötig.« Das ist scharf gesehen; allerdings konnte der Vater noch nicht wissen, daß es dem Sohn um mehr ging als um »Selbsterhaltung«. Jenes »etwas mehr« an Egoismus war

vermutlich die Voraussetzung, die das theoretische Lebenswerk erst möglich machte.

17 »Ich will und muß Dir sagen, daß Du den Deinen vielen Verdruß gemacht, und wenig oder keine Freude.« Brief vom 9. 12. 1837 (MEGA² III/1, S. 325; MEW, Erg.bd. 1, S. 638).

18 »Ich lasse Deinem Herzen, Deiner Moralität volle Gerechtigkeit widerfahren (...). Glaube immer und zweifle nie, daß ich Dich im Innersten meines Herzens trage, und Du einer der stärksten Hebel meines Lebens bist.« Brief vom 10. 2. 1838 (MEGA² III/1, S. 328).

19 Vgl. etwa die Briefe von Heinrich Marx vom 9. 12. 1837 und 10. 2. 1838 (MEGA² III/1, S. 326, 328; MEW, Erg. bd. 1, S. 639).

20 Brief vom 9. 12. 1837 (MEGA² III/1, S. 325; MEW, Erg.bd. 1, S. 637). Bemerkenswert ist auch, daß Ludwig v. Westphalen den jungen Marx, noch längst vor dessen Verbindung mit seiner Tochter, seiner Freundschaft würdigte. Dieser widmete dem »väterlichen Freunde« später seine Dissertation. Auch L. v. Westphalen war für Marx mehr Freund als Schwiegervater.

21 MEGA² III/1, S. 10; MEW, Erg.bd. 1, S. 4.

22 Brief vom 18.–29. 11. 1835 (MEGA² III/1, S. 292; MEW, Erg.bd. 1, S. 618).

23 MEGA² I/1, S. 479–790; Auswahl in MEW, Erg.bd. 1, S. 602–615.

24 MEGA² III/1, S. 9 f.; MEW, Erg.bd. 1, S. 4.

25 Ebd., S. 15 bzw. S. 8.

26 Ebd., S. 15 f. bzw. S. 8.

27 Auf die Frage nach der *positiven* Möglichkeit der Emanzipation antwortet Marx: »In der Bildung einer Klasse mit *radikalen Ketten*, einer Klasse der bürgerlichen Gesellschaft, welche keine Klasse der bürgerlichen Gesellschaft ist, eines Standes, welcher die Auflösung aller Stände ist, einer Sphäre, welche einen universellen Charakter durch ihre universellen Leiden besitzt und kein *besonderes Recht* in Anspruch nimmt, weil kein *besonderes Unrecht*, sondern das *Unrecht schlechthin* an ihr verübt wird, welche nicht mehr auf einen *historischen*, sondern nur noch auf den *menschlichen* Titel provozieren kann. (...) Diese Auflösung der Gesellschaft als ein besonderer Stand ist das *Proletariat*.« Zur Kritik der Hegelschen Rechtsphilosophie (Frühschriften, S. 222 f.; MEW 1, S. 390).

28 Das Wesen des Stalinismus' und ähnlicher Tendenzen besteht darin, diesen Satz zu leugnen und die Subjektivität der kommunistischen Partei umstandslos mit dem Interesse des Proletariats ineins zu setzen. Die Berufung auf Objektivität ist zwar unverzichtbar, aber selbst nur wieder eine subjektive. Vgl. dazu Sartres Kritik am scholastischen »Materialismus« der Kommunisten; er ist »la subjectivité de ceux qui ont honte de leur subjectivité (Matérialisme et révolution, in: J.-P. Sartre, Situations, III, Paris 1949, S. 135–225, vor allem 163).

29 4. These über Feuerbach (Frühschriften, S. 340; MEW 3, S. 6, vgl. S. 534).

30 Nationalökonomie und Philosophie, Vorrede (Frühschriften, S. 246; MEW, Erg.bd. 1, S. 544 f.).

31 Ebd., S. 247 bzw. S. 545.

32 Zum Gesamtkomplex vgl. Hans Kelsen, Sozialismus und Staat. Eine Untersuchung der politischen Theorie des Marxismus (¹1920), Wien ³1965.

33 »Der mechanische Automat einer großen Fabrik ist um vieles tyrannischer, als es jemals die kleinen Kapitalisten gewesen sind, die Arbeiter beschäftigen.« Fr. Engels, Von der Autorität (1872/73), in: MEW 18, S. 306.

34 Die französische Konstitution von 1848 (MEW 7, S. 498).

35 Manifest der Kommunistischen Partei, Ende des II. Teils (Frühschriften, S. 548; MEW 4, S. 482).

36 Fr. Engels, Der Ursprung der Familie, des Privateigentums und des Staats, Vorwort zur 1. Aufl. 1884 (MEW 21, S. 27).

37 a. a. O., Teil II (MEW 21, S. 75, 77).

38 Vgl. etwa das Zeugnis von Wilhelm Liebknecht, zitiert in: D. Rjazanov, Karl Marx als Denker, Mensch und Revolutionär, Frankfurt 1971 (¹1928), S. 118–127. – Allerdings führte Marx' Verhalten mindestens bei seiner jüngsten Tochter Eleanor (»Tussy«) zu einer Art Überidentifikation. Er selbst bekannte: »Jenny (die älteste Tochter) is most like me, but Tussy ... is me.« Er verhinderte die Heirat seiner Tochter mit einem französischen Journalisten, der an der Pariser Kommune teilgenommen hatte, weil er ihm – aus heute nicht mehr erkennbaren Gründen – nicht vertraute. Eleanor opferte ihrem Vater die besten Jahre ihres Lebens, wie sie rückbildend schrieb, und erst spät, möglicherweise zu spät, sah Marx ein, daß er der Selbständigkeit seiner Tochter nicht im Wege stehen dürfe. Nach seinem Tode fühlte sie sich endlich frei, sich mit einem Mann zu verbinden, der nun allerdings wirklich nicht vertrauenswürdig war. Als sie erfuhr, daß er sie ein Jahr lang hintergangen hatte, setzte sie ihrem Leben ein Ende. – Vgl. Chushichi Tsuzuki, The Life of Eleanor Marx, 1855–1898. A Socialist Tragedy, Oxford 1967, vor allem S. 63, 65, 316 ff.

39 Ich zitiere Marx' ursprüngliche Fassung vor der von Engels vorgenommenen Glättung: MEW 3, S. 533 f. Vgl. die meist zitierte spätere Version in: Frühschriften, S. 339 f.; MEW 3, S. 5 f.

40 Die hier nur in einer ganz speziellen Hinsicht angedeutete Problematik wird umfassend für Marx' gesamte Entwicklung behandelt von Thomas Meyer, Der Zwiespalt in der Marxschen Emanzipationstheorie. Studie zur Rolle des proletarischen Subjekts, Kronberg 1973.

41 Vorausgesetzt ist bei alledem ein ganz bestimmtes Menschenbild, auf dessen Besonderheiten hier nicht eingegangen werden kann. Vgl. John Plamenatz, Karl Marx's Philosophy of Man, Oxford 1975. Hinweise auf weitere Literatur: Allen W. Wood, Marx's Critical Anthropology: Three Recent Interpretations, in: The Review of Metaphysics (Washington), 26 (1972/73), S. 118–139.